中国古典文化精华

老子·庄子

（下）

〔春秋〕老聃　著

〔战国〕庄周　著

时代文艺出版社

天　道

　　天道运而无所积①，故万物成②；帝道运而无所积，故天下归③；圣道运而无所积，故海内服。明于天④，通于圣⑤，六通四辟于帝王之德者⑥，其自为也，昧然无不静者矣⑦。圣人之静也，非曰静也善，故静也；万物无足以铙心者，故静也。水静则明烛须眉⑧，平中准⑨，大匠取法焉⑩。水静犹明，而况精神！圣人之心静乎！天地之鉴也，万物之镜也。夫虚静恬淡寂寞无为者，天地之本而道德之至，故帝王圣人休焉⑪。休则虚，虚则实，实则伦矣⑫。虚则静，静则动，动则得矣。静则无为，无为也则任事者责矣⑬。无为则俞俞⑭，俞俞者忧患不能处，年寿长矣。夫虚静恬淡寂寞无为者，万物之本也。明此以南乡⑮，尧之为君也；明此以北面，舜之为臣也。以此处上，帝王天子之德也；以此处下，玄圣素王之道也⑯。以此退居而闲游，江海山林之士服；以此进为而抚世⑰，则功大名显而天下一也。静而圣，动而王，无为也而尊，朴素而天下莫能与之争美。夫明白于天地之德者，此之谓大本大宗，与天和者也；所以均调天下，与人和者也。与人和者，谓之人乐；与天和者，谓之天乐。

［注释］

①运：动。积：停滞。 ②成：生成。 ③归：归附。
④明于天：明白天道。 ⑤通于圣：通晓圣道。 ⑥六通：四
方上下通达。四避：春夏秋冬顺畅。 ⑦昧然：不自觉的样
子。 ⑧明烛：清楚地照见。 ⑨准：水准。 ⑩大匠：高明
的工匠。 ⑪休：止。 ⑫伦：为"备"字之误。⑬责：负
责。 ⑭俞俞：从容安逸的样子。 ⑮乡：通"向"。 ⑯玄
圣素王：道德高尚而无爵位官职的君子。 ⑰进为而抚世：从
政而治理天下。

［译文］

天道运行而不停滞，万物因而得以生成；帝道运行而不停
顿，所以天下归附；圣道运行而不停息，所以海内宾服。明白
天道，通晓圣道，通达六合而顺应四时的，都是任其自为，无
不自然而然地清静。圣人的清静，不是说清静是好的，所以才
清静；万物不足以扰乱内心，所以清静。水清静便能清楚地照
见须眉，平到可以成为标准，为高明的工匠所效法。水清静便
明彻，何况是精神！圣人之心清静！可以作为天地的明鉴，万
物的明镜。虚静、恬淡、寂寞、无为，乃是天地的根本和道德
的至极，所以帝王圣人安心于这种境界。心神安然则虚静，虚
静则充实，充实则完备。虚则静，静则动，动则自得。清静则
无为，无为则百官各负其责。无为则从容安逸，从容安逸则不
被忧患所困扰，年寿便能长久。虚静、恬淡、寂寞、无为，乃
是万物之本。明白这个道理来做君主，便能像尧那样为君；明
白这个道理来当臣子，便能像舜那样为臣。以此处上位，便是
帝王天子的德；以此处下位，便是布衣君子的道。以此隐居闲
游，则江海山林隐士佩服；以此从政而治理天下，则功名显赫
而天下统一。静则圣，动则王，无为则受人尊崇，朴素则为天
下所称颂。明白天地之德的，称之为大本大宗，与天和顺；以

此调和天下，便是与人和睦。与人和睦，称为人乐；与天和顺，称为天乐。

庄子曰："吾师乎！吾师乎！䪠万物而不为义，泽及万世而不为仁，长于上古而不为寿，覆载天地刻雕众形而不为巧，此之谓天乐。故曰：'知天乐者，其生也天行①，其死也物化②。静而与阴同德，动而与阳同波③。'故知天乐者，无天怨，无人非，无物累，无鬼责。故曰：'其动也天，其静也地，一心定而王天下④；其鬼不祟⑤，其魂不疲，一心定而万物服。'言以虚静推于天地，通于万物，此之谓天乐。天乐者，圣人之心以畜天下也。"

[注释]

①天行：顺乎自然而运行。　②物化：事物的转化。③同波：合流。④一心定：专心于静寂的境界。　⑤祟(suì)：鬼神给人造成灾祸。

[译文]

庄子说："我的大宗师啊！我的大宗师啊！调和万物而不是为了义，恩泽及于万世而不是为了仁，长于上古而不是为了长寿，覆载天地、雕刻众物的形象而不是为了显示技巧，这就叫天乐。所以说：'知天乐的，他的生是顺乎自然而运行，他的死是事物的转化。静则与阴同德，动则与阳合流。'所以知天乐的，不怨天，不尤人，没有外物牵累，没有鬼神责罚。所以说：'动则如天动转，静则如地寂然，专心于静寂的境界则统治天下；其鬼不为害，精神不疲劳，专心于静寂的境界而万物归服。'这是说以虚静之心推及于天地之间，通达于万物，这就叫天乐。所谓天乐，就是以圣人之心来管理天下，无为而治。"

　　夫帝王之德，以天地为宗，以道德为主，以无为为常。无为也，则用天下而有余；有为也，则为天下用而不足。故古之人贵夫无为也。上无为也，下亦无为也，是下与上同德，下与上同德则不臣^①；下有为也，上亦有为也，是上与下同道，上与下同道则不主^②。上必无为而用天下，下必有为为天下用，此不易之道也。故古之王天下者，知虽落天地^③，不自虑也；辨虽雕万物^④，不自说也；能虽穷海内，不自为也。天不产而万物化^⑤，地不长而万物育，帝王无为而天下功^⑥。故曰：莫神于天，莫富于地，莫大于帝王。故曰帝王之德配天地。此乘天地^⑦，驰万物，而用人群之道也。

　　[注释]
　　①不臣：不成其为臣民。　②不主：不成其为君主。
③知：通智。落：通络，包罗。　④辨：口才。雕：粉饰。
⑤化：自然化育。⑥功：成功。⑦乘：驾驭。

　　[译文]
　　帝王之德，以天地为根本，以道德为主干，以无为为常法。无为施政，则治理天下轻轻松松；有为施政，则治理天下忙碌无功。所以古人推崇无为之治。君主无为，臣下也无为，就是下与上同德，下与上同德就不成其为臣下；臣下有为，君主也有为，就是上与下同道，上与下同道则不成其为君主。君主必须以无为驾驭天下，臣下必须有为以各司其职，这是不可变易之道。所以古代的君王，智慧虽然包罗天地，但自己不谋虑；口才虽然足以应对万物，但不自己言谈；才能虽然海内无双，但不躬亲事务。天不生产而万物自然化育，地不生长而万物自然成长，帝王无为而天下成功。所以说：没有比天大的，没有比地富的，没有比帝王权力大的。所以说帝王之德合于天地，这就是驾驭天地，驱使万物，役使百姓之道。

天　道

本在于上，末在于下；要在于主，详在于臣。三军五兵之运①，德之末也；赏罚利害，五刑之辟②，教之末也；礼法度数，形名比详③，治之末也；钟鼓之音，羽毛之容，乐之末也；哭泣衰绖④，隆杀之服⑤，哀之末也。此五末者，须精神之运，心术之动，然后从之者也。

末学者⑥，古人有之，而非所以先也⑦。君先而臣从，父先而子从，兄先而弟从，长先而少从，男先而女从，夫先而妇从。夫尊卑先后，天地之行也，故圣人取象焉。天尊地卑，神明之位也；春夏先，秋冬后，四时之序也；万物化作，萌区有状，盛衰之杀，变化之流也。夫天地至神，而有尊卑先后之序，而况人道乎！宗庙尚亲，朝廷尚尊，乡党尚齿，行事尚贤，大道之序也。语道而非其序者，非其道也；语道而非其道者，安取道哉！

是故古之明大道者，先明天而道德次之，道德已明而仁义次之，仁义已明而分守次之，分守已明而形名次之，形名已明而因任次之，因任已明而原省次之⑧，原省已明而是非次之，是非已明而赏罚次之，赏罚已明而愚知处宜⑨，贵贱履位，仁贤不肖袭情⑩，必分其能，必由其名⑪。以此事上，以此畜下⑫，以此治物，以此修身，知谋不用，必归其天⑬。此之谓太平，治之圣也。

故书曰："有形有名。"形名者，古人有之，而非所以先也。古之语大道者，五变而形名可举，九变而赏罚可言也。骤而语形名，不知其本也；骤而语赏罚，不知其始也。倒道而言，迕道而说者⑭，人之所治也⑮，安能治人！骤而语形名赏罚，此有知治之具，非知治之道；可用于天下⑯，不足以用天下。此之谓辩士，一曲之人也⑰。礼法度数，形名比详，古人有之，此下之所以事上，非上之所以畜下也。

[注释]

①五兵：五种兵器，即弓、矢、矛、戈、戟。　②五刑：五种刑罚，即劓、墨、刖、宫、大辟。辟：法。　③形名：即

名实，循名责实。比：参验。　④哀绖（cuī dié）：丧服。
⑤隆杀之服：根据与死者关系的亲疏程度穿着不同等差的丧
服。　⑥末学：指上述五末之学。　⑦先：根本。　⑧原省：
考察。　⑨处宜：安排得当。　⑩袭：根据。　⑪由：根据。
⑫畜：管理。　⑬归其天：复归于自然。　⑭迕（wǔ）：违
逆。　⑮人之所治：被人统治。　⑯用于天下：被天下所用。
⑰一曲之人：指一管之见而不懂大道的人。

[译文]

　　本根在于上，枝节在于下；简要在于君主，繁琐在于臣
下。兴兵动武，是道德的末流；赏利罚害，五刑之法，是教化
的末流；礼制法度，循名责实，是治天下的下策；钟鼓之音，
盛饰之舞，是音乐的末流；哭泣守孝，以礼服丧，是悲哀的枝
节。上述五末，都是人们费精神、动心机才产生出来的。

　　五末之学，古时候就已经有了，但并未将其视为根本。君
为先而臣为后，父为先而子为后，兄为先而弟为后，长为先而
少为后，男为先而女为后，夫为先而妇为后。天地运行变化，
有先后高低之序，所以圣人效法之以制定人伦等级。天尊地
卑，是神明的位次；春夏先，秋冬后，是四时的顺序；万物化
育，萌芽分枝各有形状，春夏茂盛而秋冬衰落，这是变化的程
序。天地最为神明，尚有尊卑先后之序，何况人道！宗庙尚
亲，朝廷尚尊，乡党之间推崇长者，任事推崇贤能，这是大道
之序。论道而否认道的尊卑先后之序，所谈的就不是真正的
道；论道而否认真正的道，怎么取法于道呢！

　　所以，古代通晓大道的，先明天而后道德，道德已明而后
仁义，仁义已明而后分职，分职已明而后名实，名实已明而后
因任，因任已明而后考察，考察已明而后是非，是非已明而后
赏罚，赏罚已明而愚智各处其宜，贵贱各居其位，仁贤与不肖
各尽其情，各行所能，各得其所。以此事奉主上，以此管理下

民，以此修身，智谋不用，必复归于自然。这就叫太平，是最好的治世原则。

所以书说："有形有名。"古人对形名已有论述，但并未将其视为根本。古代谈论大道的，五变而形名仍可列举，九变而赏罚仍可言及。突然论及形名，不知其根本；突然议论赏罚，不知其始端。颠倒道理而言，违逆道理而论，将为人所治，怎么还能治人！突然议论形名赏罚，这是只知道治世的工具，不知道治世的要诀；只能被天下所用，不能驾驭天下。这种人称为辩士，是一种只有一管之见而不懂大道的人。礼制法度，循名责实，古已有之，这是臣下事君之术，而非主上驭民之道。

昔者舜问于尧曰："天王之用心何如①？"

尧曰："吾不敖无告②，不废穷民，苦死者③，嘉孺子而哀妇人④。此吾所以用心也"。

舜曰："美则美矣，而未大也⑤。"

尧曰："然则何如？"

舜曰："天德而出宁⑥，日月照而四时行，若昼夜之有经⑦，云行而雨施矣⑧。"

尧曰："胶胶扰扰乎⑨！子，天之合也⑩；我，人之合也⑪。"

夫天地者，古之所大也，而黄帝、尧、舜之所共美也。故古之王天下者，奚为哉？天地而已矣。

[注释]

①天王：天子。　②无告：指有苦无处诉的人。　③苦：

悲悯。　④嘉：亲善。孺子：小孩。　⑤大：指完善的事。
⑥无德而出宁：与天合德则宁静。　⑦经：规律。　⑧施：降。
⑨胶胶扰扰：纠缠不清。　⑩天：指天道。　⑪人：人事。

[译文]

从前舜问尧说："天子如何用心呢？"

尧说："我对有苦无处诉的人不傲慢，不抛弃穷困者，悲悯死者，善待小孩而哀怜妇女。这就是我的用心之处。"

舜说："好虽然好，但还不算完善。"

尧说："那么究竟该如何呢？"

舜说："与天合德则宁静，日月光照而四时运行，就如昼夜交替之有规律，云飘而雨降一样。"

尧说："我过去真是糊涂徒劳啊！您是与天道相和顺，而我却是用心于人事上的协调。"

天地自古以来就广大无际，为黄帝、尧、舜所共同赞美。所以，古代的君王还需要干什么呢？顺应自然就可以了。

孔子西藏书于周室①，子路谋曰②："由闻周之征藏史有老聃者③，免而归居④，夫子欲藏书，则试往因焉⑤。"

孔子曰："善。"

往见老聃，而老聃不许，于是繙十二经以说⑥。老聃中其说⑦，曰："大谩⑧，愿闻其要。"

孔子曰："要在仁义。"

老聃曰："请问：仁义，人之性邪？"

孔子曰："然。君子不仁则不成，不义则不生。仁义，真人之性也，又将奚为矣？"

　　老聃曰："请问：何谓仁义？"

　　孔子曰："中心物恺⑨，兼爱无私，此仁义之情也。"

　　老聃曰："意，几乎后言⑩！夫兼爱，不亦迂乎⑪！无私焉，乃私也。夫子若欲使天下无失其牧乎⑫？则天地固有常矣，日月固有明矣，星辰固有列矣⑬，禽兽固有群矣，树木固有立矣⑭。夫子亦放德而行，遁道而趋，已至矣⑮！又何偈偈乎揭仁义⑯，若击鼓而求亡子焉？意，夫子乱人之性也！"

[注释]

　　①周室：周王室。　②子路：孔子弟子，名由。　③征藏史：收集管理图书典籍的史官。　④免：免官。归居：归家隐居。　⑤因：通过。⑥繙（fān）：演绎。　⑦中：打断。⑧漫：漫无边际。　⑨恺：乐。⑩几：危。⑪迂：迂曲。⑫牧：养。　⑬列：次序排列。　⑭立：成长。　⑮已至矣：已经是最好的了。　⑯偈偈（jié）乎：用尽气力的样子。

[译文]

　　孔子想要将自己的著作藏在西边的周王室，子路出主意说："我听说周王室掌管典籍的史官老子，隐退在家，先生要藏书，可以去找他帮忙。"

　　孔子说："好。"

　　孔子去见老子，老子却不答应，孔子于是演绎十二经以说服他。老子打断他的议论，说："太漫无边际，请说出要点。"

　　孔子说："要点是仁义。"

　　老子说："请问：仁义是人的天性吗？"

孔子说："是的。君子不仁则不能成名，不义则不能生存。仁义确实是人的真性，还有什么怀疑吗？"

老子说："请问：什么是仁义？"

孔子说："心地中正与外物相和悦，兼爱无私，这就是仁义之情。"

老子说："噫！你的话真危险！提倡兼爱，真是迂曲！所谓无私，就是偏私。你想让天下人不失去养育吗？实际上，天地固有其变化的规律，日月固有其光辉，禽兽固有其群居，树木原本是生长的。你也仿效天德而行，遵循天道而进，这已经是最好的了！又何必竭尽全力地标榜仁义，就像击鼓召唤众人为自己去寻找走失的孩子？噫！你是在扰乱人的天性啊！"

士成绮见老子而问曰①："吾闻夫子圣人也，吾固不辞远道而来愿见，百舍重趼而不敢息②。今吾观子，非圣人也。鼠壤有余蔬③，而弃妹之者④，不仁也，生熟不尽于前⑤，而积敛无崖⑥。"

老子漠然不应。

士成绮明日复见，曰："昔者吾有刺于子，今吾心正却矣⑦，何故也？"

老子曰："夫巧知神圣之人，吾自以为脱焉⑧。昔者子呼我牛也而谓之牛，呼我马也而谓之马。苟有其实，人与之名而弗受，再受其殃。吾服也恒服⑨，吾非以服有服。"

士成绮雁行避影⑩，履行遂进而问⑪："修身若何?"

老子曰:"而容崖然⑫,而目冲然⑬,而颡頯然⑭,而口阚然⑮,而状义然⑯,似系马而止也⑰。动而持⑱,发也机⑲,察而审⑳,知巧而睹于泰㉑,凡以为不信㉒。边竟有人焉㉓,其名为窃。"

[注释]

①士成绮:人名,事迹不详。　②舍:古时行三十里一止宿,称为一舍。百舍:形容路途遥远。趼(jiǎn):通茧,脚掌因走路过多而磨出的硬皮。重趼:一重重的厚茧。　③鼠壤:老鼠生活的地方。余蔬:吃剩的食物。　④妹:犹昧,不爱物。　⑤生熟:生熟食物。不尽于前:堆满面前。　⑥无崖:无边际。　⑦正却:正在开窍,意即有所觉悟。　⑧脱:超脱。　⑨服:行为。　⑩雁行避影:侧身避影,形容惭愧之状。　⑪履行:蹑足而行。　⑫崖然:姿容高傲之状。　⑬冲然:鼓目注视之状。　⑭頯(kuí)然:宽大高亢之状。⑮阚(kǎn)然:张口动唇之状。　⑯义然:高傲之状。⑰系马:马被绑住。　⑱动而持:想动而勉强约束。　⑲发也机:发动如弩放矢。⑳察而审:察事精审。　㉑睹:看。泰:太过。㉒不信:不真实。　㉓竟:通境。

[译文]

士成绮拜见老子,说:"我听说先生是圣人,所以我不辞劳苦远道而来希望拜见您,路途遥远,脚上都磨出了厚厚的茧子,却不敢稍有歇息。现在我看先生并不是圣人,鼠穴中有吃剩的食物,弃而不顾,这是不仁,生熟食物堆积于前,却还聚敛不已。"

老子态度冷漠,不理睬他。

士成绮第二天又去见老子,说:"昨天我讽刺了您,今天我心中有所觉悟，这是为什么呢？"

老子说："巧智神圣之人，我对此已完全超脱。过去你把我叫作牛也可以，叫作马也可以。如果我确有其实，别人非议我而拒不接受，那就是错上加错。我的所作所为从来如此，并不因世俗干扰而改变。"

士成绮斜步侧身而行，蹑足走上前去问："如何修身？"

老子说："你的姿容高傲自大，你的眼睛鼓目突出，你的额头宽大高亢，你的口舌启动欲言，你的相貌自命不凡，犹如狂马被缚而意欲奔驰。欲动而勉强约束，发动如弩发矢，明察而精神，智巧多端而所见虚浮不实，这些都不是真诚之德。边境上有一种人，他的名字叫窃贼。"

　　夫子曰①："夫道，于大不终②，于小不遗③，故万物备④。广广乎其无不容也，渊渊乎其不可测也⑤。形德仁义，神之末也，非至人孰能定之！夫至人有世⑥，不亦大乎，而不足以为之累。天下奋棅而不与之偕⑦，审乎无假而不与利迁⑧，极物之真⑨，能守其本，故外天地⑩，遗万物，而神未尝有所困也。通乎道，合乎德，退仁义，宾礼乐⑪，至人之心有所定矣⑫。"

[注释]

①夫子：指老子。　②不终：无穷无尽。　③不遗：毫无遗漏。　④备：具备。　⑤渊渊乎：深奥的样子。　⑥有世：有天下。　⑦奋：争。棅：通柄。偕：同。　⑧审：守。无假：纯真。　⑨极：穷究。　⑩外天地：把天地置之度外。

⑪宾：通摈，摈弃。　⑫定：安。

[译文]

先生说："道，就大而言无穷无尽，就小而言毫无遗漏，所以道具备在万物之内。广大啊，无所不容；深奥啊，不可测量。形德仁义，是精神的末流，若非至人谁能确定它！至人拥有天下，确实很大，但却不足以牵累他。天下人争权夺利而他不与之合流，持守纯真而不求名逐利，穷究事物之真性，能坚守其根本，所以将天地置之度外，忘却万物，而精神未尝有所困扰。通达于道，融合于德，斥退仁义，抛弃礼乐，至人的心随之安定。"

　　世之所贵道者书也①，书不过语，语有贵也。语之所贵者意也，意有所随②。意之所随者，不可以言传也，而世因贵言传书③。世虽贵之，我犹不足贵也，为其贵非其贵也。故视而可见者，形与色也；听而可闻者，名与声也。悲夫！世人以形色名声为足以得彼之情④。夫形色名声果不足以得彼之情，则知者不言，言者不知，而世岂识之哉！

[注释]

①贵道：看重道。　②随：从，由来。　③贵言：珍重语言。　④情：实质。

[译文]

　　世俗所看重的是书，书上写的不过是语言，语言有它的可贵之处。语言所可贵的在于它所表达的意义，意义有所指向。意义的由来，是难于用语言表达的，而世俗则因珍重语言而传之于书。世俗虽然看重书，我却认为书不足珍贵，因为珍重的并不是真正可贵的。所以，可以看得见的，是形和色；可以听得见的，是名和声。可悲啊！世人认为根据形色和名声就可得到道的实质！从形色名声中果然得不到道的实质，则知道的不说，说的并不知道，而世俗又怎么能了解呢！

桓公读书于堂上①。轮扁斫轮于堂下②，释椎凿而上③，问桓公曰："敢问：公之所读者，何言邪？"

公曰："圣人之言也。"

曰："圣人在乎？"

公曰："已死矣。"

曰："然则君之所读者，古人之糟魄已夫④！"

桓公曰："寡人读书，轮人安得议乎！有说则可⑤，无说则死！"

轮扁曰："臣也以臣之事观之。斫轮，徐则甘而不固⑥，疾则苦而不入⑦，不徐不疾，得之于手而应于心，口不能言，有数存焉于其间⑧。臣不能以喻臣之子⑨，臣之子亦不能受之于臣，是以行年七十而老斫轮。古人之与其不可传也死矣，然则君之所读者，古人之糟魄已夫！"

[注释]

①桓公：齐桓公。　②轮扁：制作车轮的匠人，名扁。③释：放下。④魄：通粕。　⑤有说：说出道理。　⑥徐：宽。甘：松滑。　⑦疾：紧。苦：滞涩。　⑧数：分寸。

⑨喻:明白。

　　[译文]

　　齐桓公在堂上读书。轮扁在堂下削制车轮,他放下手中的工具走上前来,问桓公:"请问公所读的是什么书?"

　　桓公说:"是圣人之言。"

　　轮扁问:"圣人还活着吗?"

　　桓公说:"已经死了。"

　　轮扁说:"那么您所读的,不过是古人的糟粕罢了!"

　　桓公说:"我读书,工匠怎么能妄加评论! 你能说出道理则作罢,说不出道理就得死!"

　　轮扁说:"我是根据我的工作来观察的。制作车轮,榫眼做得宽了就松滑而不牢固,做得紧了就滞涩而安不进去,松紧适宜才得心应手,对此说不出来,分寸大小则心中有数。我无法使儿子明白其中的奥妙,儿子也无法掌握我的技术,所以我虽然已70高龄却还得制作车轮。古人和他那无法言传的东西一同死了,那么您所读的,只不过是古人的糟粕罢了!"

天　运

　　"天其运乎? 地其处乎①? 日月其争于所乎②? 孰主张是③? 孰维纲是④? 孰居无事推而行是⑤? 意者其有机缄而不得已邪⑥? 意者其运转而不能自止邪? 云者为雨乎? 雨者为云乎? 孰隆施是⑦? 孰居无事淫乐而劝是⑧? 风起北方,一西一东⑨,有上彷徨⑩,孰嘘吸是⑪? 孰居无事而披拂是⑫? 敢问何故?"

巫咸袑曰⑬："来！吾语女。无有六极五常⑭，帝王顺之则治，逆之则凶。九洛之事⑮，治成德备⑯，监照下土⑰，天下戴之⑱，此谓上皇。"

[注释]

①处：静止。　②争于所：交替出没。　③主张：主宰施张。　④维纲：维持纲纪。　⑤推而行是：推着它们运行。⑥意者：或者。机：关。缄：闭。　⑦隆：兴。　⑧淫乐：指云雨翻腾。　⑨一：或。　⑩彷徨：飘忽不定。　⑪嘘吸：呼吸。　⑫披拂：扇动。　⑬巫咸：商代的神巫，名咸。袑（shào）：通招：一说袑是巫咸的寄名。　⑭六极：东西南北上下六个方面的极限，亦称六合五常：即五行，指金、木、水、火、土。　⑮九洛之事：九州聚落之事。一说九洛是指九畴洛书，详见《尚书·洪范》。　⑯治成：实现太平。德备：道德完备。　⑰监：临。　⑱戴：爱戴，尊崇。

[译文]

"天运行不息吗？地静止不动吗？日月交替出没是谁主宰着？由谁维系着？是谁闲居无事而推动它呢？或者是有机关控制着它们而不得已为之？或者是它们运转不息而不能自制？云是为了雨吗？雨是因为云吗？由谁兴云降雨？是谁闲居无事而助长云雨翻腾？风起北方，忽西忽东，在空中飘忽不定，由谁呼吸？是谁闲居无事而扇动？请问这都是因为什么缘故？"

巫咸袑说："过来！我告诉你。天有六极五常，帝王顺应它天下就太平，违逆它天下就大乱。九州的事务，天下太平而道德完备，临照人间，天下爱戴，这就叫上皇。"

商大宰荡问仁于庄子①。庄子曰："虎狼，仁也。"

曰：“何谓也？”

庄子曰：“父子相亲，何为不仁？”

曰：“请问至仁。”

庄子曰：“至仁无亲。”

大宰曰：“荡闻之，无亲则不爱，不爱则不孝。谓至仁不孝，可乎？”

庄子曰：“不然。夫至仁尚矣，孝固不足以言之。此非过孝之言也②，不及孝之言也。夫南行者至于郢③，北面而不见冥山④，是何也？则去之远也。故曰：以敬孝易，以爱孝难；以爱孝易，以忘亲难；忘亲易，使亲忘我难；使亲忘我易，兼忘天下难；兼忘天下易，使天下兼忘我难。夫德遗尧、舜而不为也，利泽施于万世，天下莫知也。岂直太息而言仁孝乎哉⑤！夫孝悌仁义，忠信贞廉，此皆自勉以役其德者也⑥，不足多也⑦。故曰：至贵，国爵并焉⑧；至富，国财并焉；至愿，名誉并焉。是以道不渝⑨。”

[注释]

①商：指宋国，因宋国是商朝的后代。大（tài）宰：官名。荡：大宰名。　②过孝：超过孝。　③郢（yǐng）：楚国的都城，在今湖北江陵一带。　④冥山：山名，在郢都北面。　⑤岂直：难道。大（tài 太）息：嗟叹。　⑥役：劳役。德：性。　⑦多：赞颂。　⑧并：抛弃。　⑨渝：变。

[译文]

宋国的大宰荡向庄子请教仁。庄子说：“虎狼具备仁性。”

大宰荡说："这是怎么说的呢？"

庄子说："它们父子相亲，难道不是仁吗？"

大宰荡说："请问什么是至仁？"

庄子说："至仁就是不讲亲爱。"

大宰荡说："我听说，无亲便不爱，不爱便不孝。说至仁不孝，可以吗？"

庄子说："不是的。至仁是崇高的，孝本来就不足以说明它。你所说的并没有超过孝，而且与孝没有关系。往南走到了郢都，北面的冥山就看不见了，这是为什么呢？因为两者相距太遥远了。所以说：用敬行孝容易，用爱行孝难；用爱行孝容易，使父母安适就难；使父母安适容易，使父母不牵挂就难；使亲忘我容易，兼忘天下则难；兼忘天下容易，使天下兼忘我就难。忘掉尧、舜不足为德，恩泽施及万世而天下不知，难道还要赞叹仁孝吗！孝悌仁义，忠信贞廉，这些都是自我勉励以劳累天性，是不值得赞颂的。所以说：最尊贵的，就是抛弃国君的爵禄；最富有的，就是抛弃天下的财货；最好的愿望，就是抛弃一切名誉。因此，道是永恒不变的。"

北门成问于黄帝曰①："帝张《咸池》之乐于洞庭之野②，吾始闻之惧，复闻之怠③，卒闻之而惑④，荡荡默默⑤，乃不自得⑥。"

帝曰："汝殆其然哉⑦！吾奏之以人，征之以天，行之以礼义，建之以太清⑧。夫至乐者，先应之以人事，顺之以天理，行之以五德，应之以自然，然后调理四时，太和万物⑨。四时迭起⑩，万物循生；一盛一衰，文武伦经⑪；一清一浊，阴阳调和，流光其声；
蛰虫始作⑫，吾惊之以雷霆；其卒无尾，其始无首；
一死一生，一偾一起⑬；所常无穷，而一不可待。汝
故惧也。

"吾又奏之以阴阳之和，烛之以日月之明⑭。其声
能短能长，能柔能刚；变化齐一，不主故常；在谷满
谷，在阬满阬⑮；涂郤守神⑯，以物为量。其声挥
绰⑰，其名高明。是故鬼神守其幽⑱，日月星辰行其
纪⑲。吾止之于有穷⑳，流之于无止㉑。子欲虑之而不
能知也，望之而不能见也，逐之而不能及也；傥然立
于四虚之道㉒，倚于槁梧而吟。目知穷乎所欲见，力
屈乎所欲逐㉓，吾既不及，已夫！形充空虚㉔，乃至委
蛇㉕。汝委蛇，故怠。

"吾又奏之以无怠之声，调之以自然之命㉖。故若
混逐丛生㉗，林乐而无形㉘，布挥而不曳㉙，幽昏而无
声。动于无方，居于窈冥；或谓之死，或谓之生；或
谓之实㉚，或谓之荣㉛；行流散徙㉜，不主常声。世疑
之，稽于圣人。圣也者，达于情而遂于命也。天机不张
而五官皆备，此之谓天乐，无言而心说。故有焱氏为之
颂曰：'听之不闻其声，视之不见其形，充满天地，苞
襄六极。'汝欲听之而无接焉，而故惑也。

"乐也者，始于惧，惧故祟；吾又次之以怠，怠故
遁；卒之于惑，惑故愚；愚故道，道可载而与之俱也。"

[注释]

①北门成：黄帝之臣。　②张：设，演奏。咸池：乐曲名。　③怠：心意松弛。　④卒：最终。惑：心神迷惑。⑤荡荡：恍恍忽忽。默默：昏昏暗暗。　⑥不自得：不能自主。　⑦殆其然：可能会那样。　⑧建：立。大清：天道。⑨据考证，"夫至乐者"至"太和万物"35字系注文窜入，不属正文，许多学者主张删除。这里仍维持原貌，未加删除。⑩迭起：更替。⑪伦经：经纶。　⑫蛰（zhé）虫：冬眠的虫。作：动。　⑬偾（fèn）：跌倒。⑭烛：照。　⑮阬：即坑。⑯涂：塞。　⑰挥绰：悠扬。　⑱幽：阴暗。　⑲纪：轨道。　⑳穷：尽头。　㉑流：动。　㉒傥（tǎng）然：无心的样子。　㉓屈：尽。　㉔形充：形体内。　㉕委蛇：见前《应帝王篇》注。　㉖调：和。　㉗混逐：混杂一起，相互追逐。丛生：丛聚并生。㉘林乐：群乐，指众乐齐奏。无形：无法分辨。　㉙布挥：张扬。不曳：没有约束。　㉚实：结果实。㉛荣：开花。　㉜行流散徙：随物变化。

[译文]

北门成问黄帝说："您在洞庭之野演奏《咸池》乐曲，我初听时感到惊惧，再听时心意松驰，最后听了心神迷惑，恍忽昏暗，不能自主。"

黄帝说："你可能会那样吧！我奏乐涉及人事，引证自然，体现礼义，以天道为体。最好的音乐，先应之以人事，顺之以天理，行之以五德，应之以自然，然后调理四时，太和万物。四时更替，万物顺时生长；一盛一衰，文武经纶；一清一浊，阴阳调和，声光交流；蛰虫开始蠕动，我用雷霆之声震惊它们；乐声终了却没有结尾，起始却没有开头；一静一响，一落一起；变化无穷，完全不能预料。所以你感到惊惧。

"我又演奏阴阳调和，照以日月之光。乐声可短可长，能

柔能刚；变化有致，不守成章；充盈广宇，无所不在；约制多
欲之心智，凝守静寂之精神，以自然为度量。乐声悠扬，高亢
明快。因而鬼神居守于阴暗的角落，日月星辰循序运行。我奏
乐富于节奏变化，抑扬顿挫，无不得当。你想思虑它却无法通
晓，想观察却无法看见，想追逐却无法赶上；茫然置身于四周
空虚之途，靠着枯槁的梧桐树而自吟自唱。虽然想看但视力穷
尽，虽然追赶却无能为力，既然如此只有作罢！形体空虚，致
使心神舒缓。心神舒缓宽闲，所以松弛。

　　"我又演奏无怠之声，和以自然之性。所以，音调混然相
逐，丛聚并生，合奏时众音协调，浑然一体，爽朗奔放，幽深
而无声。动则不拘程式，居则隐于幽冥；或称之为死，或称之
为生；或称之为结果；或称之为开花；行云流水般飘逸运转，
老调不弹而新律迭出。世人对此疑惑，求验于圣人。所谓圣，
就是通于性情而顺于自然。五官齐备但却不动心机，这就叫天
乐，无须说明而内心愉悦。所以神农氏称颂它说：'听而不闻
其声，视而不见其形，充满天地，包容六极。'你想听它却无
法捉摸，所以你感到迷惑。

　　"这种乐章，开始时惊惧，因为惊惧便视为祸患；接着心
意松弛，松弛便是缩迴避；最终感到心神迷惑，迷惑便愚钝无
知；愚钝无知便可进入道的境界，你就与天道浑然一体了。"

　　孔子西游于卫①。颜渊问师金曰②："以夫子之行
为奚如③？"

　　师金曰："惜乎！而夫子其穷哉④！

　　颜渊曰："何也？"

　　师金曰："夫刍狗之未陈也⑤，盛以箧衍⑥，巾以

文绣[7]，尸祝齐戒以将之[8]。及其已陈也，行者践其首脊，苏者取而爨之而已[9]。将复取而盛以箧衍，巾以文绣，游居寝卧其下，彼不得梦，必且数眯焉。今而夫子亦取先王已陈刍狗，聚弟子游居寝卧其下。故伐树于宋[10]，削迹于卫[11]，穷于商周[12]，是非其梦邪？围于陈蔡之间，七日不火食。死生相与邻，是非其眯邪？

“夫水行莫如用舟，而陆行莫如用车。以舟之可行于水也，而求推之于陆，则没世不行寻常[13]。古今非水陆与？周鲁非舟车与？今蕲行周于鲁[14]，是犹推舟于陆也，劳而无功，身必有殃。彼未知夫无方之传[15]，应物而不穷者也。

“且子独不见夫桔槔者乎？引之则俯[16]，舍之则仰。彼人之所引，非引人也，故俯仰而不得罪于人。故夫三皇五帝之礼义法度[17]，不矜于同而矜于治[18]。故譬三皇五帝之礼义法度[19]，其犹柤梨橘柚邪！其味相反而皆可于口。

“故礼义法度者，应时而变者也[20]。今取猨狙而衣以周公之服，彼必龁啮挽裂[21]，尽去而后慊[22]。观古今之异，犹猨狙之异乎周公也。故西施病心而矉其里[23]，其里之丑人见之而美之，归亦捧心而矉其里[24]。其里之富人见之，坚闭门而不出；贫人见之，挈妻子而去之走。彼知矉美而不知矉之所以美。惜乎，而夫子其穷哉！”

[注释]

①卫：国名。　②师金：鲁国太师，名金。　③奚如：如何。　④穷：陷入困境。　⑤刍狗：用茅草扎成的狗，祭祀时使用。陈：摆设。　⑥箧衍：竹筐。　⑦巾：覆盖，装饰。⑧尸祝：主持祭祀的人。　⑨苏者：割草的人。　⑩伐树于宋：孔子曾游说于宋国，在一棵大树下聚徒讲学，宋司马桓魁（tuí）因与孔子有积怨，将大树砍倒，孔子落荒而逃。　⑪削迹于卫：孔子曾在卫国被围受辱，无法再入卫国。　⑫穷于商周：指孔子曾在宋国和东周受困。　⑬没世：终生。　⑭行：推行。　⑮无方：没有定向。传：传车，驿车。　⑯引：拉。⑰三皇五帝：见前注。　⑱矜（jīn）：尚，珍重。⑲譬：比方。　⑳应时：适应时势。　㉑龁啮（hé niè）：咬。挽裂：扯破。　㉒慊（piè）：满意。　㉓矉（pín）：通颦，皱眉。㉔捧心：按着胸口。

[译文]

孔子西游到卫国。颜渊问师金说："您认为我老师的做法如何？"

师金说："可惜啊！您老师要陷入困境了！"

颜渊说："为什么呢？"

师金说："祭祀用的草狗在没有献祭的时候，盛装于竹筐，覆盖着绣巾，主持祭祀的尸祝沐浴斋戒后奉献。一旦献祭完毕，路人对其任意践踏，割草的人拿去当柴火烧。要是有人再把它盛入竹筐，盖上绣巾，视为珍爱之物而形影不离地带着，那人即使不招来恶梦，也会被鬼魔所惊吓。现在您的老师也是搜罗了先王已经使用过的草狗，聚集弟子而形影不离地带着它。所以在宋国受伐树之辱，受困于卫国，不得志于商周，这不正是他的恶梦吗？被围困在陈蔡之间，七天不得饮食，几乎丢掉性命，这不正是招来的惊吓吗？

　　"水上通行莫过于用船，陆上行走莫过于用车。因为船能在水上运行，而把它推到陆地上行走，那一辈子也走不了多远。古和今不就像水和陆地吗？周和鲁不就像船和车吗？现在试图将周代的制度推行到鲁国去，就像行船于陆地上，劳而无功，自身还要遭殃。他不懂得能够应变自然，可以四通八达。

　　"你难道没有见过桔槔吗？人一拉它就垂下，松开手它就升起。它是被人牵引的，而不是牵引人的，所以它无论是下还是上都不会得罪人。三皇五帝的礼仪法度，可贵的不是因为它们彼此相同，可贵之处在于它们都能使天下太平。所以，三皇五帝的礼义法度，就好像柤梨橘柚啊！味道虽然各不相同却都非常可口。

　　"所以，礼义法度是顺应时代的变迁而不断变化的。现在如果让猿猴穿上周公的礼服，它一定会咬破扯碎，全部丢弃而后快。观察古今的不同，就像猿猴不同于周公一样。西施心痛，皱着眉头，邻里的丑女看见了觉得很美，于是也捂着心口皱起眉头。邻里的富人看见了，关紧大门而不出；穷人看见了，带着妻子儿女远走他乡。她知道皱着眉头美，却不知皱眉为什么美。可惜啊！你的老师要陷入困境了！"

　　孔子行年五十有一而不闻道，乃南之沛见老聃①。

　　老聃曰："子来乎？吾闻子，北方之贤者也，子亦得道乎？"

　　孔子曰："未得也。"

　　老子曰："子恶乎求之哉？"

　　曰："吾求之于度数②，五年而未得也。"

老子曰："子又恶乎求之哉？"

曰："吾求之于阴阳，十有二年而未得。"

老子曰："然。使道而可献③，则人莫不献之于其君；使道而可进，则人莫不进之于其亲；使道而可以告人，则人莫不告其兄弟；使道而可以与人，则人莫不与其子孙。然而不可者，无佗也④，中无主而不止⑤，外无正而不行。由中出者，不受于外，圣人不出；由外入者，无主于中，圣人不隐。名⑥，公器也，不可多取；仁义，先王之蘧庐也⑦，止可以一宿而不可以久处，觏而多责⑧。

"古之至人，假道于仁⑨，托宿于义⑩，以游逍遥之虚⑪，食于苟简之田⑫，立于不贷之圃⑬。逍遥，无为也；苟简，易养也；不贷，无出也。古者谓是采真之游⑭。

"以富为是者⑮，不能让禄；以显为是者，不能让名；亲权者⑯，不能与人柄⑰。操之则慄⑱，舍之则悲，而一无所鉴⑲，以窥其所不休者，是天之戮民也。怨、恩、取、与、谏、教、生、杀八者，正之器也⑳，唯循大变无所湮者为能用之㉑。故曰：正者㉒，正也。其心以为不然者，天门弗开矣㉓。"

[注释]

①沛：地名，今江苏沛县。　②度数：制度名数。③使：假使。　④佗：通他。　⑤主：主见。　⑥名：名誉。

⑦蘧（qú）庐：旅舍。　⑧觏（gòu）：积滞。　⑨假：借。
⑩托宿：寄居，利用。　⑪虚：通墟，境界。　⑫苟简：苟且
简略，粗放。　⑬不贷：只求自给自足，无须贷出。⑭采真：
神采纯真。　⑮是：善。　⑯亲权：热衷于权势。　⑰柄：权
位。⑱操：掌握。　⑲鉴：觉察。　⑳正之器：治理的手段。
㉑湮（yān）：滞塞。　㉒正：治理。　㉓天门：天道之门。

[译文]

孔子 51 岁了还没有得道，于是南往沛地拜见老子。

老子说："你来了吗？我听说你是北方的贤人，你也得道
了吗？"

孔子说："还没有得道。"

老子说："你是怎样求道的？"

孔子说："我求求之于制度名数，5 年了还没有得道。"

老子说："你又怎样求道呢？"

孔子说："我求求之于阴阳，12 年了还没有得道。"

老子说："是的。假使道可以奉献，人臣没有不奉献给君
主的；假使道可以进贡，人们没有不进贡给双亲的；假使道可
以告诉人，人们没有不告诉兄弟的；假使道可以给与人，人们
没有不给与子孙的。然而这些都是不可能的，这没有其他别的
原因，而是自己内心无主见，道无法留在心中，与外界不能沟
通而无法推行。出自内心的感悟，而不为外界所接受，圣人便
不出教；由外入内，而心中不能领悟，圣人便不藏道。名誉是
天下共同追逐的，不可以多取；仁义是先王的旅舍，只可小住
而不可久居，沉溺于此就会多招责难。

"古时候的至人，借道于仁，寄居于义，以遨游于逍遥的
境地，取食于粗简的土地，立身于自给自足的园圃。逍遥，可
以无为；粗简，容易养活；不贷，无须施与。古时候称这为
'采真之游'。

　　"以财富为追求对像的，便不会出让利禄；以荣显为追求
对象的，便不会出让名誉；热衷于权势的，便不会给人权柄。
掌握这些便恐惧，舍弃这些则悲伤，对上述利害毫无觉察，而
是一味地注视着不断追求的权势名利，这是上天刑戮之民。
怨、恩、取、与、谏、教、生、杀，这八者纠正人的方法，只
有能够顺任自然的变化而不停滞的人才能运用。所以说，正就
是自正。如果内心不以此为然，天道的大门就不会对他开放。"

　　孔子见老聃而语仁义。老聃曰："夫播穅眯目，则
天地四方易位矣；蚊虻噆肤①，则通昔不寐矣②。夫仁
义憯然乃愦吾心③，乱莫大焉。吾子使天下无失其朴，
吾子亦放风而动④，总德而立矣⑤，又奚杰杰然若负建
鼓而求亡子者邪⑥？夫鹄不日浴而白⑦，乌不日黔而
黑⑧。黑白之朴，不足以为辨；名誉之观⑨，不足以为
广⑩。泉涸，鱼相与处于陆，相呴以湿，相濡以沫，
不若相忘于江湖。"

　　孔子见老聃归，三日不谈。弟子问曰："夫子见老
聃，亦将何规哉⑪？"

　　孔子曰："吾乃今于是乎见龙。龙，合而成体，散
而成章，乘乎云气而养乎阴阳。予口张而不能嗋⑫，
予又何规老聃哉？"

　　子贡曰："然则人固有尸居而龙见⑬，雷声而渊
默，发动如天地者乎？赐亦可得而观乎⑭？"遂以孔子

声见老聃⑮。

老聃方将倨堂而应⑯，微曰："予年运而往矣⑰，子将何以戒我乎⑱?"

子贡曰："夫三皇五帝之治天下不同，其系声名一也。而先生独以为非圣人，如何哉?"

老聃曰："小子少进⑲！子何以谓不同?"

对曰："尧授舜，舜授禹，禹用力而汤用兵，文王顺纣而不敢逆，武王逆纣而不肯顺，故曰不同。"

老聃曰："小子少进！余语汝三皇五帝之治天下。黄帝之治天下，使民心一，民有其亲死不哭而民不非也。尧之治天下，使民心亲，民有为其亲杀其服而民不非也⑳。舜之治天下，使民心竞㉑，民孕妇十月生子，子生五月而能言，不至乎孩而始谁㉒，则人始有夭矣。禹之治天下，使民心变，人有心而兵有顺，杀盗非杀人，自为种而天下耳，是以天下大骇，儒墨皆起。其作始有伦，而今乎妇女，何言哉！余语汝，三皇五帝之治天下，名曰治之，而乱莫甚焉。三皇之知，上悖日月之明，下睽山川之精，中堕四时之施。其知憯于蛎虿之尾㉓，鲜规之兽，莫得安其性命之情者，而犹自以为圣人，不可耻乎？其无耻也！"

子贡蹴蹴然立不安。

[注释]

①啧（zàn）：叮。　②昔：夜。　③憯：通惨。愤：激。

④放：依。⑤总：持。　⑥杰杰然：用力的样子。　⑦鹄：通鹤。　⑧乌：乌鸦。黔：黑色。　⑨观：观台。　⑩广：扩大。　⑪规：规劝，教导。　⑫嗋（xié）：合。　⑬尸居而龙见：看似寂然不动，实如龙一般活现。　⑭赐：子贡名。⑮以孔子声：凭着孔子的名声。　⑯倨堂：坐在堂上。　⑰年运而往：行年老迈。　⑱戒：教。　⑲少进：稍上前来。⑳杀：降级。服：丧服。　㉑竟：争。　㉒不至乎孩而始谁：还不会笑就已经能识别人。　㉓蛎虿（lì chài）：毒虫。指蝎子。

[译文]

孔子见到老子便谈论仁义。老子说："糠进入眼里，就会分辨不清东南西北；遭蚊虻叮咬，就会彻夜不眠。仁义毒害扰乱人心，这是最大的祸乱。你如果要使天下不丧失真朴，你可以随风而动，持德而立，又何必费力地像敲打大鼓去寻找丢失的孩子那样呢？鹤不用天天洗澡也白，乌鸦不用天天染黑也黑。黑白都是天然生成的颜色，无须辨论；名誉的荣耀，不值得夸大，泉水干了，鱼儿一起困在陆地上，用湿气互相嘘吸，用口沫互相湿润，倒不如在江湖里彼此相忘。"

孔子见过老子回来，三天不说话。弟子问："先生见到老子，有什么教导呢？"

孔子说："我现在才见到了龙。龙，合起来成一整体，散开来成为灿烂的文彩，腾云驾雾遨翔于阴阳之间。我对此惊疑得张口结舌，我又如何去教导老子呢？"

子贡说："那么人真有看似寂然不动实际如龙一般活现，看似深沉静默实际如雷一般震动，动如天地那样变幻莫测的吗？我也可去看看吗？"于是他就借孔子的名声去见老子。

老子刚刚坐在堂上，轻轻地说："我已年迈了，你对我有什么指教呢？"

子贡说："三皇五帝治理天下的方法虽然不同，他们的名声却是众口一辞地称赞。而惟独先生您却认为他们不是圣人，这是为什么呢？"

老子说："年轻人上前来！你为什么说他们不同？"

子贡回答说："尧传舜，舜传禹，禹用力而汤用兵，文王顺从纣不敢违逆，武王违抗纣而不肯顺从，所以说不同。"

老子说："年轻人上前来！我告诉你三皇五帝的治理天下。黄帝治理天下，使民心纯一，有人死了亲人不哭而人们不非议他。尧治理天下，使民心亲，有人给亲人降级服丧而人们不非议他。舜治理天下，使民心争，孕妇10月生子，婴儿生下5个月就能说话，还不会笑就能识别人，于是人开始有短命的。禹治理天下，使民心变，人有心机而认为用兵是合理的。杀盗贼不算杀人，人们以利害关系结为同伙却标榜为天下，因而天下震惊，儒墨并起。开始时还有一点道理，但越来越不像话，还有什么说的呢！我告诉你，三皇五帝治理天下，名曰治理，实则混乱至极。三皇的心智，上蔽日月之光明，下违山川之精华，中坏四时之运行。他们的心智毒如蝎尾，使弱小的动物都不能安生，还自以为是圣人，难道不可耻吗？他们确实无耻！"

子贡惊恐得站立不安。

孔子谓老聃曰："丘治《诗》、《书》、《礼》、《乐》、《易》、《春秋》六经，自以为久矣，孰知其故矣①，以奸者七十二君②，论先王之道而明周、召之迹③，一君无所钩用④。甚矣夫！人之难说也，道之难明邪？"

老子曰："幸矣！子之不遇治世之君也！夫《六经》，先王之陈迹也，岂其所以迹哉！今子之所言，犹

迹也。夫迹，履之所出，而迹岂履哉！夫白鶂之相
视⑤，眸子不运而风化⑥；虫，雄鸣于上风，雌应于下
风而风化。类自为雌雄，故风化。性不可易，命不可
变，时不可止，道不可壅。苟得其道，无自而不可⑦；
失焉者，无自而可。"

　　孔子不出三月，复见，曰："丘得之矣。乌鹊
孺⑧，鱼傅沫⑨，细要者化⑩，有弟而兄啼。久矣夫丘
不与化为人！不与化为人，安能化人！"老子曰："可，
丘得之矣！"老子曰："可。丘得之矣。"

　　[注释]

　　①孰：通熟，熟悉。　②奸（gān）：求，进。　③周、
召：指周公召公，两人都是西周初年的重臣。　④钩：取。
⑤白鶂（yì）：同鹢，一种水鸟。⑥眸（móu）子不运：定睛注
视。风化：孕育。　⑦自：由。　⑧乌鹊：乌鸦和喜鹊。孺：
孵化而生子。　⑨傅：相。　⑩要：通腰。

　　[译文]

　　孔子对老子说："我研究《诗》、《书》、《礼》、《乐》、
《易》、《春秋》六经，自以为研习已久，熟知其精神，用来进
见七十二位君主，论先王之道，阐明周公和召公的业绩，但没
有一个君主采纳。太过分了！是这些人难说服呢，还是道难阐
明？"

　　老子说："幸亏你没有遇到治世的君主。《六经》是先王的
陈迹，哪里是足迹的根源呢！现在你所说的，就如同足迹。足
迹，是鞋踩出来的，而足迹并不等于鞋！白鹢鸟雌雄相视，定
睛注视而孕育。虫，雄的在上风叫，雌的在下风应，于是就孕
育。它们之所以能孕育，是因为同类中分为雌雄。性不可改
易，命不可变更，时间不可停止，道不可壅塞。如果得到道，

怎样都可行；失掉道，怎样都不可行。"

孔子三月闭门不出，再去见老子，说："我懂得道了。乌鸦喜鹊孵化而生子，鱼以口沫相交而受孕，细腰类的昆虫化生，弟弟出生而哥哥啼哭。我很久没有和造化为友了！不和造化为友，怎么能化人呢！"

老子说："可以，孔丘得道了！"

刻　意

刻意尚行①，离世异俗②，高论怨诽，为亢而已矣③；此山谷之士④，非世之人，枯槁赴渊者之所好也⑤。语仁义忠信，恭俭推让，为修而已矣⑥；此平世之士，教诲之人，游居学者之所好也。语大功，立大名，礼君臣，正上下，为治而已矣；此朝廷之士，尊主强国之人，致功并兼者之所好也。就薮泽⑦，处闲旷，钓鱼闲处，无为而已矣；此江海之士，避世之人，闲暇者之所好也。吹呴呼吸，吐故纳新，熊经鸟申⑧，为寿而已矣；此道引之士⑨，养形之人，彭祖寿考者之所好也⑩。

若夫不刻意而高，无仁义而修，无功名而治，无江海而闲，不道引而寿，无不忘也⑪，无不有也，澹然无极而众美从之⑫。此天地之道，圣人之德也。

[注释]

①刻意：磨练意志。尚行：在行为上力求高尚。　②离世异俗：超脱世俗。③亢：高，清高。　④山谷：指隐居山谷之人。　⑤枯槁：指身体枯毁。赴渊：投水自杀。　⑥修：修身。　⑦就：到。　⑧熊经鸟申：如兽禽之类的动物锻炼身体的动作。　⑨道引：又作导引，气功。　⑩寿考：长寿。⑪无不忘：一切无心。　⑫众美从之：一切美好的东西都随之而来。

[译文]

　　磨炼意志，行为高尚，超脱世俗，高谈阔论以非议时势，不过是为了显示清高罢了；这是隐居山谷之士，不满现实社会之人，牺牲自我者所喜好的。谈论仁义忠信，恭俭推让，不过是为了修身罢了，这是平时治世之士，从事教育的人，游说和聚徒讲学者所喜好的。谈论大功，建立大名，维护君臣之礼，匡正上下关系，不过是为了治国罢了；这是朝廷之士，尊君强国之人，建功拓疆者所喜好的。出没于川泽，栖身于旷野，悠闲垂钓，不过是无为罢了；这是隐居于江海之士，逃避现实之人，悠然闲暇者所喜好的。吹嘘呼吸，吐故纳新，像老熊吊颈，飞鸟展翅，不过是为了延长寿命罢了；这是导引之士，养生之人，企求彭祖那样高寿者所喜好的。

　　若不雕砺心志，追求高尚，不高谈仁义而修身，不追求功名而治世，不隐于江海而悠闲，不行导引而高寿，忘却一切，无所不有，恬淡无极而一切美好的东西都随之而来。这是天地之道，圣人之德。

　　故曰，夫恬惔寂寞，虚无无为，此天地之平而道德之质也①。

故曰，圣人休休焉则平易矣②，平易则恬惔矣。平易恬惔，则忧患不能入，邪气不能袭，故其德全而神不亏③。

故曰，圣人之生也天行④，其死也物化；静而与阴同德，动而与阳同波⑤；不为福先，不为祸始；感而后应，迫而后动，不得已而后起。去知与故⑥，循天之理。故无天灾，无物累，无人非，无鬼责。其生若浮⑦，其死若休⑧。不思虑，不豫谋⑨。光矣而不耀，信矣而不期⑩。其寝不梦，其觉无忧。其神纯粹，其魂不罢⑪。虚无恬惔，乃合天德。

故曰，悲乐者，德之邪；喜怒者，道之过；好恶者，德之失。故心不忧乐，德之至也；一而不变，静之至也；无所于忤⑫，虚之至也；不与物交，惔之至也；无所于逆，粹之至也。

故曰：形劳而不休则弊，精用而不已则劳，劳则竭。水之性，不杂则清，莫动则平；郁闭而不流，亦不能清。无德之象也。

故曰，纯粹而不杂，静一而不变，惔而无为，动而以天行，此养神之道也。

[注释]

①平：准则。　②休休焉：宽容的样子。　③神不亏：精神饱满。　④天行：天道的运行，自然的变化。　⑤同波：合流。　⑥去：抛弃。故：习惯。　⑦浮：轻。　⑧休：休息。

⑨豫：通预。　⑩期：约。　⑪罢：通疲。　⑫于：与。忤（wù）：抵触。

[译文]

所以说，恬淡寂漠，虚无无为，乃是天地的准则和道德的本质。

所以说，圣人宽容而安稳，安稳则恬淡。安稳恬淡，则忧患不能进入，邪气不能侵袭，因而道德完美而精神饱满。

所以说，圣人的存在顺乎自然，死亡便与外物化为一体，静时与阴同行，动时与阳合流；不求福，不为祸；有所感而后回应，有所迫而后动作，不得已而后起动。抛弃智慧和习惯，遵循天理。所以不遇天灾，不受外物牵累，无人非议，没有鬼神责难。生时如浮游，死去如休息。不思虑，不预谋。光明而不照耀，守信而不约定。睡着不做梦，醒来不忧愁。精神纯一，灵魂不疲。虚无恬淡，合乎天德。

所以说，悲衰与欢乐，是危害德性的邪恶；高兴与愤怒，是道的过错；爱好与厌恶，是德性的失误。所以，内心没有忧乐，是德的极致；专一而不变，是静的极致；与外界没有抵触，是虚的极至；不与外物交接，是淡的极至；无所违逆，是纯粹的极至。

所以说，形体辛劳而不休息就会疲惫，无休止地使用精力就劳累，劳累则枯竭。水的本性，不混杂就清澈，不搅动就平静；堵塞就不能流动，也不能清澈。这反映的是自然的现象。

所以说，纯粹而不混杂，虚静专一而不变动，恬淡而无为，行动顺乎自然，这就是养神之道。

夫有干越之剑者①，柙而藏之②，不敢用也，宝之至也。精神四达并流③，无所不极④，上际于天⑤，下蟠于地⑥，化育万物，不可为象⑦，其名为同帝⑧。

纯素之道，唯神是守，守而勿失，与神为一；一之精通⑨，合于天伦。野语有之曰："众人重利，廉士重名，贤士尚志，圣人贵精。"故素也者，谓其无所与杂也；纯也者，谓其不亏其神也。能体纯素⑩，谓之真人。

[注释]

①干越：即吴越。　②柙：通匣。　③四达并流：四通八达，无处不流。　④极：至。　⑤际：达。　⑥蟠（pán）：及。　⑦不可为象：无法捉摸。　⑧同帝：如同天帝。　⑨一之精通：精通纯一之道。　⑩体：体现。

[译文]

吴越的宝剑，珍藏在匣子里，舍不得使用，珍爱之至。精神流溢四方，无所不至，上达于天，下及于地，化育万物，不可捉摸，它的功用如同天地。

纯素的道，专心守神；坚守不失，与精神合而为一；精通纯一之道，合乎自然之理。俗话说："普通人注重利，廉洁之士注重名，贤士崇尚志气，圣人看重精神。"所谓素，就是不含杂质；所谓纯，就是不损伤精神。能够体现纯素者，就是真人。

缮　性

缮性于俗学①，以求复其初②；滑欲于俗思③，以求致其明④。谓之蔽蒙之民⑤。

古之治道者，以恬养知。知生而无以知为也，谓之以知养恬。知与恬交相养⑥，而和理出其性⑦。夫德，和也；道，理也。德无不容，仁也；道无不理，义也；义明而物亲⑧，忠也；中纯实而反乎情⑨，乐也；信行容体而顺乎文⑩，礼也。礼乐遍行，则天下乱矣。彼正而蒙己德⑪，德则不冒⑫，冒则物必失其性也。

[注释]

①缮性：修心养性。俗学：指世俗的学问。　②初：本性。　③滑：治。俗思：世俗的观念。　④致：得到。　⑤蔽蒙：昏庸闭塞。　⑥齐相养：相互涵养。　⑦和理：指道德。　⑧物亲：与物相亲。　⑨中：内心。　⑩信行：以信为行，讲信用。　⑪蒙：敛藏。　⑫冒：施加。

[译文]

用世俗的学问修心养性，以求复归本性；用世俗的观念根治情欲，以求获得明智。这类人是昏庸闭塞的人。

古时候修道的人，以恬静涵养智慧。智慧生成而不外用，称为以智慧涵养恬静。知慧与恬静相互涵养，而和顺便在心性中养成。德，就是和；道，就是理。德与一切相容，就是仁；道与一切和顺，就是义；义明而与物相亲，就是忠；内心朴实而归于情，就是乐；行为忠信宽容而顺乎自然，就是礼。礼乐遍行，则天下大乱。他人的德性本来是纯正的，而却要他接受自己的德性，德性是不能施加在别人身上的，强行施加就会使人失去自然的天性。

古之人，在混芒之中①，与一世而得澹漠焉②。当是时也，阴阳和静③，鬼神不扰，四时得节④，万物不伤，群生不夭⑤，人虽有知，无所用之，此之谓至一⑥。当是时也，莫之为而常自然⑦。

逮德下衰⑧，及燧人、伏羲始为天下，是故顺而不一。德又下衰，及神农、黄帝始为天下，是故安而不顺。德又下衰，及唐、虞始为天下，兴治化之流⑨，𣻏淳散朴⑩，离道以善⑪，险德以行⑫，然后去性而从于心。心与心识知而不足以定天下，然后附之以文⑬，益之以博⑭。文灭质⑮，博溺心⑯，然后民始惑乱，无以反其性情而复其初⑰。

由是观之，世丧道矣⑱，道丧世矣，世与道交相丧也，道之人何由兴乎世⑲，世亦何由兴乎道哉！道无以兴乎世，世无以兴乎道，虽圣人不在山林之中，其德隐矣。

隐，故不自隐。古之所谓隐士者，非伏其身而弗见也，非闭其言而不出也，非藏其知而不发也，时命大谬也⑳。当时命而大行乎天下，则反一无迹㉑；不当时命而大穷乎天下㉒，则深根宁极而待㉓。此存身之道也。

古之存身者，不以辩饰知，不以知穷天下，不以知穷德，危然处其所而反其性已㉔，又何为哉！道固

不小行㉕，德固不小识㉖。小识伤德，小行伤道。故
曰，正己而已矣。乐全之谓得志㉗。

　　古之所谓得志者，非轩冕之谓也㉘，谓其无以益
其乐而已矣。今之所谓得志者，轩冕之谓也。轩冕在
身，非性命也，物之傥来㉙，寄者也㉚。寄之，其来不
可圉㉛，其去不可止。故不为轩冕肆志㉜，不为穷约趋
俗㉝，其乐彼与此同㉞，故无忧而已矣。今寄去则不
乐，由是观之，虽乐，未尝不荒也㉟，故曰，丧己于
物㊱，失性于俗者㊲，谓之倒置之民㊳。

[注释]

①混芒：混沌茫昧。　②得：能。　③和静：和顺而宁
静。　④得节：与节令相适应。　⑤群生：各种生物。　⑥至
一：完美纯一。　⑦莫之为：无为。　⑧逮：及。　⑨治化：
教化。流：风气。　⑩澡（xiāo）：亦作浇，扰乱。　⑪离道：
背道。　⑫险：危害。　⑬附：加。文：粉饰。　⑭博：博
学。　⑮灭质：毁坏纯朴的本质。　⑯溺心：淹没天然的心
性。　⑰复：恢复。　⑱丧：败坏。　⑲兴：复兴。　⑳时
命：时机。　㉑反一：返归于至一之道。无迹：没有痕迹。
㉒穷：困顿。　㉓深根宁极：深藏静处。　㉔危然：独立。
㉕固：本来。　㉖小识：成见，偏见。　㉗乐全：保全纯朴的
心性。　㉘轩冕：车子和衣冠，这里代指高官厚禄。　㉙傥
（tǎng）：偶然。　㉚寄：寄托。　㉛圉（yù）：御，抵挡。
㉜肆志：恣纵心志。　㉝穷约：穷困。趋俗：趋炎附势。
㉞彼：指轩冕。此：指穷约。　㉟荒：迷乱。　㊱丧己于物：
为追求外物而葬送了自己。　㊲失性于俗：因为世俗而丧失了
本性。　㊳倒置：本末倒置。

[译文]

古时候的人，在混沌茫昧之中，相处一世都很淡漠。在当时，阴阳和顺而宁静，鬼神不打扰，四季合乎节令，万物不受伤害，各种生物不夭折，人们虽然有智慧，却无处可用，这就叫做完美纯一。在当时，人人无为而合乎自然。

等到道德衰落，到燧人氏和伏羲氏开始治理天下，民心虽然顺从，但已无法返归完美纯一的境地。道德又衰落，到神农和黄帝开始治理天下，天下虽然安定，但民心已不顺从。道德继续衰落，到陶唐氏和有虞氏开始治理天下，大兴教化之风，扰乱破坏了淳朴的风气，背道而行，危害道德，然后舍弃天性而顺从心机。彼此以私心互相窥测，天下不能安定，于是便附加粉饰，增益博学。粉饰毁坏纯朴的本质，博学淹没天然的心性，于是民心开始惑乱，无法返归恬淡的性情而恢复本初。

由此看来，此事败坏道，道败坏世事，世事与道相互败坏，有道的人怎么复兴世事，世事又怎么复兴道呢！道无法复兴世事，世事无法复兴道，即使圣人不在山林之中，他的德性也要隐匿了。

隐匿，却不是自己隐匿。古代所谓的隐士，并不是隐伏身体而不见人，并不是闭口不言，也不是藏其智慧而不显露，而是与世运大相背离。逢时而盛于天下，则返归于至一之道而不露痕迹；不逢时而穷困于天下，就深藏静处而等待。这就是保全自身的方法。

古代保全自身的，不用巧辩文饰智慧，不用智谋令天下人困顿，不用心智来困扰心性，独立自处而返归自然的本性，自己又何须有所作为！道本来不是小行，德本来不是小识。小识伤德，小行伤道。所以说，匡正自己就可以了。保全内心纯朴的心性就叫得志。

古代所谓的得志者，并不指高官厚禄，而是指无以复加的快乐。现在所说的得志者，指的是高官厚禄。高官厚禄在身，并不是性命所固有的，而是如同外物偶然而来，寄托一时而已。寄托的东西，来时不能抵御，去时不可挽留。所以不要为高官厚禄而恣纵心志，也不要因为穷困而趋炎附势，两者同样快乐，无须忧虑。现在失去高官厚禄便不快乐，由此看来，虽然有过快乐，又何尝不是心慌意乱呢！所以说，为追求外物而葬送了自己，受世俗的影响而丧失了本性，这就叫做本末倒置的人。

秋　水

秋水时至①，百川灌河，泾流之大②，两涘渚崖之间③，不辨牛马④。于是焉河伯欣然自喜⑤，以天下之美为尽在己。顺流而东行，至于北海，东面而视，不见水端⑥。于是焉河伯始旋其面目⑦，望洋向若而叹曰⑧："野语有之曰：'闻道百以为莫己若者。'我之谓也。且夫我尝闻少仲尼之闻而轻伯夷之义者⑨，始吾弗信；今我睹子之难穷也，吾非至于子之门则殆矣⑩，吾长见笑于大方之家⑪。"

北海若曰："井蛙不可以语于海者，拘于虚也⑫；夏虫不可以语于冰者，笃于时矣⑬；曲士不可以语于道者⑭，束于教也。今尔出于崖涘，观于大海，乃知尔丑⑮，尔将可与语大理矣⑯。天下之水，莫大于海，万川归之，不知何时止而不盈^⑰；尾闾泄之^⑱，不知何时已而不虚^⑲；春秋不变，水旱不知。此其过江河之流^⑳，不可为量数^㉑。而吾未尝以此自多者^㉒，自以比形于天地而受气于阴阳^㉓。吾在于天地之间，犹小石小木之在大山也，方存乎见少^㉔，又奚以自多！计四海之在天地之间也，不似礨空之在大泽乎^㉕？计中国之在海内，不似稊米之在大仓乎^㉖？号物之数谓之万，人处一焉^㉗；人卒九州^㉘，谷食之所生，舟车之所通，人处一焉。此其比万物也，不似豪末之在于马体乎？五帝之所连^㉙，三王之所争，仁人之所忧，任士之所劳，尽此矣！伯夷辞之以为名，仲尼语之以为博^㉚，此其自多也，不似尔向之自多于水乎^㉛？"

[注释]

①时：按时。　②泾流：洪水。　③涘（sì）：水边。渚（zhǔ）：水中之洲。　④辨：分。　⑤河伯：河神。　⑥端：尽头。　⑦旋：改变。　⑧若：海神名。　⑨少：贬低，瞧不起。　⑩殆：危险。　⑪大方之家：懂得大道的人。　⑫拘：局限。　⑬笃（dǔ）：守，限制。　⑭曲士：孤陋寡闻的人。　⑮丑：鄙陋。　⑯大理：大道。　⑰盈：满。　⑱尾闾：排泄海水的地方。　⑲已：止。虚：指水尽。　⑳过：超过。　㉑为量数：进行估量和计算。　㉒自多：自夸。　㉓比形：具形，寄形。　㉔见少：显得太少。　㉕礨（lěi）空：指蚁穴。　㉖稊（tí）米：小米。　㉗处一：占万物中之一。　㉘人卒：人众。　㉙连：续，继承。　㉚以为博：以此显示学问上的渊博。　㉛向：从前。

[译文]

秋季汛期到了，千百条河流注入黄河，洪水之大，隔河相望，分不清对岸的牛马。于是河神沾沾自喜，以为天下的美都聚集于自己一身了。河神顺流东行，到了北海，向东远望，看不到水的尽头，于是河神改变了沾沾自喜的面容，望着汪洋大海对海神感叹说："俗话说：'听了许多道理，总以为谁都比不上自己。'我就是这样。而且我曾听说有人看不起孔子的学问并轻视伯夷的行为，开始我还不相信；现在我看到您这样广阔无际，我要是不到您这里来那就糟了，我将永远被懂得大道的人所嘲笑。"

北海神说："井底之蛙不可以和它谈论大海，因为它局限于狭小的活动空间；夏天的虫子不可以和它谈论冰雪，因为它受生存时间的限制；孤陋寡闻的人不可以和他谈论道，因为他被所受的教育束缚。现在你摆脱了河道的局限，看到了大海，知道了自己的鄙陋，这就可以和你谈论大道了。天下的水没有比海更大的了，万条江河汇聚其中，不知什么时候才能止息，而海水还是不满；海水不断排泄，不知什么时候才会停止，但还是不能穷尽；无论是春秋还是涝旱，海水永远不变，不受影响。它远远超过了江河的流水，无法进行估量和计算。但我并未因此而自夸，而是认为是形成于天地，禀受于阴阳之气。我在天地之间，好比小石头和小树木在大山上一样，显得那样渺小，有什么值得自夸的！看四海处于天地之间，不就像蚁穴在大泽中一样吗？看中国位于四海之内，不就像小米在大粮仓中一样吗？物的种类不计其数，人不过是其中的之一而已；人众聚居的九州，生长粮食，通行舟车，人不过居其之一而已。个人和万物相比，不就如一根毫毛在马身上一样吗？五帝所接续的，三王所争夺的，仁人所忧虑的，能士所辛劳的，不过如此而已！伯夷的行为是为了求名，孔子的谈说是为了显示学问的渊博，他们这样自夸，不就像你从前对河水的自夸一样吗？”

河伯曰：“然则吾大天地而小毫末，可乎？”

北海若曰："否。夫物，量无穷，时无止，分无常，终始无故①。是故大知观于远近，故小而不寡，大而不多，知量无穷；证向今故②，故遥而不闷，掇而不跂③，知时无止；察乎盈虚，故得而不喜，失而不忧，知分之无常也；明乎坦涂，故生而不说，死而不祸，知终始之不可故也。计人之所知，不若其所不知；其生之时，不若未生之时；以其至小，求穷其至大之域，是故迷乱而不能自得也。由此观之，又何以知毫末之足以定至细之倪！又何以知天地之足以穷至大之域！"

[注释]

①故：通固，固定。　②向今：古今。　③掇：拾取。跂：求。

[译文]

河神说："那么，我视天地为大，视毫毛为小，可以吗？"

北海神说："不可以。万物，容量没有穷尽，存在的时间没有止境，界限变化无常，开始和终结不固定。所以大智者既看到远也看到近，小的不以为少，大的不以为多，知道容量没有穷尽；他博古通今，所以他明白遥远的过去，对近在眼前的东西也不企求，知道时间是没有止境的；他明察盈虚之理，所以得到了也不高兴，失去了也不忧愁，知道界限变化无常；他通晓大道，所以对生并不喜悦，对死也不认为是灾祸，知道终始没有一定。看来人们所知道的，不如不知道的多；人们生存的时间，没有未生存的时间长；以有限的人生与知识，去追求无限的领域，必然会迷茫而一无所得。由此看来，怎么知道毫毛是最小的！又怎么知道天地是最大的呢！

　　河伯曰："世之议者皆曰：'至精无形①，至大不可围。'是信情乎②?"

　　北海若曰："夫自细视大者不尽，自大视细者不明。夫精，小之微也；垺，③大之殷也；故异便。此势之有也。夫精粗者，期于有形者也；无形者，数之所不能分也；不可围者，数之所不能穷也。可以言论者，物之粗也；可以意致者，物之精也；言之所不能论，意之所不能察致者，不期精粗焉。

　　"是故大人之行，不出乎害人，不多仁恩；动不为利，不贱门隶；货财弗争，不多辞让；事焉不借人，不多食乎力，不贱贪污；行殊乎俗，不多辟异；为在从众，不贱佞谄；世之爵禄不足以为劝，戮耻不足以为辱；知是非之不可为分，细大之不可为倪。闻曰：'道人不闻，至德不得，大人无己。'约分之至也。"

[注释]

①至精：最精细。　②信：实。　③垺（fú）：特大之意。

[译文]

河神说："世俗的议论者都说：'最精细的东西没有形体，

最大的东西不能以范围来限制。'这真实吗?"

北海神说:"从小看大不会全面,从大看小不会清楚。精,是小中之微小;垺,是大中之盛大:因而有所分别。有形状的东西才有大小之别。所谓精小粗大,乃是依赖于形体;没有形体的东西,是无法用数字去划分的;无限大的东西,是无法用数字完全表达的。可以用语言描述的,是粗大的物体;可以用意识感受的,是精细的物质;至于语言所不能描述的,意识所不能感受的,那就是精细和粗大之外的东西了。

"所以悟道者的行为,无心害人,也不赞美仁义恩惠;举动不为谋利,也不贱视奴仆;不争财宝,也不赞美辞让;做事不借助于人,也不赞美自食其力,不以贪污为卑贱;行为不同于世俗,也不赞美标新立异;听任众人之所为,也不鄙视献媚者;世俗的爵禄不足以勉励他,刑罚也不足以羞辱他;知道是非无法区分,细小和粗大无法度量。我听说:'悟道的人不求名声,道德最高尚的人不求有所得,大德的人忘却自我。'这是最高的精神境界。"

河伯曰:"若物之外,若物之内,恶至而倪贵贱①?恶至而倪小大?"

北海若曰:"以道观之,物无贵贱;以物观之,自贵而相贱;以俗观之,贵贱不在己。以差观之,因其所大而大之,则万物莫不大;因其所小而小之,则万物莫不小;知天地之为稊米也,知毫末之为丘山也,则差数睹矣②。以功观之③,因其所有而有之,则万物莫不有;因其所无而无之,则万物莫不无;知东西之相反而不可以相无，则功分定矣。以趣观之④，因其所然而然之，则万物莫不然；因其所非而非之，则万物莫不非；知尧、桀之自然而相非⑤，则趣操睹矣⑥。

"昔者尧、舜让而帝，之、哙让而绝⑦；汤、武争而王，白公争而灭⑧。由此观之，争让之礼，尧、桀之行，贵贱有时⑨，未可以为常也。梁丽可以冲城而不可以窒穴⑩，言殊器也；骐骥骅骝一日而驰千里⑪，捕鼠不如狸狌，言殊技也；鸱鸺夜撮蚤，察毫末，昼出瞋目而不见丘山，言殊性也。故曰，盖师是而无非，师治而无乱乎？是未明天地之理，万物之情者也。是犹师天而无地，师阴而无阳，其不可行明矣！然且语而不舍，非愚则诬也。帝王殊禅，三代殊继。差其时，逆其俗者，谓之篡夫；当其时，顺其俗者，谓之义之徒。默默乎河伯！女恶知贵贱之门，大小之家！"

[注释]

①倪：区分。　②睹：看清楚。　③功：功用。　④趣：取向。　⑤相非：相对立。　⑥趣操：取向和情操。　⑦之、哙让而绝：哙：亦作噲，战国时期燕王哙宠信国相子之，将王位禅让给子之，招致国内大乱，齐国乘机伐燕，杀燕王哙与子之，燕国几乎亡国。　⑧白公争而灭：战国时期楚平王的孙子白公胜为争夺政权发动武装政变，结果兵败自杀。　⑨有时：有一定的时宜。　⑩梁丽：梁栋，大木。　⑪骐骥骅骝（huá liú）：都是良马。

[译文]

河神说："若是在物的外面，物的内面，怎么区分贵贱？

怎么区分大小?"

北海神说:"用道来观察,物没有贵贱;从物的立场来看,都是以己为贵而贱视他物;用世俗之人的眼光来看,贵贱由人而定。从事物的相对差别来看,万物的大小都是相对的,若从它大的方面来说,万物又都可以说是大的;若从它小的方面来说,万物又都可以说是小的;明白了天地如同一粒小米那么小,毫毛如同一座山丘那么大的道理,就可以明白万物大小的差别了。从功用上来看,从有用的方面说,则万物都有用;从无用的方面来说,则万物都无用;明白了东和西是相反的又是相互依存的,就可以明白万物的功用和地位。从取向来看,看到对的一面就认为它对,则万物都是对的;看到不对的一面就认为它不对,则万物都是不对的;知道了尧和桀的自以为是而其行为相对立,就可以看清楚万物的取向和情操了。

"尧和舜通过禅让而做了帝王,子之和燕王哙却因为禅让而灭亡;商汤和周武王通过争夺而为王,白公却因为争夺而丧身。由此看来,争夺和禅让的举措,尧和桀的行为,其好坏效果因时势不同而截然相反,而不是一成不变的。梁栋可以用来撞毁城墙,但却不能用来堵塞小洞,这是说器具的用场不同;骏马一日可行千里,但是捕鼠却不如野猫和黄鼠狼,这是说技能不同;猫头鹰在夜间能捉跳蚤,明察秋毫,但在白天睁大眼睛连山丘也看不见,这是说物性不同。所以说,怎能把自己认为是正确的就认为没有错误的一面,把自己认为是治理了的就认为没有乱的一面呢?之所以这样,是因为不明天地之理和万物之情,这就好比只取法于天而不取法于地,取法于阴而不取法于阳,这显然是不可行的。然而人们对此仍然坚持己见而不肯抛弃,这不是愚蠢便是说谎。帝王禅让的方式不同,三代继承的方式不同。不合时代,违逆社会,就被视为篡夺的人;顺应时代,迎合社会,就被称为大义之人。沉默吧河神!你哪里知道贵贱、大小的道理!"

　　河伯曰:"然则我何为乎?何不为乎?吾辞受趣舍①,吾终奈何?"

　　北海若曰:"以道观之,何贵何贱,是谓反衍②;无拘而志,与道大蹇③。何少何多,是谓谢施④;无一而行⑤,与道参差。严乎若国之有君,其无私德;繇繇乎若祭之有社⑥,其无私福;泛泛乎其若四方之无穷,其无所畛域⑦。兼怀万物⑧,其孰承翼⑨?是谓无方。万物一齐,孰短孰长?道无终始,物有死生,不恃其成⑩;一虚一满,不位乎其形⑪。年不可举⑫,时不可止;消息盈虚⑬,终则有始。是所以语大义之方⑭,论万物之理也。物之生也,若骤若驰,无动而不变,无时而不移。何为乎,何不为乎?夫固将自化⑮。"

[注释]

①趣舍:取舍。　②反衍:向相反方向发展、演化。③蹇(jiǎn):抵触,违逆。　④谢施:代谢转化。　⑤无一:固执。　⑥繇繇(yóu):通悠悠,自得的样子。　⑦畛域:界限。　⑧怀:容。　⑨翼:庇护。　⑩恃:凭依。成,生成。　⑪位:守。　⑫年:岁月。　⑬消:消亡。　⑭大义之方:大道的方向。　⑮自化:自行变化。

[译文]

　　河神说:"那么,我该做什么?不该做什么?我辞受取舍,到底该怎么办呢?"

　　北海神说:"用道的观点来看,无所谓贵贱,贵贱是相互转化的;不要固守你的心志,否则与道相抵触。无所谓多少,多少是相互变换的;不要固执你的所为,否则与道是不相符合的。要像国君一样庄重,对谁都没有偏心;像受祭的社神一样超然,毫无偏私;像天地四方一样辽阔,没有局限。兼容万物,有谁承受庇护?这就叫没有偏向。万物齐一,谁短谁长?道没有终始,万物有生死的变化,其生成的形态是不足凭依的;万物的变化一时虚一时满,不应专守一时之虚或一时之满。岁月无法使它提前离去,时光也无法让它停留;消亡与生息,盈满与空虚,终结了再开始。这就是讲大道的方向,谈万物的道理。万物的生长,如快与奔驰一般,动作在不断变化,时刻都在移动。该做什么,不该做什么?万物本来会自行变化的。"

　　河伯曰:"然则何贵于道邪?"

　　北海神曰:"知道者必达于理,达于理者必明于权①,明于权者不以物害己。至德者,火弗能热,水弗能溺,寒暑弗能害,禽兽弗能贼②。非谓其薄之也③,言察乎安危,宁于祸福,谨于去就,莫之能害也。故曰,天在内,人在外,德在乎天。知天人之行,本乎天④,位乎德,'蹢躅而屈伸⑤,反要而语极。'"

　　[注释]

　　①权:应变。　②贼:伤害。　③薄:迫,触犯。　④本乎天:以天为根本。　⑤蹢躅(zhí zhú):进退不定的样子。

[译文]

河神说："那么道有什么可贵的呢？"

北海神说："懂得道的人必定通达事理，通达事理的人必定明于应变，明于应变的人不会让外物伤害他。德性最高的人，火不能烧他，水不能淹他，寒暑不能损伤他，禽兽不能伤害他。这不是说他有意去触犯有害之物，而是说他能明察安危，对祸福的来临冷静对待，谨慎进退，所以无法加害于他。所以说，天性蕴藏在内心，人事显露在外表，道德体现在天性上。知道人的行为，以天为根本，安然自得，时进时退，时屈时伸，归根返本而静默无言。"

曰："何谓天？何谓人？"

北海若曰："牛马四足，是谓天；落马首①，穿牛鼻，是谓人。故曰，无以人灭天，无以故灭命②，无以得殉名③。谨守而勿失，是谓反其真④。"

[注释]

①落：通络，笼住。　②故：事。　③殉：牺牲。

[译文]

河神说："什么叫作做天？什么叫做人？"

北海神说："牛马有四只脚，这就叫做天然；笼住马头，穿引牛鼻，这就叫做人为。所以说，不要用人事毁灭天然，不要用世事毁灭天命，不要因考虑得失而为功名作牺牲。牢记这些道理而不违失，就叫返归真性。"

夔怜蚿，蚿怜蛇，蛇怜风，风怜目，目怜心。

夔谓蚿曰："吾以一足趻踔而行②，予无如矣③。今子之使万足，独奈何？"

蚿曰："不然。子不见夫唾者乎？喷则大者如珠，小者如雾，杂而下者不可胜数也。今予动吾天机，而不知其所以然。"

蚿谓蛇曰："吾以众足行，而不及子之无足，何也？"

蛇曰："夫天机之所动，何可易邪？吾安用足哉！"

蛇谓风曰："予动吾脊胁而行，则有似也。今子蓬蓬然起于北海④，蓬蓬然入于南海，而似无有，何也？"

风曰："然。予蓬蓬然起于北海而入于南海也，然而指我则胜我，鰌我亦胜我⑤。虽然，夫折大木，蜚大屋者⑥，唯我能也，故以众小不胜为大胜也。为大胜者，唯圣人能之。"

[注释]

①夔（kuí）：独脚兽。怜：羡慕。蚿（xián）：多足虫，俗名百足。　②趻踔（chěn chuō）：跳着走。　③无如：没有办法。　④蓬蓬然：风尘转动的样子。　⑤鰌（qiū）：通蹂，踏。　⑥蜚：通飞，刮起。

[译文]

夔羡慕蚿，蚿羡慕蛇，蛇羡慕风，风羡慕眼睛，眼睛羡慕心。

夔对蚿说："我用一只脚跳着走，那是没有办法。你现在使用许许多多的脚，是怎么走的呢？"

蚿说："不对。你没有见过吐唾沫的吗？喷出来的大的像水珠，小的像细雾，乱喷出来的不计其数。我现在是根据天生的本能而行，但不知道为什么会这样。"

蚿对蛇说："我用许多脚行走，还不如你没有脚走得快，这是为什么呢？"

蛇说："本能的活动，怎么能够改易呢？我哪里要用脚！"

蛇对风说："我运动着脊背行走，还像有脚似的。现在你呼呼地从北海刮起来，又呼呼地吹入南海，却像无形一般，这是为什么呢？"

风说："是的。我虽然呼呼地从北海刮入南海，但用手指戳我就能胜我，用脚踏我也能胜我。然而摧折大木，掀掉大屋，却只有我能够做到，所以不以胜过众小为胜才算大胜。可以大胜的，只有圣人才能做到。"

孔子游于匡①，卫人围之数帀②，而弦歌不惙③。子路入见，曰："何夫子之娱也④？"

孔子曰："来！吾语女。我讳穷久矣⑤，而不免，命也；求通久矣⑥，而不得，时也⑦。当尧、舜而天下无穷人，非知得也⑧；当桀、纣而天下无通人，非知失也；时势适然。夫水行不避蛟龙者，渔父之勇也⑨；陆行不避兕虎者⑩，猎夫之勇也；白刃交于前，视死若生者，烈士之勇也；知穷之有命，知通之有时，临大难而不惧者，圣人之勇也。由，处矣⑪！吾命有所制矣⑫！"

无几何，将甲者进⑬，辞曰："以为阳虎也⑭，故围之。今非也，请辞而退。"

[注释]

①匡：地名，位于宋、卫、郑三国之间。　②币：通匝，周。　③惙（chuò）：通辍，止。　④娱：乐。　⑤讳：担忧。　⑥通：通达，顺利。　⑦时：时势。　⑧知：通智。　⑨渔父：渔夫。　⑩兕（sì）：犀牛。　⑪处矣：歇歇吧。　⑫制：支配，限制。　⑬阳虎：鲁国贵族季孙氏的家臣，曾专鲁政三年。

[译文]

孔子周游到匡邑，被卫国人团团围住，但他还是不停地弹琴歌唱。子路入见孔子，说："先生为什么还这样快乐呢？"

孔子说："过来！我给你说。我担忧困窘已经很久了，然而还是不能幸免，这是命运的缘故；我追求通达也已经很久了，然而还是一无所得，这是时势造成的。在尧、舜时代，天下没有不得志的人，这并不是他们用智慧取得的；在桀、纣时代，天下没有得志的人，这并不是因为他们才智不足；这是由时势造成的。在水中行走不避蛟龙，这是渔夫的勇敢；在陆地上行走不避猛兽，这是猎人的勇武；在刀光剑影中视死如生，这是烈士的气概；知道穷困是因为天命，通达是由于时势，面临大难而不畏惧，这是圣人的勇气。子路，你不要担心！我的命运是由天支配的！"

过了一会儿，率兵者走进来道歉说："我们把您当成了阳虎，所以包围了您。现在才知道误会了，真对不起，我们已经撤围了。"

　　公孙龙问于魏牟曰①："龙少学先王之道，长而明仁义之行；合同异，离坚白；然不然，可不可；困百家之知，穷众口之辩；吾自以为至达已。今吾闻庄子之言，汒焉异之②。不知论之不及与？知之弗若与？今吾无所开吾喙③，敢问其方。"

　　公子牟隐机太息，仰天而笑曰："子独不闻夫埳井之蛙乎？谓东海之鳖曰：'吾与乐！出跳梁乎井干之上④，入休乎缺甃之崖⑤；赴水则接腋持颐，蹶泥则没足灭跗⑥；还虷蟹与科斗⑦，莫吾能若也。且夫擅一壑之水⑧，而跨跱埳井之乐⑨，此亦至矣，夫子奚不时来入观乎⑩？'东海之鳖左足未入，而右膝已絷矣⑪。于是逡巡而却⑫，告之海曰：'夫千里之远，不足以举其大⑬；千仞之高，不足以极其深⑭。禹之时十年九潦⑮，而水弗为加益；汤之时八年七旱，而崖不为加损⑯。夫不为顷久推移⑰，不以多少进退者⑱，此亦东海之大乐也。'于是埳井之蛙闻之，适适然惊⑲，规规然自失也⑳。

　　"且夫知不知是非之竟，而犹欲观于庄子之言，是犹使蚊负山，商蚷驰河也㉑，必不胜任矣。且夫知不知论极妙之言，而自适一时之利者㉒，是非㙥井之蛙与？且彼方跐黄泉而登大皇㉓，无南无北，奭然四解㉔，沦于不测㉕；无东无西，始于玄冥㉖，反于大通㉗。子乃规规然而求之以察㉘，索之以辩，是直用管窥天，用锥指地也，不亦小乎？子往矣！且子独不闻夫寿陵余子之学行于邯郸与^㉔？未得国能^㉚，又失其故行矣^㉛，直匍匐而归耳^㉜。今子不去，将忘子之故，失子之业。”

公孙龙口呿而不合^㉝，舌举而不下，乃逸而走^㉞。

[注释]

①公孙龙：战国时赵国人，名家学派的代表人物。魏牟：魏国公子，又称公子牟。　②汇：通茫。　③喙（huì）：嘴。　④跳梁：跳跃。井干：井栏。　⑤甃（zhòu）：砌井壁用的砖。崖：指井壁。　⑥蹶：踏。跗（fū）：脚背。　⑦虷（hán）：孑子。⑧擅：独占。　⑨跨跱（zhì）：叉开腿立着。⑩时：常。　⑪絷（zhí）：绊住。　⑫逡巡：迟疑徘徊的样子。　⑬举：称得上，形容。⑭极：尽，量尽。⑮潦：水淹，指洪水。⑯崖：通涯，指水边。⑰推移：变化。⑱进退：指水位的升降。　⑲适适然：惊惧的样子。⑳规规然：局促的样子。　㉑商蚷（jù）：即马蚿。马蚿生活于陆地，不能在水上游走。　㉒适：往，追求。　㉓跐（cǐ）：踩。㉔奭（shī）：通释。四解：四面通达。㉕沦：入。㉖玄冥：微妙的境界。　㉗大通：无所不通的境界。　㉘察：明察，细看。㉙寿陵：燕国地名。余子：少年。学行：学走路。邯郸：赵国国都。　㉚国能：指国都人走路的步法。㉛故行：原来走路的步法。㉜直：只能。　㉝呿（qū）：张开　㉞逸：逃。

[译文]

公孙龙问魏牟说：“我年轻时学先王之道，长大后又懂得了仁义的行为；能把事物的同和异合而为一，把同一物的坚硬和白色分别开来；把不对的说成对，不可的说成可；能把百家的才智都难倒，使人的口才都无法施展；我自以为是最通达的了。现在我听了庄子的理论，感到十分迷茫和惊奇。不知是我的口才不如他呢？还是知识不及他？现在我无法开口。请问其中的缘故。"

公子牟靠着几案长叹一声，仰天大笑说："你难道没有听说过浅井之蛙的故事吗？它对东海的鳖说：'我很快乐！出来在井栏上跳跃，进去在破砖砌成的井壁中休息；在水中浮游，水承托着我的两腋及两腮，跳到泥里泥浆没过我的脚背；我回头看井里的孑孓、螃蟹和蝌蚪，谁都不如我。况且我独占一坑水，叉腿站在井中，真是快乐到了极点。您为什么不常来看看呢？'东海的鳖还未迈进左脚，右腿就被绊住了，于是迟疑地退了回来，向青蛙告诉大海的情形说："千里之远的距离，不足以形容它的大；千仞之高的高度，不足以量尽它的深。大禹时十年九涝，而海水并不见增加；商汤时八年七旱，而海水并不见减少。它不因时间的长短而有所改变，也不因雨水的多少而水位有所升降，这也是东海的大快乐。'井中之蛙听了，惊惧不已，茫然自失。

"而且，智力还不能辨识是非的界限，就想了解庄子的理论，这就像让蚊子背山，马蚿渡河一般，必定无法胜任。智力不足以理解微妙的理论，而追求一时之利，不就像井中之蛙一样吗？况且庄子的理论可入地登天，不分南北，四通八达，高深莫测；不分东西，开始于微妙的境界，返归于无所不通。而你却用狭隘的观点去衡量，寻求什么辩论，这简直如同用竹管观天，用锥子量地一样，不是显得太渺小了吗？你走开吧！你难道没有听说过寿陵的少年去邯郸学他人走步的故事吗？他不但没有学会邯郸人的步法，而且连自己原来的步法也忘掉了，结果只好爬着回去。现在你还不走开，就会忘掉你原来的技能，失去你的学业了。"

公孙龙闻言大惊，张口结舌，灰溜溜地逃走了。

庄子钓于濮水①，楚王使大夫二人往先焉②，曰："愿以境内累矣③！"

庄子持竿不顾④，曰："吾闻楚有神龟，死已三千岁矣，王巾笥而藏之庙堂之上⑤。此龟者，宁其死为留骨而贵乎⑥，宁其生而曳尾于涂中乎⑦？"

二大夫曰："宁生而曳尾于涂中。"

庄子曰：往矣！吾将曳尾于涂中。"

[注释]

①濮（pú）水：水名，在今山东濮县。　②先：先生传达楚王的旨意。　③累：拖累，麻烦。意思是请庄子到楚国从政。　④不顾：不回头，不理睬。　⑤巾笥：用巾布包起来，装进竹箱。笥（sì）：竹箱。　⑥宁：宁可。留骨而贵：留下骨壳被人珍贵。　⑦曳：拖。涂：泥。

[译文]

庄子在濮水钓鱼，楚王派两个大夫先去转达他的意思说："希望先生能到楚国从政！"

庄子继续钓鱼，头也不回地对大夫说："我听说楚国有一神龟，已经死去3000年了，楚王把它用巾布包起来装进竹箱，藏在庙堂之上。这只龟，是宁可死去而留下骨壳被人珍惜呢？还是宁愿活着拖尾爬行于泥中？"

两个大夫说："当然宁愿活着拖尾爬行于泥中。"

庄子说："你们回去吧！我将拖着尾巴爬行于泥中。"

　　惠子相梁①，庄子往见之。或谓惠子曰②："庄子来，欲代子相。"于是惠子恐，搜于国中三日三夜。

　　庄子往见之，曰："南方有鸟，其名为鹓鶵③，子知之乎？夫鹓鶵，发于南海而飞于北海，非梧桐不止④，非练实不食⑤，非醴泉不饮⑥。于是鸱得腐鼠⑦，鹓鶵过之，仰而视之曰：'吓'！今子欲以子之梁国而吓我邪⑧？

[注释]

　　①惠子：惠施，曾为梁惠王相。梁：魏国。　②或：有人。　③鹓鶵（yuān chú）：像凤凰一类的鸟。　④止：栖息。　⑤练实：竹实。　⑥醴（lǐ）泉：甘美的泉水。　⑦鸱：猫头鹰。腐鼠：腐烂的老鼠，比喻相位。　⑧吓：有两解，其一状声词，表示一种惊怕的语气；其二，吓唬。

[译文]

　　惠施在魏国做宰相，庄子要去见他。有人对惠施说："庄子来，想取代您的相位。"惠施听了很害怕，在国中搜捕庄子达三天三夜。

　　庄子见到惠施，对他说："南方有一种鸟，名叫鹓鶵，你知道吗？鹓鶵从南海出发，飞往北海，沿途非梧桐树不栖息，不是竹子的果实不食，不是甘美的泉水不喝。这时猫头鹰抓到一只已经腐烂的死老鼠，看见鹓鶵经过，仰头对着它说：'吓！'现在你难道想用魏国相位来吓唬我呀？"

　　庄子与惠子游于濠梁之上①。庄子曰："鯈鱼出游从容②，是鱼之乐也。"

　　惠子曰："子非鱼，安知鱼之乐？"

　　庄子曰："子非我，安知我不知鱼之乐？"

　　惠子曰："我非子，固不知子矣；子固非鱼矣，子之不知鱼之乐，全矣③。"

　　庄子曰："请循其本④。子曰'汝安知鱼乐'云者，既已知吾知之而问我，我知之濠上也。"

[注释]

　　①濠（háo）：水名，在今安微凤阳县附近。梁：拦河堰。
　②鲦鱼（tiáo）：白鱼　③全矣：完全如此，意即无可辩驳。
　④循：追溯。本：始，指开头的话题。

[译文]

　　庄子和惠施在濠水的河堰上游玩。庄子说："鲦鱼从容自得地游出来，这是鱼的快乐。"

　　惠施说："你不是鱼，怎么知道鱼的快乐？"

　　庄子说："你不是我，怎么知道我不懂得鱼的快乐？"

　　惠施说："我不是你，固然不知道你；你本来也不是鱼，那么你不知道鱼的快乐，就是无可辩驳的了。"

　　庄子说："请从开头的话题说起。你说'你哪儿知道鱼的快乐'，说明你已经知道了我晓得鱼的快乐才来问我的，我是在濠水的河堰上知道的。"

至　乐

　　天下有至乐无有哉？有可以活身者无有哉？今奚

为奚据？奚避奚处？奚就奚去？奚乐奚恶？

夫天下之所尊者，富贵寿善也；所乐者，身安厚味美服好色音声也；所下者，贫贱夭恶也；所苦者，身不得安逸，口不得厚味，形不得美服，目不得好色，耳不得音声；若不得者，则大忧以惧。其为形也亦愚哉！

夫富者，苦身疾作①，多积财而不得尽用，其为形也亦外矣②。夫贵者，夜以继日，思虑善否，其为形也亦疏矣③。人之生也，与忧俱生，寿者惛惛④，久忧不死，何苦也！其为形也亦远矣。烈士为天下见善矣，未足以活身。吾未知善之诚善邪？诚不善邪？若以为善矣，不足活身；以为不善矣，足以活人。故曰："忠谏不听，蹲循勿争⑤。"故夫子胥争之以残其形，不争，名亦不成。诚有善无有哉？

今俗之所为与其所乐，吾又未知乐之果乐邪？果不乐邪？吾观夫俗之所乐，举群趣者⑥，诶诶然如将不得已⑦，而皆曰乐者，吾未之乐也，亦未之不乐也。果有乐无有哉？吾以无为诚乐矣，又俗之所大苦也。故曰："至乐无乐，至誉无誉。"

天下是非果未可定也。虽然，无为可以定是非。至乐活身，唯无为几存⑧。请尝试言之：天无为以之清，地无为以之宁，故两无为相合，万物皆化生。芒乎芴乎⑨，而无从出乎！芴乎芒乎，而无有象乎⑩！万物职职⑪，皆从无为殖⑫。故曰天地无为也而无不为也，人也孰能得无为哉！

[注释]

①疾作：拼命干。　②外：相背离。　③疏：远。　④惽惽：糊涂的样子。　⑤蹲循：迟疑退却的样子。　⑥举群：成群。趣，追逐。　⑦誙誙（kēng）然：争着跑去的样子。⑧几存：接近。　⑨芒乎芴（hū）乎：恍惚。　⑩象：迹象。　⑪职职：繁多的样子。　⑫殖：繁殖，产生。

[译文]

天下有最快乐还是没有？有活身之道还是没有？

如果有，现在应该怎么做？依据什么？怎么回避？怎么安处？怎么从就？怎么舍去？怎么欢乐？怎么厌恶？

天下所尊崇的，是富有、尊贵、长寿、善名；所喜欢的，是身体安适，饮食丰盛，服饰华丽，容貌娇艳，音乐悦耳；所痛苦的，是身体不得安适，吃不到美味佳肴，穿不上华丽的衣服，眼睛看不到美色，耳朵听不到高雅的音乐；如果得不到这些，就大为忧愁恐惧。如此为形体着想真是太愚昧了！

富有的人，劳苦身体，拼命经营，积聚了许多财物而不能充分享用，这样做与保养形体是背道而驰的。人一出生就与忧愁并存，年纪老迈的人糊里糊涂，长期忧愁而不死，是多么痛苦的事啊！这与保养形体相距甚远。烈士被天下所称善，却保不住自己的性命。我不知道这种善是真善呢？还是真不善？如果认为是善，却不能保住自己的性命；认为是不善，却救活了别人。所以说："如果忠谏不被君所接受，就退下不要再争。"过去伍子胥因忠谏强争而遭杀戮，即使他不谏争，他也不会成名。如此说来，到底有善还是没有？

现在世俗的所为及其所乐，我不知道是果真快乐？还是不快乐？我看世俗所快乐的，大家都去追逐，一拥而上，又好像是迫不得已，而大家都说快乐，我没有感到快乐，也没有感到不快乐。果真有快乐还是没有？我认为无为是真正的快乐，而这又是世俗所认为的痛苦。所以说："最大的快乐就是无所谓快乐，最大的荣誉就是无所谓荣誉。"

天下的是非确实无法确定。尽管如此，无为可以定是非。至乐可以治身，而只有无为接近于至乐治身之道。请让我试着说明这一点：天因为无为而清虚，地因为无为而宁静，这两种无为相结合，从而使万物变化生长。恍恍惚惚，不知道从何而出！恍恍惚惚，没有一点迹象！万物繁多，都是出自于无为。所以说天地无为而无不为，而谁又能够学得这种无为呢！

庄子妻死，惠子吊之，庄子则方箕踞鼓盆而歌①。

惠子曰："与人居②，长子③、老、身死，不哭亦足矣④，又鼓盆而歌，不亦甚乎！"

庄子曰："不然。是其始死也，我独何能无概然⑤！察其始而本无生，非徒无生也而本无形，非徒无形也而本无气。杂乎芒芴之间，变而有气，气变而有形，形变而有生，今又变而之死，是相与为春秋冬夏四时行也。人且偃然寝于巨室⑥，而我嗷嗷然随而哭之⑦，自以为不通乎命，故止也。"

[注释]

①箕踞（jī jù）：一种不拘礼节的坐姿，状如簸箕。
②居：生活。　③长子：生儿育女。　④亦足：已不合情理。
⑤概：借为慨，感叹。　⑥偃然：安然。巨室：指天地。
⑦嗷嗷（jiào）然：哭号之声。

[译文]

庄子的妻子死了，惠子前去吊丧，庄子正不拘礼节地坐着，敲盆唱歌。

惠子说："妻子和你一起生活，为你生儿育女，现在她老而身死，你不哭就已不合情理，还敲盆唱歌，真是太过分了！"

庄子说："不过。她刚刚死，我怎么能不感叹呢！但是推究起来，她起初原本是没有生命的，不仅没有生命而且没有形骸，不仅没有形骸而且没有气。她混杂在恍惚之间，变而有气，气变而有形骸，形骸变而有生命，现在又变而为死，这种变化就像四季的运行一样，是自然而然地运行的。人已经安然歇息于天地之间，而我却哭哭啼啼，我认为这样是不通达天命的，所以不哭。"

支离叔与滑介叔观于冥伯之丘①，昆仑之虚②，黄帝之所休。俄而，柳生其左肘③，其意蹶蹶然恶之④。

支离叔曰："子恶之乎？"

滑介叔曰："亡⑤，予何恶！生者，假借也⑥；假之而生生者⑦，尘垢也。死生为昼夜。且吾与子观化而化及我⑧，我又何恶焉！"

[注释]

①支离叔、滑介叔：虚拟的寓言人物。　②虚：通墟。
③柳：假借为瘤。　④蹶蹶然：惊动的样子。　⑤亡：通无。
⑥假借：寄托。　⑦生生者：指肿瘤。　⑧观化：观察事物的变化。

[译文]

支离叔和滑介叔一同观览冥伯之丘、昆仑之墟和黄帝曾经休息的地方。不一会儿，滑介叔的左肘部长出了一个肿瘤，他显得惊动不安，似乎很厌恶它。

支离叔说："你厌恶它吗？"

滑介叔说："不，我为什么厌恶！生命和形骸，乃是附着于道的寄托；寄托在形骸上的肿瘤，只不过如渺小的尘垢。死生就像昼夜的运行一样平常。我和你观察万物的变化，现在变化降临到我的身体上，我对它又有什么厌恶的呢！"

庄子之楚，见空髑髅①，髐然有形②。撽以马捶③，因而问之，曰："夫子贪生失理而为此乎④？将子有亡国之事⑤，斧钺之诛，而为此乎？将子有不善之行，愧遗父母妻子之丑⑥，而为此乎？将子有冻馁之患而为此乎？将子之春秋故及此乎？"于是语卒，援髑髅⑦，枕而卧。

夜半，髑髅见梦曰⑧："子之谈者似辩士，视子所言，皆生人之累也⑨，死则无此矣。子欲闻死之说乎？"

庄子曰："然"。

髑髅曰："死，无君于上，无臣于下，亦无四时之事，从然以天地为春秋⑩，虽南面王乐，不能过也。"

庄子不信，曰："吾使司命复生子形⑪，为子骨肉肌肤，反子父母、妻子、闾里、知识⑫，子欲之乎？"

髑髅深矉蹙颏曰⑬："吾安能弃南面王乐而复为人间之劳乎！"

[注释]

①髑髅（dú lóu）：死人的骨架。　②髐（xiāo）然：空枯的样子。　③撽（qiào）：敲击。马捶：马鞭。　④失理：违反天理。　⑥遗（wèi）：给。　⑦援：拉。　⑧见：通现，显。　⑨生人：活人。累，拖累，负担。　⑩从：通纵。纵然：放纵自由的样子。　⑪司命：掌管生命的神。　⑫知识：熟悉的人，朋友。　⑬颡：即额。深矉蹙颡：深深地皱眉头，表示忧愁的样子。

[译文]

庄子去楚国，看到一具空骷髅，空枯有形。庄子用马鞭敲敲骷髅，问道："先生您是因为贪求人生欲望，违反天理，才成了这个样子的吗？或是因为国家灭亡，遭受刑戮，成了这个样子？或是因为行为不端，愧对父母妻儿，成了这个样子？或是因为冻饿而死，成了这个样子？或是因为年寿已尽自然死亡，成了这个样子？"说完之后，拉过骷髅，枕在上面睡觉。

到了半夜，骷髅托梦对庄子说："你的谈论像辩士，你所说的，都是活人的负担，死后就没有这些拖累了。你想听听死人的快乐吗？"

庄子说："是的。"

骷髅说："死人上无君王，下无臣子，也没有四季寒暑之忧，放纵自由地以天地为春秋，即使是位居君王的快乐，也比不上此之乐。"

庄子不相信，说："我让生命之神恢复你的形体，还原您的骨肉肌肤，让您返归到父母妻子和邻里朋友中间，您愿意吗？"

骷髅紧皱眉头忧愁地说："我怎么能放弃君王般的快乐而重返人间的劳苦呢！"

颜渊东之齐,孔子有忧色。子贡下席而问曰:"小子敢问:回东之齐,夫子有忧色,何邪?"

孔子曰:"善哉汝问!昔者管子有言①,丘甚善之,曰:'褚小者不可以怀大②,绠短者不可以汲深③。'夫若是者,以为命有所成而形有所适也④,夫不可损益。吾恐回与齐侯言尧、舜、黄帝之道,而重以燧人、神农之言。彼将内求于己而不得⑤,不得则惑,人惑则死。且女独不闻邪?昔者海鸟止于鲁郊,鲁侯御而觞之于庙⑥,奏《九韶》以为乐⑦,具太牢以为膳⑧。鸟乃眩视忧悲⑨,不敢食一脔⑩,不敢饮一杯,三日而死。此以己养养鸟也⑪,非以鸟养养鸟也。夫以鸟养养鸟者,宜栖之深林,游之坛陆⑫,浮之江湖,食之鳅鲦⑬,随行列而止,委蛇而处。彼唯人言之恶闻,奚以夫诐诐⑭为乎!《咸池》、《九韶》之乐,张之洞庭之野,鸟闻之而飞,兽闻之而走,鱼闻之而下入,人卒闻之,相与还而观之。鱼处水而生,人处水而死,彼必相与异,其好恶故异也。故先圣不一其能,不同其事。名止于实,义设于适,是之谓条达而福持。"

[注释]

①管子:管仲,春秋齐国著名的政治家和思想家,曾辅佐齐桓公称霸。　②褚(zhǔ):袋子。怀:装。　③绠(gěng):吊水用的绳子。　④成:定。适:合。　⑤内求于己:自我要

求。　⑥觞（shāng）：冥饮。　⑦九韶：舜时的乐曲名。　⑧太牢：牛羊猪三者齐备的祭祀品。　⑨眩视：看得眼花。　⑩脔（luán）：切成小块的肉。　⑪己养：养自己的方法。　⑫坛：通坦。坦陆：广阔的地方。　⑬鳅鲦（tiáo）：泥鳅之类的小鱼。　⑭谣谣（náo）：喧闹的声音。

[译文]

颜渊往东去齐国，孔子脸色忧愁。子贡离席走上前去问道："弟子请问：颜渊往东去齐国，先生脸色忧愁，这是为什么？"

孔子说："你问得好！从前管子有句话，我很赞赏，他说：'小袋子不能装大东西，短绳不能从深井里汲水。'之所以这样说，是因为性命各有所定而形体各有所适合，不可变更。我担心颜渊向齐侯谈论尧、舜、黄帝之道，重申燧人、神农之言。齐侯听了将以此要求自己，但却无法做到，做不到则产生疑惑，疑惑不解就会忧愁苦闷乃至致人于死。你难道没有听说过下面这个故事吗？从前有只海鸟飞落在鲁国的郊外，鲁侯将它迎进庙堂，让它饮酒，演奏《九韶》之乐取悦于它，宰牛羊猪供它食用。海鸟看得眼花缭乱，内心忧愁悲惧，不敢吃一块肉，不敢饮一杯酒，三天就死了。这是用养人的方法去养鸟，而不是用养鸟的方法养鸟。用养鸟的方法来养鸟，应该让它栖息于茂密的树林，翱翔于广阔的地方，吃小鱼小虾，鸟群结队而行，自由自在地生活。鸟最讨厌听到人的声音，为什么还要对它大声喧哗呢！在广漠的野外演奏《咸池》、《九韶》之乐，鸟听了就会飞走，兽听了就会逃跑，鱼听了就会沉入水下，而人们听了却会围上前来观赏。鱼在水里生龙活现，人在水里就会淹死，两者的秉性各异，好恶也就不同了。所以，过去的圣人不把人们的才能看成整齐划一，不强迫人们做同样的事情。名要与实相符，各尽其能，各适其宜，这就称为条理通达而好事常有。

　　列子行，食于道从①，见百岁髑髅，攓蓬而指之曰②："唯予与汝知而未尝死③，未尝生也。若果养乎④？予果欢乎？"

　　种有几⑤，得水则为䘘⑥，得水土之际则为蛙蠙之衣⑦，生于陵屯则为陵舄⑧，陵舄得郁栖则为乌足⑨，乌足之根为蛴螬⑩，其叶为蝴蝶。胡蝶胥也化而为虫⑪，生于灶下，其状若脱，其名为鸲掇⑫。鸲掇千日为鸟，其名为干余骨。干余骨之沫为斯弥，斯弥为食醯⑬。颐辂生乎食醯⑭，黄軦生乎九猷⑮，瞀芮生乎腐蠸⑯。羊奚比乎不笋⑰，久竹生青宁⑱，青宁生程⑲，程生马，马生人，人又反入于机。万物皆出于机，皆入于机。

　　[注释]

　　①从：旁。　②攓（jiǎn）：拔。蓬：草。　④养：忧。⑤几：微。　⑥䘘：同继，水绵。　⑦蛙蠙（bīn）之衣：青苔。　⑧陵屯：土堆。陵舄（xì）：车前草。　⑨郁栖：粪土。乌足：草名，车前草的变种。　⑩蛴螬（qī cáo）：金龟子的幼虫。　⑪胥（xū）：不久。　⑫鸲掇（qú duō）：干余骨的幼虫。⑬斯弥：虫名。食醯（xī）：醋瓮中的小虫。　⑭颐辂（yí lù）：小虫名。　⑮黄軦（kuàng）：虫名。九猷：过时的酒，即坏了的甜酒。　⑯瞀芮（mào ruì）：小蚊虫。腐蠸（quán）：萤火虫。　⑰羊奚：草名。不笋（sǔn）：不生笋的竹子。　⑱久

竹：陈腐的竹子。青宁：竹根虫。　⑲程：豹。

[译文]

列子旅行，在路旁进食，看见一个百年的骷髅，于是拨开蓬草指着它说："只有我和你知道你未曾死，也未曾活。你果真忧愁吗？我果真快乐吗？"

种子有微妙的地方，得到水的滋润就会长出水绵，在水和土之间就变成青苔，生在土堆中就变成车前草，车前草得到粪土就变为乌足草，乌足草的根变成蛴螬，它的叶子会变为蝴蝶，蝴蝶不久化为虫，生在灶下，就像刚刚蜕了皮，名叫鸲掇。鸲掇千日之后变为鸟，名叫干余骨。干余骨吐出的粘液变为斯弥，斯弥变成醋瓮中的小虫。颐辂虫生于醋虫，羊奚草生在不长笋的竹根上，腐朽的竹子生青宁虫，青宁生豹，豹生马，马生人，人又复归于自然。万物都是出于自然，又归于自然。

达　生

达生之情者①，不务生之所无以为②；达命之情者，不务知之所无奈何③。养形必先之以物④，物有余而形不养者有之矣；有生必先无离形⑤，形不离而生亡者有之矣。生之来不能却⑥，其去不能止⑦。悲夫！世之人以为养形足以存生，而养形果不足以存生，则世奚足为哉！虽不足为而不可不为者，其为不免矣。

夫欲免为形者，莫如弃世。弃世则无累，无累则

正平⑧，正平则与彼更生⑨，更生则几矣⑩。事奚足弃
而生奚足遗⑪？弃事则形不劳，遗生则精不亏，夫形
全精复，与天为一。天地者，万物之父母也，合则成
体，散则成始。形精不亏，是谓能移⑫。精而又精，
反以相天⑬。

[注释]

①达：明白。生：生命，指养生。情：情理。　②所无以
为：无法做到的。　③所无奈何：无能为力的。　④形：身
体。物：物质条件。　⑤离形：脱离形体，即死。　⑥却：拒
绝。　⑦止：挽留。　⑧正平：心正气平。　⑨彼：指形体。
更生：新生。　⑩几：接近。　⑪事：世事。　⑫能移：能随
天地更生变化。　⑬相：助。

[译文]

明白养生之理的，不追求无法做到的；通晓性命之理的，
不追求智力所无能为力的。保养身体必须先有物质条件。但有
些人物质丰裕却保养不好身体；保有生命首先必须不脱离形
体，但有些人形体不离生命却死亡了。生命来临不能拒绝，生
命离去不能挽留。可悲啊！世俗之人以为保养好身体便可以保
全生命，然而保养身体确实不足以保全生命，那么何必去管世
俗之事！虽然不值得管却不可不去管，那就免不了要劳累了。

要想免除形体的劳累，不如抛弃世俗。抛弃世俗就没有拖
累，没有拖累则心正气平，心正气平就会与形体一起更新，更
新就会接近于所要达到的养生目标。世事值得抛弃而生命值得
忘怀吗？抛弃世事则形体不劳，忘怀生命则精神不亏。形体健
全而精神饱满，就会与天合为一体。天地是万物的父母，天地
交合则生成万物的形体，天地分离则万物返归于原始混沌状
态，形体健全精神饱满，就能随天地更生变化。养生达到了炉

火纯青的境界，反过来又会有助于天地自然的发展。

　　子列子问关尹曰①："至人潜行不窒②，蹈火不热，行乎万物之上而不慄③。请问何以至于此？"

　　关尹曰："是纯气之守也④，非知巧果敢之列。居⑤，吾语女！凡有貌象声色者，皆物也，物与物何以相远？夫奚足以至乎先？是色而已。则物之造乎不形而止乎无所化，夫得是而穷之者，物焉得而止焉！彼将处乎不淫之度⑥，而藏乎无端之纪⑦，游乎万物之所终始，壹其性⑧，养其气，合其德，以通乎物之所造⑨。夫若是者，其天守全⑩，其神无郤⑪，物奚自入焉！

　　夫醉者之坠车，虽疾不死。骨节与人同而犯害与人异⑫，其神全也，乘亦不知也，坠亦不知也，死生惊惧不入乎其胸中，是故遌物而不慑⑬。彼得全于酒而犹若是，而况得全于天乎？圣人藏于天⑭，故莫之能伤也。复仇者不折镆干⑮，虽有忮心者不怨飘瓦⑯，是以天下平均。故无攻战之乱，无杀戮之刑者，由此道也。不开人之天，而开天之天。开天者德生⑰，开人者贼生⑱。不厌其天⑲，不忽于人⑳，民几乎以其真㉑。"

[注释]

①子列子：即列御寇，亦称列子。关尹：老子弟子，姓尹

名喜，曾为函谷关令，故亦称关令尹。　②潜行：入水而行。室：窒息。　③万物之上：最高处。　④纯气之守：保持着纯正之气。　⑤居：坐。　⑥不淫之度：恰如其份。　⑦无端：循环。　⑧壹其性：使心性纯一。　⑨物之所造：造物者，即自然。　⑩天守全：天性完备。　⑪郤：通隙，漏洞。　⑫犯害：伤害，受害。　⑬迕（wù）：同忤，逆。慑（shé）：恐惧。　⑭藏于天：居心于天道。　⑮镆干：即镆铘、干将的简称，传说楚国有夫妇二人善铸剑，夫名干将，妻名镆铘。后将镆铘干将作为利剑的代称。　⑯忮（zhì）心：忌恨之心。　⑰德生：养成良好的道德。　⑱贼生：产生残害的心理。　⑲厌：满足。　⑳忽：疏忽。人：人为。　㉑真：指天性。

[译文]

列子问关尹说："至人入水行走而不窒息，走在水上而不觉得热，在最高处行走而不畏惧。请问为什么能达到这般境地？"

关尹说："这是保持了纯正之气的缘故，而不是使用巧智和勇敢所能做到的。坐下，我对你说！凡具有形状声色的，都是物，物与物之间为什么有很大差别？有的物为什么超前？这是因为声色的缘故。物产生于无形而终止于无变化，明白了这个道理，就不会把万物放在心上！至人处于恰如其份的位置，藏心于循环之理，游心于无为之道，使心性纯一，保养纯正之气，使德性与天道相合，以通达于自然。像这样的至人，天性完备，精神健全无缺，外物怎么能侵入呢！

"醉酒者从车上掉下来，虽然受伤却不会摔死，他的骨节和别人一样而伤害程度却和别人不同，这是因为他的精神健全，乘坐在车上和从车上掉下来都没有感觉，心里没有死生惊惧的念头，所以撞在地上也不恐惧。他从醉酒中获得的精神健全尚且有这样的效果，何况从天道修养中所获得的精神健全呢？圣人居心于天道，所以外物无法伤害他。仇敌虽然用利剑杀我，但利剑无心杀我，所以我复仇只杀仇敌而不折毁利剑；我虽然被飘落的瓦片打伤，但瓦片并非有心伤我，所以我不抱怨。因此，天下平等相待。奉行无为之道，就不会有战乱之患和杀戮之刑。不要倡导人为，而要顺应自然。顺应自然就会养成良好的道德，倡导人为则会产生残害的心理。要大力提倡无为之道，谨防人为之害，这样人们就会按照天真的本性行事。"

　　仲尼适楚，出于林中^①，见痀偻者承蜩^②，犹掇之也^③。

　　仲尼曰："子巧乎^④！有道邪？"

　　曰："我有道也。五六月累丸二而不坠^⑤，则失者锱铢^⑥；累三而不坠，则失者十一^⑦；累五而不坠，犹掇之也。吾处身也，若厥株拘^⑧；吾执臂也^⑨，若槁木之枝^⑩；虽天地之大，万物之多，而唯蜩翼之知。吾不反不侧^⑪，不以万物易蜩之翼，何为而不得！"

　　孔子顾谓弟子曰："用志不分，乃凝于神，其痀偻丈人之谓乎^⑫！"

[注释]

　　①出：经过。　②痀偻（gōu lóu）：驼背。承，取，抓。蜩（tiáo）：蝉。承蜩：在竹竿顶端放上胶状物把蝉粘住，捕蝉的方法之一。　③掇：拾取。　④巧：纯熟。　⑤累：叠。⑥锱铢（zī zhū）：古代的重量单位，六铢等于一锱，四锱等于一两，这里用来表示极少。　⑦十一：十分之一。　⑧若厥株拘：像木桩一样静止不动。　⑨执：持，控制。　⑩槁木：干

枯的树。　⑪不反不侧：一心一意，心无二念。　⑫丈人：对
老年人的尊称。

[译文]

孔子去楚国，经过树林中，看见一个驼背的人在捕蝉，像
在地上拾取一样轻而易举。

孔子上前说："您的手真巧！有什么粘蝉之道吗？"

捕蝉者回答说："我有道。我为了提高技巧，在竹竿顶端
叠上丸子，经过五六个月的训练之后，累叠两个丸子可以不掉
下来，失手的时候已很少；累叠三个丸子而不会掉下来，那么
失手的时候只有十分之一；累叠五个丸子不掉，那就像拾取东
西一样容易。我粘蝉时，身体像木桩一样静止不动；我对胳膊
的控制，像干枯的树枝一样稳健；虽然面对广大的天地形形色
色的万物，而我的心思只在蝉翼上。我心无二念，不因为其他
东西而转移对蝉翼的专注，这样还有什么得不到！"

孔子回头对弟子说："心不分散，聚精会神，就是在说这
位驼背老人啊！"

颜渊问仲尼曰："吾尝济乎觞深之渊①，津人操舟
若神②。吾问焉，曰：'操舟可学邪？'曰：'可。善游
者数能③。若乃夫没人④，则未尝见舟而便操之也⑤。'
吾问焉而不吾告⑥，敢问何谓也？"

仲尼曰："善游者数能，忘水也。若乃夫没人之未
尝见舟而便操之也，彼视渊若陵，视舟之覆犹其车却
也⑦。覆却万方陈乎前而不得入其舍⑧，恶往而不
暇⑨！以瓦注者巧⑩，以钩注者惮⑪，以黄金注者殙⑫。

其巧一也⑬，而有所矜⑭，则重外也⑮。凡外重者内拙⑯。"

[注释]

①觞深：渊名。　②津人：摆渡的人。　③数能：很快就会。　④没人：善于潜水的人。　⑤便：轻巧。　⑥不吾告：不告诉我。　⑦却：退。　⑧舍：心。　⑨暇：闲暇自由，轻松。　⑩注：赌注。巧：轻巧。　⑪钩：带钩。惮：怕。⑫惛（hūn）：心绪紊乱。　⑬一：一样。　⑭矜（jīn）：慎重，拘谨。　⑮重外：注重于身外之物。　⑯内拙：内心笨拙。

[译文]

颜渊问孔子说："有一次我经过一个深渊渡口，摆渡的人撑船技术高明极了。我问他：'撑船可以学习吗？'他说：'可以。善于游泳的人很快就能学会，而善于潜水的人即使没有见过船也能熟练行驶。'我问其中的原因，他却不告诉我，请问这是怎么回事？"

孔子说："善于游泳的人很快就能学会，这是因为他熟悉水性。善于潜水的人没见过船就能驾驭船只，这是因为他把深渊视为山丘，把船翻视为车倒退一样。他对出现在眼前的翻船如倒车的情景毫不在乎，心里若无其事，他怎么能不镇静自若呢！用瓦片作赌注心里轻松，用带钩作赌注内心就有点害怕，用黄金作赌注则心烦意乱。他的赌博技巧前后一样，但后来却顾虑重重，这是由于身外的利害得失。注重于身外之物的内心就笨拙。

田开子见周威公①。威公曰："吾闻祝肾学生②，吾子与祝肾游，亦何闻焉？"

　　田开子曰："开子操拔篲以侍门庭③，亦何闻于夫子！"

　　威公曰："田子无让④，寡人愿闻之。"

　　开子曰："闻之夫子曰：'善养生者，若牧羊然，视其后者而鞭之。'"

　　威公曰："何谓也？"

　　田开子曰："鲁有单豹者⑤，岩居而水饮，不与民共利⑥，行年七十而犹有婴儿之色，不幸遇饿虎，饿虎杀而食之。有张毅者，高门县薄⑦，无不走也，行年四十而有内热之病以死。豹养其内而虎食其外⑧，毅养其外而病攻其内。此二子者，皆不鞭其后者也⑨。"

　　仲尼曰："无入而藏⑩，无出而阳⑪，柴立其中央⑫。三者若得，其名必极⑬。夫畏涂者⑭，十杀一人，则父子兄弟相戒也⑮，必盛卒徒而后敢出焉⑯，不亦知乎！人之所取畏者⑰，衽席之上⑱，饮食之间，而不知为之戒者，过也！"

[注释]

　　①田开子：学道之人。周威公：东周王室的一位君主。②祝肾：人名，事迹不详。学生：学习养生之道。　③拔篲（huì）：扫帚。　④无：通毋，不要。　⑤单豹：鲁国隐士。⑥共利：争利。　⑦高门：富贵之家。县：通悬。薄：通簿。悬簿：垂帘，指贫寒之家。　⑧养其内：修心养性。外，形体。　⑨不鞭其后：指行为偏颇，不能取长补短。　⑩不入

而藏：不要深深地隐藏起来。　⑪阳：外露。　⑫柴立：像木头一样站立，表示无心。　⑬其名必极：必然获得最高的称号。　⑭畏涂：害怕路途不平安。　⑮戒：告诫。　⑯盛卒徒：成群结伙。　⑰取畏：自取危险的事。　⑱衽（rèn）席之上：指色欲之事。

［译文］

田开子见到周威公。威公说："我听说祝肾在学习养生之道。你常和他在一起，听到过什么吗？"

田开子说："我不过是拿着扫帚替先生打扫门庭，能从先生那儿听到什么呢！"

威公说："你不要推辞，我很想听听。"

开子说："听先生说：'善于养生的，就像牧羊一样，看见落后就用鞭子抽。'"

威公说："这是什么意思？"

田开子说："鲁国有一个名叫单豹的人隐居于山岩，饮用泉水，不与人争利，年已70而容颜还像婴儿一般，不幸遇虎，被饿虎吞食。有一个名叫张毅的，走东家串西家，四处钻营，年仅40却得内热病而死。单豹修心养性却被老虎吃掉了形体，张毅保养形体却被疾病攻入了体内。这两个人，都是行为偏颇而不能调和折中。"

孔子说："不要隐藏得太深，也不要过于外露，而应该像木头一样中立于动静之间。这三者如果都能做到，便可称为至人。担心旅途不安全的人，假如途中发生十人中有一人被害的事就会父子兄弟互相告诫，必定成群结伙才敢上路，真聪明啊！人们自取危险的，是在枕席之上，饮食之间，而人们却不知道对此戒备，这是过错啊！"

祝宗人玄端以临牢策①，说彘曰②："汝奚恶死？吾将三月豢汝③，十日戒，三日齐，藉白茅④，加汝肩尻乎雕俎之上，则汝为之乎？"为彘谋，曰不如食以糠糟而错之牢策之中⑤；自为谋⑥，则苟生有轩冕之尊，死得于䐉楯之上、聚偻之中则为之⑦。为彘谋则去之，自为谋则取之，所异彘者何也？

[注释]

①祝宗人：即祝人、宗人，掌管祭祀者。玄端：一种祭祀时穿的服饰。临：靠近。牢策：猪栏。　②彘（zhì）：猪。③豢（huán）：养。　④藉白茅：用白茅当垫子，以表示洁净。⑤错：放。　⑥自为谋：为自己打算。　⑦䐉楯（zhuàn shǔn）：有画饰的枢车。聚偻：装饰华丽的棺椁。

[译文]

掌管祭祀的祝人和宗人身穿祭服走近猪栏，对猪说："你为什么怕死？我要好好喂养你3个月，戒食10天，斋戒3天，铺上白茅草，把你的肩肘和后腿放置在雕饰的祭器上，你愿意吗？"与其为猪打算，倒不如用槽糠让它存活于猪栏中；为自己打算，只要希望生前高官厚禄，死后隆重厚葬就满意了。为猪打算就让它放弃享受祭祀之礼的死，替自己打算就追求虚荣之死，这和猪有什么区别！

桓公田于泽①，管仲御②，见鬼焉。公抚管仲之手曰："仲父何见③？"

对曰："臣无所见。"

公反④，诶诒为病⑤，数日不出。齐士有皇子告敖者曰⑥："公则自伤，鬼恶能伤公！夫忿滀之气⑦，散而不反，则为不足；上而不下，则使人善怒；下而不上，则使人善忘；不上不下，中身当心，则为病。"

桓公曰："然则有鬼乎？"

曰："有。沈有履⑧，灶有髻⑨。户内之烦壤⑩，雷霆处之⑪；东北方之下者，培阿鲑蛮跃之⑫；西北方之下者，则泆阳处之⑬。水有罔象⑭，丘有峷⑮，山有夔⑯，野有彷徨⑰，泽有委蛇。"

公曰："请问委蛇之状何如？"

皇子曰："委蛇，其大如毂，其长如辕，紫衣而朱冠。其为物也，恶闻雷车之声，则捧其首而立。见之者殆乎霸。"

桓公辴然而笑曰⑱："此寡人之所见者也。"于是正衣冠与之坐，不终日而不知病之去也⑲。

[注释]

①桓公：即齐桓公。　②御：驾车。　③仲父：对管仲的尊称。　④反：通返。　⑤诶诒（xī yí）：受惊之貌。　⑥皇子告敖：齐国的贤士。　⑦忿滀（xù）：郁结。　⑧沈：汙水积聚之处。履：鬼名。　⑨髻（jì）：灶神。　⑩烦壤：尘土积聚之处。　⑪雷霆：鬼名。　⑫培阿鲑蛮（wā lóng）：鬼名。　⑬泆（yì）阳：神名。　⑭罔象：水神名。　⑮峷（shēn）：怪兽。　⑯彷徨：怪兽，状如蛇，双头。　⑰辴（zhěn）然：欢笑的样子。　⑱不终日：不到一天。

[译文]

齐桓公在沼泽地打猎，管仲驾车，见到了鬼。桓公握住管仲的手说："仲父您看见了什么？"管仲回答说："我什么也没有看见。"

齐桓公返回宫中，惊吓成病，几天闭门不出。齐国有位贤士皇子告敖说："您这是自己忧伤，鬼怎么能伤害您呢！郁结之气，扩散而不能收敛回复，就精气不足；集中于身体上部而不能下通，就使人容易发怒；集中于身体下部而不能上达，就使人容易健忘；不上达也不下通，聚积于身体中部，就要致病。"

桓公说："那么有鬼吗？"

皇子说："有。积水处有名叫履的鬼，灶台有名叫髻的鬼。屋内尘土积聚之处，有名叫雷霆的鬼；东北方的下面，有名叫培阿鲑蛪的鬼在跳跃；西北方的下面，有名叫泆阳的鬼。水中有罔象，丘陵有峷神，山里有夔，野地有彷徨，沼泽有委蛇。"

桓公问："委蛇是什么样子？"

皇子说："委蛇的形状，大如车轴，长如车辕，穿紫衣戴红冠。这种鬼，害怕听雷车的声音，听到就捧着头站立。看到它的人将会称霸。"

桓公大笑着说："那就是我所见到的东西。"于是整好衣冠与皇子相坐，不到一天病就不知不觉地好了。

·

　　纪渻子为王养斗鸡①。十日而问："鸡已乎②？"曰："未也。方虚憍而恃气③。"十日又问，曰："未也，犹应向景。"十日又问，曰："未也，犹疾视而盛气。"十日又问，曰："几矣。鸡虽有鸣者，已无变矣。望之似木鸡矣，其德全矣，异鸡无敢应者，反走矣。"

[注释]

①纪渻（shěng）子：人名，事迹不详。王：指周宣王。
②已：可以。　③恃，通骄。

[译文]

纪渻子给周宣王养斗鸡。过了10天周宣王问："鸡可以斗了吗？"纪渻子回答说："不行，性情骄横，自恃意气。"10天后又问，回答说："不行，听到别的鸡叫或见到别的鸡的影子还有反应。"10天后又问，回答说："不行，还怒视而好斗。"10天后又问，回答说："可以了。虽然听到别的鸡叫，却毫无反应，看起来像只木鸡，静寂淡漠，德性已经完美，别的鸡不敢应战，见到它就扭头逃走。"

孔子观于吕梁①，县水三10仞，流沫40里，鼋鼍鱼鳖之所不能游也②。见一丈夫游之，以为有苦而欲死也，使弟子并流而拯之③。数百步而出，被发行歌而游于塘下④。

孔子从而问焉，曰："吾以子为鬼，察之则人也。请问，蹈水有道乎？"

曰："亡，吾无道。吾始乎故，长乎性，成乎命。与齐俱入⑤，与汩偕出⑥，从水之道而不为私焉。此吾所以蹈之也。"

孔子曰："何谓始乎故，长乎性，成乎命？"

曰："吾生于陵而安于陵，故也；长于水而安于水，性也；不知吾所以然而然，命也。"

[注释]

①吕梁：水名。一说为山名。　②鼋（yuán）：鳖类中的一种，形体比一般鳖大。鼍（tuó）：鳄鱼的一种。　③并流：沿着水流。　④塘下：岸下。　⑤齐：通脐，水漩洄而下时，形似肚脐，故称。　⑥汩（gǔ）：上涌的漩涡。

[译文]

孔子观赏吕梁之山水，瀑布高悬数十丈，飞流溅沫四十里，就连鱼鳖都无法游过。看见一男子游入激流，以为他有痛苦的事而想自杀，赶快叫弟子顺流去救他。那个男子没入水中数百步才浮出来，披发唱歌而游到岸边。

孔子走上前去问："我以为你是鬼，仔细察看才知道是人。请问，你游水有什么道术吗？"

那人回答说："没有，我没有道术。我起始于故常，长大习而成性，成于顺其自然。与漩涡一起没入，也涌流同时浮出，顺着水势自然而出，这就是我的游水之道。"

孔子问："什么叫起始于故常，长大习而成性，成于顺其自然？"

回答说："我生于陆地而安于陆地，这就是故地；成长于水边而安于水，这就是习性；我不知道为什么会这样，这就是顺其自然。"

梓庆削木为鐻①，鐻成，见者惊犹鬼神②。鲁侯见而问焉，曰："子何术以为焉？"

对曰："臣工人，何术之有！虽然，有一焉。臣将为鐻，未尝敢以耗气也③，必齐以静心④。齐三日，而不敢怀庆赏爵禄；齐五日，不敢怀非誉巧拙；齐七日，辄然忘吾有四枝形体也。当是时也，无公朝，其巧专而外骨消；然后入山林，观天性；形躯至矣，然后成见镰，然后加手焉⑤；不然则已。则以天合天，器之所以疑神者，其是与⑥！"

[注释]

①梓庆：工匠名。镰（jú）：悬挂钟磬等乐器的木架子，雕刻有装饰图像。　②鬼神：鬼斧神工。　③耗气：损耗精气。　④辄然：不动的样子。枝：通肢。　⑤加手：动手雕刻制作。　⑥其是与：恐怕就是这个原因吧！

[译文]

梓庆用木头制作镰，做成后，看到的人惊叹为鬼斧神工。鲁侯看见后问："你是用什么道术作成的呢？"

梓庆回答说："我是个工匠，能有什么道术！不过，我还是有一点。我在做镰之前，不敢损耗精气，必定斋戒以平心静气。斋戒3天，不敢怀有功名利禄之心；斋戒5天，不敢怀有是非美恶之心；斋戒7日，就达到了忘我的境界。在这个时候，眼里没有朝廷，专心于工艺技巧而排除了外界的干扰；然后进入山林，观察树木的天性；见到形态极其符合的材料，一个成形的镰就呈现在眼前，然后动手雕制；如果不是这样，就放弃不做。这样心性自然与外界自然相合，乐器之所以被疑为神工，恐怕就是这个原因吧！"

东野稷以御见庄公，进退中绳，左右旋中规。庄公以为文弗过也①，使之钩百而反②。

颜阖遇之③，入见曰："稷之马将败④。"公密而不应⑤。

少焉，果败而反。公曰："子何以知之？"

曰："其马力竭矣，而犹求焉，故曰败。"

[注释]

①文：图画。　②钩：转圈。　③颜阖：鲁国贤人。
④败：垮。　⑤密：沉默。

[译文]

东野稷在鲁庄公面前显示驾驭马车的本领，进退往来像绳子一样笔直，左右旋转像规一样圆。庄公以为画图画也不过如此，让他转一百圈后回来。

颜阖遇见了，进来对庄公说："东野稷的马要垮。"庄公沉默不语。

过了一会儿，马果然垮掉了。庄公说："你怎么知道马要垮呢？"

颜阖回答说："马已经精疲力尽，但他还继强迫马奔跑，所以必然要垮。"

工倕旋而盖规矩①，指与物化而不以心稽②，故其灵台一而不桎③。忘足，履之适也；忘腰，带之适也；知忘是非，心之适也；不内变，不外从，事会之适也。始乎适而未尝不适者，忘适之适也。

[注释]

①旋：画圈。盖：超过。　②指与物化：手指动作随着所

造的器物而变化。　③灵台：心。桎：通窒。

[译文]

　　工倕用手画圆赛过规矩，手指动作随着所造的器物而变化，根本不用思索，所以他的心性专一而通达。忘了脚，是因为鞋子舒适；忘了腰，是因为腰带舒适；忘了是非，是因为心灵安适；心神如一，不追随外物，遇事就可以顺心应手。本性安适而无所不适，就是忘了安适的安适。

　　有孙休者①，踵门而诧子扁庆子曰②："休居乡不见谓不修③，临难不见谓不勇。然而田原不遇岁④，事君不遇世，宾于乡里⑤，逐于州部⑥，则胡罪乎天哉⑦"休恶遇此命也？"

　　扁子曰："子独不闻夫至人之自行邪？忘其肝胆，遗其耳目，芒然彷徨乎尘垢之外，逍遥乎无事之业⑧，是谓为而不恃，长而不宰⑨。今汝饰知以惊愚，修身以明汙⑩，昭昭乎若揭日月而行也⑪。汝得全而形躯，具而九窍，无中道夭于聋盲跛蹇而比于人数，亦幸矣，又何暇乎天之怨哉！子往矣！"

　　孙子出。扁子入，坐有间，仰天而叹。弟子问曰："先生何为叹乎？"

　　扁子曰："向者休来，吾告之以至人之德，吾恐其惊而遂至于惑也。"

　　弟子曰："不然。孙子之所言是邪，先生之所言非邪，非固不能惑是；孙子所言非邪，先生所言是邪，彼固惑而来矣，又奚罪焉！"

扁子曰："不然。昔者有鸟止于鲁郊，鲁君说之，为具太牢以飨之，奏《九韶》以乐之，鸟乃始忧悲眩视，不敢饮食。此之谓以己养养鸟也。若夫以鸟养养鸟者，宜栖之深林，浮之江湖，食之以委蛇，则安平陆而已矣。今休，款启寡闻之民也，吾告以至人之德，譬之若载鼷以车马⑫，乐鴳以钟鼓也，彼又奚能无惊乎哉！"

[注释]

①孙休：鲁国俗人。　②踵门：登门求见。诧：惊讶而问。子扁庆子：鲁国贤人。　③见：通现，显露，出名。④田原：指耕作。　⑤宾：通摈，排斥，抛弃。　⑥州部：州邑。　⑦胡：何。　⑧无事：无为。　⑨宰：主宰。　⑩明汙：把污秽的东西揭露出来。　⑪昭昭乎：光明磊落的样子。⑫鼷（xī）：小老鼠。

[译文]

有一个名叫孙休的人，登门求见子扁庆子，他惊讶地问："我住在乡里没有名气可以说不好，遇到危难不站出来可以说不勇敢。但是种田遇不上好时岁，事奉君主遇不上圣君明主，在乡里被人排斥，在州邑被人驱逐，我怎么得罪了天？竟然如此倒霉？"

扁子说："你难道没有听说过至人的行为吗？忘记自身，不求聪明，超然于尘世之外，逍遥于清净无为，这就是虽然有所作为，但并不自恃，对事物有所助长，但并不以主宰者自居。现在你粉饰智慧以惊醒遇顽之人，修身以揭露黑暗，光明磊落就像举着日月行走。你能保全自己的躯体，九窍完整无缺，没有中途夭折残废而跻身于人的行列，已经够幸运的了，何须怨天忧人！你走开吧！"

孙休出去了。扁子进来，坐了一会儿，仰天而叹。弟子问："先生为什么叹气？"

扁子说："刚才孙休来，我告诉他至人的德行，我担心他过于震惊而变得更加迷惑。"

弟子说："不对。如果孙休说的正确，先生说的错误，错误的当然就不能迷惑正确的；如果孙休说的错误，先生说的正确，他本来就是迷惑着前来，您又有什么过错呢！"

扁子说："不对。从前有只鸟飞落在鲁国郊外，鲁君很喜欢它，奉上太牢祭品供它食用，演奏《九韶》之乐取悦于它，鸟看得眼花缭乱，内心忧愁悲惧，不敢饮食。这就叫做用养人的方法养鸟。用养鸟的方法养鸟，应该让它栖息于茂密的树林，浮游于江湖，从容啄食，放之于原野。刚才的孙休是个孤陋寡闻的人，我告诉他至人之德，就好比是让小老鼠坐马车，对小鸟敲钟击鼓使它高兴，他怎么能不感到震惊呢！"

山　木

庄子行于山中，见大木，枝叶盛茂，伐木者止其旁而不取也。问其故，曰："无所可用。"庄子曰："此木以不材得终其天年。"

夫子出于山①，舍于故人之家②。故人喜，命竖子杀雁而烹之③。竖子请曰："其一能鸣，其一不能鸣，请奚杀?"主人曰:"杀不能鸣者。"

　　明日,弟子问于庄子曰:"昨日山中之木,以不材得终其天年;今主人之雁,以不材死。先生将何处?"

　　庄子笑曰:"周将处乎材与不材之间。材与不材之间,似之而非也,故未免乎累。若夫乘道德而浮游则不然。无誉无訾④,一龙一蛇,与时俱化,而无肯专为⑤;一上一下,以和为量,浮游乎万物之祖;物物而不物于物⑥,则胡可得而累邪!此神农、黄帝之法则也。若夫万物之情,人伦之传⑦,则不然。合则离,成则毁,廉则挫⑧,尊则议,有为则亏,贤则谋,不肖则欺,胡可得而必乎哉!悲夫!弟子志之,其唯道德之乡乎!"

[注释]

　　①夫子:指庄子。　②故人:老朋友。　③竖子:童仆。④訾(zǐ):诋毁。　⑤专为:固守一端。　⑥物物:主宰外物。不物于物:不为外物所主宰。　⑦传:习俗。　⑧廉:锐利。

[译文]

　　庄子在山中行走,看见一棵大树,枝叶茂盛,伐木的人停在树旁却不砍伐它。问其中的原因,伐木的人说:"没有一点用处。"庄子说:"这棵树因为不成材而享尽了天年。"

　　庄子出了山,住在朋友家。朋友很高兴,让童仆杀雁招待客人。童仆问:"一只雁会叫,另一只雁不会叫,请问杀哪只?"主人说:"杀那只不会叫的。"

　　第二天,弟子问庄子:"昨天山中的树木,因为不成材而享尽天年；现在主人的雁，因为不会鸣叫而被杀。请问先生将如何对待?"

庄子笑着说："我将处于材与不材之间。材与不材之间似乎是合适的位置，其实不然，这样还是难免于受累。若是依照道德而行事，就不会那样。对赞誉与诋毁都无所谓，能伸能屈，应时而变，不固守一端；可上可下，以和顺自然为原则，游心于万物之源；主宰外物而不被外物所主宰，怎么会受累呢！这是神农和黄帝的法则。若是万物之情，人类的习俗，就不是这样了。有聚合就有分离，有成功就有毁坏，锐利就会遭到挫折，尊贵就会受到非议，有作为就会遭到损害，贤能就会被人谋算，不肖就会受人欺负，怎么可能尽如人愿呢！可悲啊！弟子们要记住，只有道德的境界才是最美好的!"

市南宜僚见鲁侯①，鲁侯有忧色。市南子曰："君有忧色，何也?"

鲁侯曰："吾学先王之道，修先君之业；吾敬鬼尊贤，亲而行之，无须臾离居②。然不免于患，吾是以忧。"

市南子曰："君之除患之术浅矣！夫丰狐文豹③，栖于山林，伏于岩穴，静也；夜行昼居，戒也④；虽饮渴隐约⑤，犹旦胥疏于江湖之上而求食焉⑥，定也⑦。然且不免于罔罗机辟之患⑧，是何罪之有哉？其皮为之灾也。今鲁国独非君之皮邪？吾愿君刳形去皮⑨，洒心去欲，而游于无人之野。南越有邑焉，名为建德之国。其民愚而朴，少私而寡欲；知作而不知藏⑩，与而不求其报⑪；不知义之所适⑫，不知礼之所将⑬；猖狂妄行，乃蹈乎大方⑭；其生可乐，其死可葬。吾愿君去国捐俗，与道相辅而行。"

君曰："彼其道远而险，又有江山，我无舟车，奈何？"

市南子曰："君无形倨⑮，无留居⑯，以为舟车。"

君曰："彼其道幽远而无人，吾谁与为邻？吾无粮，我无食，安得而至焉？"

市南子曰："少君之费，寡君之欲，虽无粮而乃足。君其涉于江而浮于海，望之而不见其崖，愈往而不知其所穷。送君者皆自崖而反，君自此远矣！故有人者累⑰，见有于人者忧⑱。故尧非有人，非见有于人也。吾愿去君之累，除君之忧，而独与道游于大莫之国⑲。方舟而济于河⑳，有虚船来触舟㉑，虽有惼心之人不怒㉒；有一人在其上，则呼张歙之㉓；一呼而不闻，再呼而不闻，于是三呼邪，则必以恶声随之。向也不怒而今也怒，向也虚而今也实。人能虚己以游世㉔，其孰能害之！"

[注释]

①市南宜僚：宜僚姓熊，居于市南，故称市南宜僚。②须臾：片刻。　③丰狐：毛长得很丰厚的狐狸。文豹：身上长有花纹的豹。　④戒：警惕。　⑤隐约：困苦。　⑥胥疏：小心翼翼的样子。　⑦定：审慎。　⑧罔罗机辟：捕捉野兽的

工具和机关。　⑨刳（kū）形：忘身。去皮：指忘国。
⑩作：劳作。藏：私藏。　⑪报：回报，报答。　⑫适：往。
⑬将：行。　⑭大方：大道。　⑮倨（jù）：傲慢。　⑯留
居：安于所处的地位。　⑰有人：统治人。　⑱见有于人：被
人所统治。　⑲大莫：广漠。　⑳方舟：两舟并连。　㉑虚
船：无人的船。　㉒惼（biǎn）心：心胸狭隘。　㉓歙（xī）：
合扰。　㉔虚己：把自己看作不存在一样。

[译文]

市南宜僚拜见鲁侯，鲁侯面有忧色。市南宜僚问："您面
有忧色，为什么呢？"

鲁侯说："我学习先王之道，继承先君的事业；我敬奉鬼
神而尊重贤能，身体力行，丝毫不敢懈怠。然而还是不能免于
祸患，所以我感到忧虑。"

市南宜僚说："您免除祸患的方法太浅陋了！皮毛丰厚的
狐狸和有花纹的豹子，栖息在山林中，隐伏在山洞里，很是沉
静；晚上出来白天隐伏，十分警惕；虽然饥渴困苦，但还是小
心翼翼地远到江湖上去觅食，非常审慎。然而还是难免罗网机
关捕杀之祸，它们有什么过失呢？这是由它们的皮毛招来的灾
祸。现在鲁国不正是给您带来灾祸的'皮毛'吗？希望您忘掉
自身而抛弃鲁国，除去一切欲望，遨游于没有人的旷野。南越
有一处都邑，名叫建德国。那里的人民愚陋而纯朴，少私而寡
欲；只知劳作而不知私藏，施舍别人而不求报答；不知道什么
是义，也不知道什么是礼；放达随意，无拘无束，合乎大道；
生前快乐，死后安葬。我希望您离开国家抛弃世俗，与道相辅
而行。"

鲁侯说："那里路途遥远而艰险，又有山河阻隔，我没有
车船，怎么办？"

市南宜僚说："你不凭势傲慢，不安于所处的地位，用此

来作为您的‘车子’。"

鲁侯说："那里路途幽远，没有人民，我和谁作伴？我没有粮米，没有食物，怎么能到达呢？"

市南宜僚说："减少您的费用，限制您的欲望，虽然没有食粮也足够了。您度江而浮海，望不到岸，越走越没有边际。送您的都从岸边回去了，您从此远去了！所以役使人的人有拖累，被人役使的人有忧愁。所以尧不统治人，也不被人所统治。我愿意除去您的拖累，消除您的忧愁，使您只和大道遨游于广漠之国。并船渡河，有一只空船撞过来，虽然有心胸狭隘的人也不发怒；如果上面有一个人，就会呼叫对方让他撑开船不要碰撞；叫一声对方不听，再叫一声对方还不听，那么第三声就会发怒了。开始不发怒而现在发怒，是因为原来船上无人而现在有人。人如果能以忘却自我的态度处世，谁能够伤害他！"

北宫奢为卫灵公赋敛以为钟①，为坛乎国门之外，三月而成上下之县②。王子庆忌见而问焉，曰："子何术之设？"

奢曰："一之间③，无敢没也。奢闻之：'既雕既琢，复归于朴。'侗乎其无识④，傥乎其怠疑⑤；萃乎芒乎⑥，其送往而迎来；来者勿禁，往者勿止；从其强梁⑦，随其曲傅⑧，因其自穷。故朝夕赋敛而毫毛不挫，而况有大涂者乎！"

[注释]

①北宫奢：卫国大夫。赋敛：征收。　②上下之县：上下

两层悬挂的编钟。　③一：纯一。　④侗（tóng）乎：淳朴的样子。　⑤傥（tǎng）乎：无虑的样子。　⑥萃：聚集。芒：茫然不知。　⑦强梁：强横，不顺从。　⑧曲傅：顺从依附。

[译文]

北宫奢为卫灵公募捐用来造钟，在城门外设立了祭坛，三个月就作成了上下两层悬挂的编钟。王子庆忌见此情景问他："你用的是什么办法？"

北宫奢说："专心一致地造钟，不敢存有别的想法。我听说：'经过一番雕琢，返归于真朴。'淳朴无知，无思无虑；由众人自愿捐物，送往迎来；来者不拒，去者不留；强横者任其强横，顺从者任其顺从，由众人尽力而为。所以虽然朝夕征收，但人民丝毫不受损伤，何况还有通晓大道的人呢！"

　　孔子围于陈蔡之间，七日不火食。大公任往吊之①，曰："子几死乎？"

曰："然。"

"子恶死乎？"

曰："然。"

任曰："予尝言不死之道。东海有鸟焉，其名曰意怠②。其为鸟也，翂翂翐翐③，而似无能；引援而飞④，迫胁而栖⑤；进不敢为前，退不敢为后；食不敢先尝，必取其绪⑥。是故其行列不斥，而外人卒不得害，是以免于患。直木先伐，甘井先竭。子其意者饰知以惊愚，修身以明汙，昭昭乎若揭日月而行，故不免也。昔吾闻之大成之人曰⑦：'自伐者无功⑧，功成者堕，名成者亏。'孰能去功与名而还与众人！道流而不明居⑨，得行而不名处⑩；纯纯常常⑪，乃比于狂⑫；削迹捐势⑬，不为功名。是故无责于人⑭，人亦无责焉。至人不闻⑮，子何喜哉⑯？"

孔子曰："善哉！"辞其交游，去其弟子，逃于大泽；衣裘褐⑰，食杼栗⑱；入兽不乱群，入鸟不乱行。鸟兽不恶，而况人乎！

[注释]

①大公：对老公的尊称。吊：慰问，看望。　②意怠：海燕之名。　③翂翂（fēn）翐翐（zhī）：飞行迟缓的样子。④引援：跟随。　⑤迫胁：挤在群鸟中间。　⑥绪：剩余。⑦大成之人：道德修养极高的人。　⑧伐：夸耀。　⑨道流：道德流行。明居：居于显露的地方。　⑩名处：处在被称颂的位置。　⑪纯纯常常：纯朴而又平凡的样子。　⑫比：似。⑬削迹：不留痕迹。捐势：抛弃权势。　⑭责：求。　⑮不闻：不求以功名闻于世。　⑯喜：热衷于功名。　⑰裘褐（qiú hè）：粗陋的衣服。　⑱杼（shù）：橡籽。

[译文]

孔子被围困在陈国和蔡国交界的地方，7天没有生火煮饭。

大公任去看望他，说："你快要饿死了吧?"

孔子说："是的。"

大公任说："你不想死吧?"

孔子说："是的。"

大公任说："让我说一说不死的方法。东海有只鸟，名叫意怠。这只鸟飞行迟缓，好像很无能；它跟随同伴而飞，挤在群鸟中栖息；进不敢飞在前面，退不敢落在后面；吃东西不敢先吃，一定吃剩余的。所以它在同伴中不受排斥，别人最终也不能伤害他，因此而免于灾祸。笔直的树木先遭砍伐，甘美的井水最先枯竭。你想美化自己的心智以惊世骇俗，修养德行以显露别人的愚顽，光芒四射好像举着日月行走，所以招来祸患。我曾经听道德修养极高的人说：'自我夸耀者无功，成功者就要毁败，成名者就要损伤。'谁能抛弃功名而返归于众人！道德流行而不自居于显耀的地方，德行出众而不自求名声；纯朴而平凡，好像愚鲁；隐身藏形，抛弃权势，不求功名。所以无求于人，人也无求于我。至人不求以功名闻于世，你为什么还热衷于功名呢？"

孔子说："很好！"于是辞别朋友，离开弟子，逃入山泽；穿粗陋的衣服，吃橡籽果实；走进兽群兽不惊乱，走进鸟群鸟不惊飞。鸟兽都不讨厌他，何况人呢！

孔子问子桑雽曰①："吾再逐于鲁，伐树于宋，削迹于卫，穷于商周，围于陈蔡之间。吾犯此数患，亲交益疏，徒友益散，何与？"

子桑雽曰："子独不闻假人之亡与②？林回弃千金之璧③，负赤子而趋④。或曰：'为其布与⑤？赤子之布寡矣；为其累与⑥？赤子之累多矣。弃千金之璧，负赤子而趋，何也？'林回曰：'彼以利合，此以天属也⑦。'夫以利合者，迫穷祸患害相弃也⑧；以天属者，迫穷祸患害相收也⑨。夫相收之与相弃亦远矣。且君子之交淡若水，小人之交甘若醴⑩；君子淡以亲，小人甘以绝。彼无故以合者，则无故以离。"

孔子曰："敬闻命矣！"徐行翔佯而归⑪，绝学捐书，弟子无挹于前⑫，其爱益加进。

异日，桑雽又曰："舜之将死，真泠禹曰⑬：'汝戒之哉！形莫若缘⑭，情莫若率⑮。缘则不离，率则不劳；不离不劳，则不求文以待形；不求文以待形，固不待物。'"

[注释]

①子桑雽（hù）：即子桑户。　②假：国名。　③林回：假国逃亡者之一。　④赤子：小孩。　⑤布：钱财。　⑥为其累：为了减轻拖累。　⑦天属：天性。　⑧迫穷祸患害：艰难的处境。　⑨相收：相关照。　⑩醴（lǐ）：甜酒。　⑪徐行：慢步。　⑫挹：通揖，揖让行礼。　⑬真泠：为"乃命"之误。　⑭形：形态。缘：顺。　⑮率：率真。

[译文]

孔子问子桑雽说："我两次被鲁国驱逐，在宋国遭受屈辱，被卫国禁止居留，在商周陷入困境，被围困于陈蔡两国交界之处。我蒙受如此灾难，亲朋疏远，弟子离散，这究竟是为什么？"

子桑雽说："你没有听说过假国的人逃亡的故事吗？林回舍弃了价值千金的玉璧，背着小孩逃奔。有人说：'这是为了钱财吗？小孩不值几个钱；是为了减轻拖累吗？小孩却是很大的拖累。那么舍弃价值千金的玉璧，背着小孩逃亡，是为了什么？'林回说：'看重千金之璧而不顾小孩是从金钱利益考虑，我这样做则是出于天性。'看重金钱利益的，遇到艰难的处境就互相抛弃；注重天性的，遇到艰难的环境就互相关照。互相关照与互相抛弃，这两种截然相反的处事态度相差太远了。况且，君子之交淡如水，小人之交甜如酒；君子之间看似淡漠实则亲切，小人之间看似甜密却容易绝交。凡无缘无故相结合的，也就容易无缘无故的分离。"

孔子说："我恭领赐教。"于是慢悠悠地回去了，把学问书本抛弃，让弟子无须拱揖行礼，而弟子却更加爱戴他。

过了一些日子，子桑雽又说："舜在临死的时候，告诫禹说：'你要当心啊！行为不如和顺，性情不如率真。和顺就不会离失，率真就不会费神；不离失不费神，就不需要着意粉饰外表；不着意粉饰外表，也就无须有求于外物了。'"

庄子衣大布而补子①，正緳系履而过魏王②。魏王曰："何先生之惫邪③？"

庄子曰："贫也，非惫也。士有道德不能行，惫也；衣弊履穿④，贫也，非惫也，此所谓非遭时也⑤。王独不见夫腾猿乎⑥？其得柟梓豫章也⑦，揽蔓其枝而王长其间⑧，虽羿、蓬蒙不能眄睨也⑨。及其得柘棘枳枸之间也⑩，危行侧视⑪，振动悼栗⑫，此筋骨非有加急而不柔也⑬，处势不便，未足以逞其能也⑭。今处昏上乱相之间，而欲无惫，奚可得邪？此比干之见剖心，徵也夫⑮！"

[注释]

①大布：粗布。　②正緳（xié）：整理腰带。系履：绑好鞋子。过：拜访。　③惫（bèi）：疲乏，困顿。　④弊：破。

⑤非遭时：生不逢时。　⑥腾猿：善跳跃的猿。　⑦枏
(nán) 梓豫章：都是端直的树木。　⑧揽蔓：把捉。王长其
间：在其间称王称长。　⑨羿、蓬蒙：两人均为古代善射者。
眄睨 (miàn nī)：斜视。　⑩柘 (zhè) 棘枳枸 (gōu)：都是有
刺的树木。　⑪危行：行动小心谨慎。　⑫悼：惧怕。　⑬加
急：束缚。　⑭能：本领。　⑮徵：明证。

[译文]

　　庄子穿着打着补丁的粗布衣服，整整腰带绑好鞋子去拜见
魏王。魏王说："先生为何显得这样疲困？"

　　庄子说："这是贫穷，而不是疲困。士人怀有道德而不能
实行，才是疲困；穿着破衣烂鞋，是贫穷，而不是疲困，这就
叫生不逢时。你没有见过跳跃的猿猴吗？当它爬在端直的大树
上时，攀援着树枝，在其间活动自如，就连善射的羿和蓬蒙对
它也无可奈何。等它钻进多刺的树丛中时，行动小心谨慎，战
战兢兢，这并不是由于筋骨受到束缚而不灵活，而是因为处在
不利的环境，不能够施展它的本领。现在处于昏君乱相的时
代，想不疲困，怎么可能呢？这种情况和比干因忠谏而被剖心
的背景正好可以互相印证！"

　　孔子穷于陈蔡之间，七日不火食，左据槁木①，
右击槁枝，而歌焱氏之风②，有其具而无其数③，有其
声而无宫角④，木声与人声，犁然有当于人之心⑤。

　　颜回端拱还目而窥之⑥。仲尼恐其广己而造大
也⑦，爱己而造哀也，曰："回，无受天损易，无受人
益难⑧。无始而非卒也⑨，人与天一也。夫今之歌者其

谁乎?"

回曰:"敢问无受天损易。"

仲尼曰:"饥渴寒暑,穷桎不行⑩,天地之行也,运物之泄也⑪,言与之偕逝之谓也⑫。为人臣者,不敢去之⑬。执臣之道犹若是⑭,而况乎所以待天乎⑮!"

"何谓无受人益难?"

仲尼曰:"始用四达⑯,爵禄并至而不穷⑰,物之所利,乃非己也,吾命其在外者也⑱。君子不为盗,贤人不为窃。吾若取之,何哉? 故曰,鸟莫知于鹬鸼⑲,目之所不宜处不给视⑳,虽落其实㉑,弃之而走。其畏人也而袭诸人间㉒,社稷存焉尔㉓。"

"何谓无始而非卒?"

仲尼曰:"化其万物而不知其禅之者㉔,焉知其所终? 焉知其所始? 正而待之而已耳㉕。"

"何谓人与天一邪?"

仲尼曰:"有人㉖,天也;有天,亦天也。人之不能有天,性也,圣人晏然体逝而终矣㉗!"

[注释]

①据:持。　②猋(biāo)氏之风:神农时代的歌曲。③数:节拍。　④宫角:音律。　⑤犁然:心神惊动的样子。⑥端拱:立正拱手。还目:转目。窥:注视。　⑦广己而造大:张显自己而人为地夸大。　⑧人益:人为所加的。　⑨无始而非卒:没有起始而不是终结的。　⑩穷桎不行:穷困潦倒。　⑪泄:发泄。　⑫偕逝:一起变化。　⑬去:离开,逃

避。　⑭执：遵守。　⑮待天：对待天命。　⑯四达：多方通达，各方面都顺利。　⑰穷：尽。　⑱其在外：本分之外。⑲鹢鸸（yì ér）：燕子。　⑳目之所不宜处不给视：看到不适合居住的地方就不再多看。　㉑虽落其实：虽然跌落口中所含的食物。　㉒袭：钻进。　㉓社稷存焉：如人能保存国家一样。　㉔禅：交替代谢。　㉕正：静心。　㉖有：支配。㉗晏然：安乐的样子。体逝：体现了天道的变化发展。

［译文］

孔子被困于陈蔡两国交界之处，7天没能吃到熟食，他左手拿着枯木，右手敲击枯枝，唱着神农时代的歌曲，虽然有打拍子的器具却没有节拍，有声音却没有音律，凄然而动人心弦。

颜回恭敬地拱手站立，转目注视着。孔子担心他因崇拜自己而把目前的处境看得过于严重，爱惜自己而人为地造成哀痛，就对他说："颜回，不受天的损害容易，不受人为所增加的就难了。没有起始而不是终结的，人与天是一致的。现在唱歌的人是谁呢？"

颜回说："请问什么叫不受天的损害容易？"

孔子说："饥渴寒暑，穷困潦倒，都是万物运行的主宰者的产物，就是说随着天地万物的运行而变化。当臣子的不敢逃避君命。遵守人臣之道的尚且如此，何况对待天呢！"

颜回问："什么叫不受人为所增加的难呢？"

孔子说："开始被任用时事事顺利，爵位利禄不断而来，但这外物之利并非我本分所应有，而是本分之外的。君子不当强盗，贤人不去偷窃。我如果去求取，是为了什么呢？所以说，鸟类中燕子最聪明，看到不适合居住的地方就不再多看，虽然跌落了口中所含的食物，也舍弃而去。燕子害怕人却钻进人的屋舍中，那是为了保存它的巢穴，如同人保存自己的国家一样。"

　　颜回问："什么叫没有起始也没有终结呢？"

　　孔子说："不知万物变化交替代谢的，怎么能知道它的终结？又怎么能知道它的开始？静心等待其变化就是了。"

　　颜回问："什么叫人与天是一致的呢？"

　　孔子说："支配人的，是天；支配天的，也是天。人不可能支配天，这是由本性所决定的，只有圣人能安然处之，体现天道的变化发展！"

　　庄周游于雕陵之樊①，睹一异鹊自南方来者，翼广七尺，目大运寸②，感周之颡③，而集于栗林。庄周曰："此何鸟哉，翼殷不逝④，目大不睹⑤？"蹇裳躩步⑥，执弹而留之⑦。睹一蝉，方得美荫而忘其身；螳螂执翳而搏之⑧，见得而忘其形；异鹊从而利之⑨，见利而忘其真⑩。庄周怵然曰⑪："噫！物固相累⑫，二类相召也⑬。"捐弹而反走⑭，虞人逐而谇之⑮。

　　庄周反入，三日不庭⑯。蔺且从而问之⑰："夫子何为顷间甚不庭者乎？"

　　庄周曰："吾守形而忘身，观于浊水而迷于清渊。且吾闻诸夫子曰：'入其俗，从其俗。'今吾游于雕陵而忘吾身，异鹊感吾颡，游于栗林而忘真，栗林虞人以吾为戮⑱，吾所以不庭也。"

[注释]

①雕陵：栗园名。　②运寸：直径一寸。　③感：触。

④不逝：不飞走。 ⑤不睹：看不见。 ⑥褰（jiǎn）：提起。躩（jué）步：小心举步。 ⑦执弹：拿着弹弓。留之：等待弹杀的机会。 ⑧执翳（yì）：举臂。 ⑨从而利之：从中取利。 ⑩真：性命。 ⑪怵（chù）然：惊觉的样子。 ⑫相累：互相牵累。 ⑬召：吸引。 ⑭捐：扔掉。 ⑮虞人：看管栗园的人。谇（suì）：责骂。 ⑯不庭：不出门庭。 ⑰蔺且（lìn jū）：庄子弟子。 ⑱戮：辱。

[译文]

庄子在雕陵栗园里游玩，看见一只怪异的鸟从南方飞来，翅膀宽7尺，眼睛直径1寸，碰到庄子的额头，停在栗树林中。庄周说："这是只什么鸟？翅膀大却不飞走，眼睛大却看不见。"于是提起衣裳，小心抬步地走过去，手持弹弓伺机射杀它。这时看见一只蝉，得到一块好树荫而忘记了自身的危险；藏在它身后的螳螂举臂抓住了它，螳螂有所得而忘记自己所处的险境；异鹊从中取利而抓住了螳螂，异鹊因贪利也忘记了自己的性命之忧。庄周见此情形，吃惊地说："物类相互牵累，这都是因为互相贪利所招致的灾祸啊！"于是扔掉弹弓转身就跑，看管栗园的人以为他偷栗子，追赶着责骂他。

庄子回去后，三天闭门不出。弟子蔺且问他："先生为什么最近闭门不出？"

庄子说："我为了守住物体而忘记了自身，沉醉于利害而忘却了天性。而且我听先生说：'到了一个地方，就要顺应那里的风俗，遵守那里的政令。'现在我到雕陵游玩而忘记了自身，异鹊碰到我的额头，在栗树林中游玩而忘记了真性，管栗园的人辱骂我，所以我闭门不出。"

阳子之宋①，宿于逆旅②。逆旅有妾二人，其一人美，其一人恶，恶者贵而美者贱。阳子问其故，逆旅小子对曰③："其美者自美④，吾不知其美也；其恶者自恶⑤，吾不知其恶也。"

阳子曰："弟子记之！行贤而去自贤之行，安往而不爱哉！"

[注释]

①阳子：即杨朱。　②逆旅：旅店。　③小子：古代对年纪小的人的称呼。　④自美：自以为漂亮。　⑤自恶：自感丑陋。

[译文]

阳子到宋国去，寄宿于旅店。店主人有两个妾，一个漂亮，一个丑陋，丑陋的受尊宠而漂亮的被冷落。阳子问其中的原因，旅店小伙计说："漂亮的自以为漂亮，但我并不认为她漂亮；丑陋的自感丑陋，但我并不觉得她丑陋。"

阳子说："弟子们记住！行为贤良而抛弃自以为贤的念头，无论到哪里都会受到爱戴！"

田子方

田子方侍坐于魏文侯①，数称谿工②。

文侯曰："谿工，子之师邪？"

子方曰："非也，无择之里人也。称道数当③，故无择称之。"

文侯曰："然则子无师邪？"

子方曰："有。"

曰："子之师谁邪？"

子方曰："东郭顺子。"

文侯曰："然则夫子何故未尝称之？"

子方曰："其为人也真④，人貌而天虚⑤，缘而葆真⑥，清而容物⑦。物无道，正容以悟之⑧，使人之意也消。无择何足以称之！"

子方出，文侯傥然⑨，终日不言，召前立臣而语之曰："远矣，全德之君子⑩！始吾以圣知之言仁义之行为至矣，吾闻子方之师，吾形解而不欲动⑪，口钳而不欲言⑫。吾所学者，直土梗耳⑬，夫魏真为我累耳！"。

[注释]

①田子方：名无择，魏国的贤人，魏文侯的老师。　②谿工：魏国的贤人。　③当：正确。　④真：纯真。　⑤天虚：自然的心性。　⑥缘：顺。葆：保持。　⑦清：心性清静。容物：容纳万物。　⑧悟之：使之醒悟。　⑨傥然：失意的样子。　⑩全德：道德完美。　⑪形解：形体懒散。　⑫口钳：嘴巴像被钳住一样。　⑬土梗：泥做的偶像，比喻废物。

[译文]

田子方陪坐在魏文侯身旁，屡次称赞谿工。

文侯说："谿工是您的老师吗？"

子方说："不是的，他是我的同乡。他论道常常比较正确，所以我称赞他。"

文侯说："那么您没有老师吗？"

子方说："有。"

文侯说："您的老师是谁？"

子方说："是东郭顺子。"

文侯说："那么先生为什么不曾称赞他呢？"

子方说："他为人纯真，普通人的容貌而自然的心性，随顺于人而保持心性的纯真，心性清净而容纳万物。对于无道的人，便正色使之醒悟，使其邪念消除。我不配称赞他！"

子方出去后，文侯颇感惆怅，整天都说不出话来，他召集陪臣对他们说："高远啊，道德完美的君子！起初我以为圣智的言论和仁义的行为就是最高尚的了，但当我听到子方老师的行为，我形体懒散而不想动，嘴巴像被钳住一样不想说话。过去我所学的不过是废物而已，魏国真是我的累赘啊！"

温伯雪子适齐①，舍于鲁。鲁人有请见之者，温伯雪子曰："不可。吾闻中国之君子②。明乎礼义而陋于知人心③，吾不欲见也。"

至于齐，反舍于鲁，是人也又请见。温伯雪子曰："往也蕲见我④，今也又蕲见我，是必有以振我也⑤。"出而见客，入而叹。明日见客，又入而叹。其仆曰："每见之客也，必入而叹，何邪？"

曰："吾固告子矣⑥：'中国之民，明乎礼义而陋乎知人心。'昔之见我者，进退一成规一成矩⑦，从容一若龙一若虎⑧，其谏我也似子⑨，其道我也似父⑩，是以叹也。"

　　仲尼见之而不言。子路曰:"吾子欲见温伯雪子久矣,见之而不言,何邪?"

　　仲尼曰:"若夫人者⑪,目击而道存矣⑫,亦不可以容声矣⑬。

[注释]

　　①温伯雪子:楚国怀道之人。　②中国:古代对齐鲁等中原国家的称呼。　③陋:拙。　④蕲:求。　⑤振:启发。⑥固:本来。　⑦进退一成规一成矩:行礼时成规成矩。⑧从容一若龙一若虎:举动若龙若虎,神气造作。　⑨似子:像儿子对父亲一样恭敬。　⑩道:开导。　⑪夫子:此人。⑫目击:看一看。道存:体现了天道。　⑬容:用。

[译文]

　　温伯雪子往齐国,途中住在鲁国。鲁国有人要见他,温伯雪子说:"不行。我听说中国的君子,明于礼义而拙于理解人心,我不想见他。"

　　到了齐国,返回时又住在鲁国。那个人又请求见他。温伯雪子说:"从前他要求见我,现在又要求见我,他一定对我有什么启发。"

　　出去见了客人,回来就叹气。第二天又出去见了客人,回来又叹气。他的仆人说:"您每次见过客人,回来就要叹气,这是为什么呢?"

　　温伯雪子说:"我原来就告诉过你:'中原国家的人,明于礼义而拙于理解人心。'那个见我的人,行礼时成规成矩,举止若龙若虎,神气造作,他劝谏我如同儿子对待父亲,开导我就像父亲对待儿子,我因此而叹气。"

　　孔子见到温伯雪子一言不发。子路说:"先生早就想见温伯雪子了,见了面却不说话,为什么呢?"

孔子说："这个人，你一看就知道天道体现在他身上，用不着说什么了。"

颜渊问于仲尼曰："夫子步亦步①，夫子趋亦趋②，夫子驰亦驰③，夫子奔逸绝尘④，而回瞠若乎后矣⑤！"

夫子曰："回，何谓邪！"

曰："夫子步，亦步也；夫子言，亦言也；夫子趋，亦趋也；夫子辩，亦辩也；夫子驰，亦驰也；夫子言道，回亦言道也；及奔逸绝尘而回瞠若乎后者，夫子不言而信⑥，不比而周⑦，无器而民滔乎前⑧，而不知所以然而已矣。"

仲尼曰："恶！可不察与。夫哀莫大于心死，而人死亦次之。日出东方而入于西极⑨，万物莫不比方⑩，有目有趾者，待是而后成功⑪，是出则存，是入则亡。万物亦然，有待也而死，有待也而生。吾一受其成形⑫，而不化以待尽⑬，效物而动⑭，日夜无隙⑮，而不知其所终；薰然其成形⑯，知命不能规乎其前⑰，丘以是日徂⑱。吾终身与汝交一臂而失之⑲，可不哀与！女殆著乎吾所以著也⑳。彼已尽矣，而女求之以为有，是求马于唐肆也㉑。吾服女也甚忘，女服吾亦甚忘㉒。虽然，女奚患焉！虽忘乎故吾㉓，吾有不忘者存。"

[注释]

①步：缓行。　②趋：快行。　③驰：跑。　④奔逸：快

跑。绝尘：形容跑的快。　⑤瞠（chēng）：瞠着眼。　⑥信：令人信服。　⑦比：近。周：亲。　⑧器：权位。蹈：通蹈。　⑨西极：西方的尽头。　⑩比方：随着太阳运转的方向。⑪待：依靠。　⑫受其成形：禀受天道赋予的形体。　⑬化：化作他物。待尽：等待着形体的消亡。　⑭效：仿效，随道。⑮无隙：没有间断。　⑯薰然：和顺的样子。　⑰规：测度。　⑱日徂（cú）：天天随之变化。　⑲交一臂：即一臂之交。　⑳著：明显。　㉑唐：空。肆：市场。　㉒服：行。㉓故吾：过去的我。

[译文]

颜回问孔子说："先生缓行我也缓行，先生快走我也快走，先生跑我也跑，先生跑得飞快，我却直瞠着眼落在了后面！"

孔子说："颜回，这是怎么说呢？"

颜回说："先生缓行，我也缓行；先生议论，我也议论；先生快走，我也快走；先生辩论，我也辩论；先生跑，我也跑；先生谈道，我也谈道；等到跑得飞快我却直瞠着眼睛落在了后面，先生不用开口别人就信服，不与人接近人们也相亲，虽无权位人们都来投奔，我不知道为什么会这样。"

孔子说："啊！这是要分析的。最大的悲哀是人心的死亡，身体死亡还在其次。太阳升自东方而落入西方，万物都是顺着这个方向运作的，动物都是依靠太阳而有所作为，日出而作，日入而息。万物也是一样，依靠着它而死，依靠着它而生。我禀受了天道所赋予的形体，不化做他物等待着形体的消亡，随着万物而运动，日夜没有间断，而不知道自己的归宿；和顺成形，知道命运是不可测度的，我因此而天天随之变化。我一直和你亲密无间，而你却不明白这个道理，真是可悲！您恐怕只是看到了我的外表形迹。它们已经消失了，而你却以为可以学得到，这就好比在一无所有的市场上去寻求马一样。我所做的，你所做的，相互都可彻底忘却。虽然如此，你又有什么担忧的！虽然忘记了过去的我，但我还有不会被遗忘的东西存在。"

孔子见老聃，老聃新沐①，方将被发而干②，慹然似非人③。孔子便而待之④，少焉见⑤，曰："丘也眩与⑥？其信然与⑦？向者先生形体掘若槁木⑧，似遗物离人而立于独也⑨。"

老聃曰："吾游心于物之初。"

孔子曰："何谓邪？"

曰："心困焉而不能知，口辟焉而不能言⑩，尝为汝议乎其将⑪。至阴肃肃⑫，至阳赫赫⑬；肃肃出乎天，赫赫发乎地；两者交通成和而物生焉，或为之纪而莫见其形⑭。消息满虚⑮，一晦一明，日改月化，日有所为，而莫见其功。生有所乎萌⑯，死有所乎归，始终相反乎无端而莫知乎其所穷。非是也，且孰为之宗！"

孔子曰："请问游是⑰。"

老聃曰："夫得是，至美至乐也，得至美而游乎至乐，谓之至人。"

孔子曰："愿闻其方。"

曰："草食之兽不疾易薮⑱，水生之虫不疾易水，行小变而不失其大常也，喜怒哀乐不入于胸次⑲。夫天下也者，万物之所一也⑳。得其所一而同焉，则四肢百体将为尘垢，而死生终始将为昼夜而莫之能滑㉑，而况得丧祸福之所介乎㉒！弃隶者若弃泥涂㉓，知身贵于隶也，贵在于我而不失于变。且万化而未始有极也㉔，夫孰足以患心㉕！已为道者解乎此㉖。"

孔子曰："夫子德配天地，而犹假至言以修心㉗，古之君子，孰能脱焉㉘？"

老聃曰："不然。夫水之于汋也㉙，无为而才自然矣。至人之于德也，不修而物不能离焉，若天之自高，地之自厚，日月之自明，夫何修焉！"

孔子出，以告颜回曰："丘之于道也，其犹醯鸡与㉚！微夫子之发吾覆也㉛，吾不知天地之大全也。"

[注释]

①新沐：刚洗头。 ②被发：头发披散。 ③蛰（zhé）然：不动的样子。 ④便而待之：在隐处等候。 ⑤少焉：不久。 ⑥眩：眼花。 ⑦信然：真的如此。 ⑧掘：通崛，直立的样子。 ⑨遗物：遗弃万物。离人：脱离众人。 ⑩口辟：闭口。 ⑪将：大略。 ⑫肃肃：清冷的样子。 ⑬赫赫：炎热的样子。 ⑭为之纪：作为纲纪。 ⑮消：消失。息：生息。 ⑯所乎萌：萌生的地方。 ⑰游是：指游心于虚无之道。 ⑱疾：担心。易：变换。数（sǒu）：草泽。 ⑲次：中。 ⑳所一：所统一于其中的地方。 ㉑滑：乱。 ㉒介：际，关系。 ㉓泥涂：泥土。 ㉔极：尽头。 ㉕患

心：忧心。　㉖解：明白。　㉗假：借助。　㉘脱：超越。
㉙泬（zhuo）：水涌流。　㉚醯（xī）鸡：醋瓮里的小飞虫，这
里用来比喻渺小。　㉛微：无。发吾覆：对我启蒙。

[译文]

孔子去见老子，老子刚洗完头，正披着头发等待干，一动
不动就像个木偶。孔子见状退到隐蔽处等待，过了一会走上前
去说："是我的眼睛花了呢？还是真的如此？刚才先生形体直
立不动如枯木，好像超然一切而站立在一个独有的境界。"

老子说："我的心正在万物之源遨游。"

孔子说："这是什么意思？"

老子说："心困而不能知，闭口而不能言，我试着给你说
个大略吧。至阴清冷，至阳炎热；清冷出于天，炎热出于地；
阴阳交合而万物生，有个东西支配着阴阳却又看不见它的形
迹。生死盛衰，时暗时明，日新月异，每天都在起作用，却又
看不见它在用功。生有所始，死有所归，终始循环往复，既没
有开端，也不知道它的尽头。除此之外，还有谁是万物的主
宰！"

孔子说："请问遨游的情形。"

老子说："遨游于其中，美乐到了极点，获得这种感受而
遨游于至乐的境界，称之为至人。"

孔子说："我想听听达到至人那种境界的方法。"

老子说："吃草的野兽不怕变换草泽，水生的虫子不怕变
换池沼，这是因为只有小的变化而没有失去根本，喜怒哀乐不
会进入内心。所谓天下，就是万物统一于其中的地方。天地万
物达到了统一，则四肢百体将成为尘垢，死生终始如同昼夜的
变化一样不受扰乱，何况是得失祸福之事！舍弃奴隶如同舍弃
泥土，懂得自身比奴隶贵重，随机应变而无所丧失。况且千变

万化没有穷尽，有什么值得忧虑的！修道的人是明白上述道理的。"

孔子说："先生德配天地，还借助至人的理论修养心性，古时候的君子谁能如此超脱呢？"

老子说："不对。水的涌流，是由于无为而自然。至人的道德就是自然之道，无须修行而万物就离不了它，就像天的自然高，地的自然厚，日月的自然光明，何须修行呢？"

孔子出来，告诉颜回说："我对于道的理解，简直像醋瓮里的小虫一样狭隘渺小！要不是先生对我启蒙教诲，我真不知道天地的大全。"

　　庄子见鲁哀公①。哀公曰："鲁多儒士，少为先生方者②。"

　　庄子曰："鲁少儒。"

　　哀公曰："举鲁国而儒服③，何谓少乎？"

　　庄子曰："周闻之，儒者冠圜冠者④，知天时；履句屦者⑤，知地形；缓佩玦者⑥，事至而断⑦。君子有其道者，未必为其服也；为其服者，未必知其道也。公固以为不然，何不号于国中曰：'无此道而为此服者，其罪死！'"

　　于是哀公号之五日，而鲁国无敢儒服者，独有一丈夫儒服而立乎公门。公即召而问以国事，千转万变而不穷。

庄子曰："以鲁国而儒者一人耳，可谓多乎？"

[注释]

①庄子生活的时代当在鲁哀公 120 年之后，不可能见到哀公。这里所说纯属寓言。　②方：道术。　③举：全。　④圜冠：圆帽。　⑤句屦：方鞋。　⑥缓：五色丝带。佩玦（jué）：环状有缺口的佩玉。　⑦事至而断：遇事能够决断。

[译文]

庄子去见鲁哀公。哀公说："鲁国有很多儒士，但很少有学先生道术的。"

庄子说："鲁国的儒士很少。"

哀公说："全鲁国都穿着儒士的服装，怎么说儒士少呢？"

庄子说："我听说，儒者戴圆帽的，懂得天时；穿方鞋的，懂得地理；用五色丝带系佩玉玦的，遇事能够决断。君子有这种道术的，未必穿这种服装；穿这种服装的，未必懂得这种道术。你如果不相信，为什么不号令于国中说：'不懂这种道术而穿这种服装的，罪当处死！'"

于是哀公下号令五天，而鲁国没有人敢穿儒服的，只有一个男子穿着儒服站立于朝门。哀公立刻召他来询问国事，千变万化而应对如流。

庄子说："全鲁国只有一个儒者，能叫多吗？"

　　百里奚爵禄不入于心①，故饭牛而牛肥②，使秦穆公忘其贱③，与之政也。有虞氏死生不入于心，故足以动人。

[注释]

①百里奚：本是虞国人，秦灭虞后，入秦，受到秦穆公的

重用。　②饭：饲养。　③忘：不顾。

[译文]

　　百里奚不把爵禄放在心上，所以养牛而牛肥，使秦穆公不顾他的出身低贱，将国政授予了他。有虞氏不把生死放在心上，所以令人感动。

　　宋元君将画图①，众史皆至②，受揖而立③，舐笔和墨④，在外者半⑤。有一史后至者，儃儃然不趋⑥，受揖不立，因之舍⑦。公使人视之，则解衣般礴赢⑧。君曰："可矣，是真画者也。"

[注释]

　　①宋元君：即宋国国君宋元公。图：图画。　②史：画师。　③受揖：接受国君的揖谢。立：就位。　④舐（shì）笔：用口水润笔。和墨：调色。　⑤在外者半：有一半没有位置坐，而站在外面。　⑥儃儃（tan）然：自由自在的样子。不趋：不拘礼节。　⑦舍：客馆。　⑧般礴（pán bó）：盘腿而坐。赢：(luǒ)同裸，光着身子。

[译文]

　　宋元公要画图画，众画师都来了，受礼后就位，润笔调色，还有一半人因没有位置坐而站在外面。有一个画师迟到，自由自在地不拘礼节，受礼后并不就坐，而是返回了客馆。宋元公派人去看他，只见他脱衣裸身，盘腿而坐。宋元公说："好啊！他才是真正的画师。"

　　文王观于臧①，见一丈人钓②，而其钓莫钓③；非持其钓有钓者也④，常钓也⑤。文王欲举而授之政⑥，而恐大臣父兄之弗安也⑦；欲终而释之⑧，而不忍百姓之无天也⑨。于是旦而属之大夫曰⑩："昔者寡人梦见良人⑪，黑色而颒⑫，乘驳马而偏朱蹄⑬，号曰：'寓而政于臧丈人⑭，庶几乎民有瘳乎⑮！'"

诸大夫蹴然曰："先君王也。"

文王曰："然则卜之⑯。"

诸大夫曰："先君之命，王其无它⑰，又何卜焉！"

遂迎臧丈人而授之政。典法无更，偏令无出。三年，文王观于国，则列士坏植散群⑱，长官者不成德⑲，钺斛不敢入于四竟⑳。列士坏植散群，则尚同也㉑；长官者不成德，则同务也㉒；钺斛不敢入于四竟，则诸侯无二心也。

文王于是焉以为大师㉓，北面而问曰："政可以及天下乎㉔？"臧丈人昧然而不应㉕，泛然而辞㉖，朝令而夜遁，终身无闻。

颜渊问于仲尼曰："文王其犹未邪？又何以梦为乎？"

仲尼曰："默，汝无言！夫文王尽之也㉗，而又何论刺焉㉘！彼直以循斯须也㉙。"

[注释]

①文王：周文王。臧：地名，在渭水附近。　②丈人：这里指姜太公。　③莫钓：不是真心在钓鱼。　④非持其钓有钓

者也：不是拿着钓钩真的要钓鱼。　⑤常钓：钩常在手，聊以度日。　⑥举：提拔。　⑦弗安：不服。　⑧释：舍弃。⑨无天：无所仰望。　⑩属：同嘱，告诉。　⑪昔：通夕，晚上。　⑫䫻（rán）：同髯，脸上的胡须。　⑬驳马：杂色的马。偏朱蹄：马蹄的一边是红色。　⑭寓：托。　⑮有瘳（chōu）乎：有救了。　⑯卜：占卜吉凶。　⑰无它：不应有疑虑。　⑱列士：各种士。坏植散群：私党解散，不立朋党。⑲不成德：不显耀功德。　⑳斞（yú）：古代量器，六斛四斗为一斞。　㉑尚同：统一于上。　㉒同务：齐心合力。㉓师：君主的老师。　㉔及天下：推广于天下。　㉕昧然：懵懵懂懂的样子。　㉖泛然：若无其事的样子。　㉗尽之也：已经做得很完美了。　㉘论刺：评议。　㉙斯须：顷刻之间。

[译文]

　　文王到臧地游历，看见一位老者在钓鱼，但不是真心钓鱼，他不是手持鱼竿专心钓鱼，而只是借钓鱼消遣罢了。文王想任用他主持国政，但又怕大臣贵族不服；想放弃重用他的打算，但又不忍心使百姓失望。于是在一天早晨告诉卿大夫说："晚上我梦见一位贤良君子，黑面而有胡须，骑着杂色的马，马蹄的半边是红色的，他号令我说：'将国政托付于臧地的老者，人民的疾苦大概可以解除了！'"

　　诸大夫吃惊地说："那是君王您的父亲啊！"

　　文王说："那么占卜看看吉凶。"

　　诸大夫说："这是先君之命，不应有疑虑，又何须占卜呢！"

　　于是恭迎臧地的老者入朝，将国政委托给他。他对过去的典章制度不作更改，不发布偏颇的政令。三年以后，文王巡视全国，看到列士不结党营私，为官者不显耀功德，别的度量衡不敢进入国境。列士不结党营私，则统一于上；为官者不显耀功德，则齐心合力；别的度量衡敢进入国境，则诸侯无异心。

　　文王于是拜他为师，行臣子之礼恭敬地问他："政令可以推广于天下吗？"老者默不作声，若无其事地推辞，当天晚上就逃走了，从此销声匿迹。

　　颜回问孔子说："文王的德行还不够吗？又何须托梦行事呢？"

　　孔子说："别作声，不要说话！文王已经做得很完美了。你有什么好评议的！他只不过是按照一时的需要这样做罢了。"

　　列御寇为伯昏无人射①，引之盈贯②，措杯水其肘上③，发之，适矢复沓④，方矢复寓⑤。当是时也，犹象人也⑥。

　　伯昏无人曰："是射之射⑦，非不射之射也⑧。尝与汝登高山，履危石，临百仞之渊，若能射乎？"

　　于是无人遂登高山，履危石，临百仞之渊，背逡巡⑨，足二分垂在外⑩，揖御寇而进之⑪。御寇伏地，汗流至踵。

　　伯昏无人曰："夫至人者，上窥青天⑫，下潜黄泉⑬，挥斥八极⑭，神气不变。今汝怵然有恂目之志⑮，尔于中也殆矣夫！"

　　[注释]
　　①射：射箭。　②引：拉弓。　③措：放置。　④适矢复沓：目标与箭相重合，即命中目标。　⑤方矢：两箭并排。复

寓：双双射中。　⑥象人：木偶。　⑦射之射：有心的射。
⑧不射之射：无心的射。　⑨背逡巡：向后移步。　⑩足三分
垂在外：脚的三分之二悬空。　⑪揖：请。　⑫窥：观察。
⑬潜：探测。　⑭挥斥：放纵奔驰。八极：八方。　⑮恂
（xún）目：神色不定。

［译文］

列御寇给伯低无人射箭看，他拉满弓，在胳膊肘上放一杯
水，射出箭，命中目标，连连发射均准确地射中目标。射箭时
的列御寇精神高度集中，动作镇定，简直像木偶一样。伯昏无
人说："这种射是有心的射，而不是无心的射。我和你登上高
山，脚踩危石，身临百仞深渊，你还能射吗？"

于是伯昏无人登上高山，脚踩危石，身临百仞深渊，背对
着深渊向后退，脚跟悬空，请列御寇上前来。列御寇害怕得爬
在地上，冷汗流到脚跟。

伯昏无人说："至人，上观青天，下测黄泉，纵驰八方，
神色不变。现在你惊慌失措，神色不定，你想射中目标就很困
难了！"

　　肩吾问于孙叔敖曰①："子三为令尹而不荣华②，
三去之而无忧色③。吾始也疑子，今视子之鼻间栩栩
然④，子之用心独奈何？"

　　孙叔敖曰："吾何以过人哉！吾以其来不可却
也⑤，其去不可止也；吾以为得失之非我也，而无忧
色而已矣。我何以过人哉！且不知其在彼乎？其在我

乎？其在彼邪？亡乎我；在我邪？亡乎彼。方将踌躇，方将四顾，何暇至乎人贵人贱哉！"

仲尼闻之曰："古之真人，知者不得说，美人不得滥，盗人不得劫，伏羲、黄帝不得友。死生亦大矣，而无变乎己，况爵禄乎！若然者，其神经乎大山而无介，入乎渊泉而不濡，处卑细而不惫，充满天地，既以与人，己愈有。"

[注释]

①孙叔敖：楚国贵族，楚庄王时任执政卿。　②令尹：楚国执政卿之称，类似后世的宰相。　③三去也：三次被免去令尹之职。　④栩栩然：轻松的样子。　⑤却：推却。

[译文]

肩吾问孙叔敖说："您三次当令尹而不炫耀，三次离职也不忧愁。我开始还怀疑您，现在看您表情轻松自在，您心里到底是怎么想的呢？"

孙叔敖说："我有什么过人之处呢！我认为官职的来不能推却，它的去也不能阻止，我认为得与失都是身外之物，也就不忧愁了。我有什么过人之处呢！况且不知道得失是由于令尹之职呢？还是由于我？如果得失在于令尹之职，则与我无关；如果在于我，则与令尹之职无关。我从容自得，心满意足，哪里有功夫顾及人间的贵贱呢！"

孔子听到此事后说："古时候的真人，智者不能说服他，美人不能使他淫乱，强盗不能使他屈服，伏羲、黄帝不能使他亲近。生死也算是大事了，对自己也毫无影响，何况爵禄！像这样的人，他的精神穿越大山而没有阻碍，进入深渊而不会淹没，位处卑贱而不觉困顿，充满于天地，全部给予别人，自己则更加充足。"

楚王与凡君坐[1]，少焉，楚王左右曰凡亡者三。凡君曰："凡之亡也，不足以丧吾存。夫凡之亡不足以丧吾存，则楚之存不足以存存[2]。由是观之，则凡未始亡而楚未始存也。"

[注释]

①凡；国名。　②不足以存存：不能因为它的存在而令我感到它存在。

[译文]

楚王和凡君同坐，一会儿，楚王左右的人三次说凡国灭亡了。凡君说："凡国的灭亡，不能够丧失我的存在。若是凡国的灭亡不能够丧失我的存在，那么楚国的存在也不能感到它的存在。由此看来，则凡国未必灭亡而楚未必存在。"

知 北 游

知北游于玄水之上[1]，登隐弅之丘[2]，而适遭无为谓焉[3]。知谓无为谓曰："予欲有问乎若：何思何虑则知道？何处何服则安道[4]？何从何道则得道[5]？"三问而无为谓不答也，非不答，不知答也。

知不得问，反于白水之南⑥，登狐阕之丘⑦，而睹狂屈焉⑧。知以之言也问乎狂屈⑨。狂屈曰："唉！予知之，将语若，中欲言而忘其所欲言。"

知不得问，反于帝宫，见黄帝而问焉。黄帝曰："无思无虑始知道，无处无服始安道，无从无道始得道。"

知问黄帝曰："我与若知之，彼与彼不知也⑩，其孰是邪？"

黄帝曰："彼无为谓真是也，狂屈似之，我与汝终不近也。夫知者不言，言者不知，故圣人行不言之教。道不可致⑪，德不可至⑫。仁可为也，义可亏也⑬，礼相伪也。故曰：'失道而后德⑭，失德而后仁，失仁而后义，失义而后礼。礼者，道之华而乱之首也⑮。'故曰：'为道者日损⑯，损之又损之，以至于无为，无为而无不为也。'今已为物也，欲复归根，不亦难乎！其易也，其唯大人乎！生也死之徒⑰，死也生之始，孰知其纪⑱！人之生，气之聚也；聚则为生，散则为死。若死生为徒，吾又何患！故万物一也，是其所美者为神奇，其所恶者为臭腐；臭腐复化为神奇，神奇复化为臭腐。故曰：'通天下一气耳。'圣人故贵一。"

知谓黄帝曰："吾问无为谓，无为谓不应我，非不我应，不知应我也。吾问狂屈，狂屈中欲告我而不我告，非不我告，中欲告而忘之也。今予问乎若，若知之，奚故不近？"

黄帝曰："彼其真是也，以其不知也；此其似之也，以其忘之也；予与若终不近也，以其知之也。"

狂屈闻之，以黄帝为知言。

[注释]

①知（zhī）：假设的人名。玄水：假设的水名。 ②隐弅（fēn）：假设的地名。 ③无为谓：假设的人名。 ④何处何服：怎么做。 ⑤何从何道：通过什么。 ⑥白水：神话中的水名。 ⑦狐阕（qué）：假设的山名。 ⑧狂屈：假设的人名。 ⑨以：用。 ⑩彼与彼：指无为谓与狂屈。 ⑪致：取得。 ⑫至：达到。 ⑬亏：损弃。 ⑭而后德；然后出现德。 ⑮华：装饰。 ⑯日损：一天天地抛弃。 ⑰徒：延续。 ⑱纪：规律。

[译文]

知往北到玄水游历，登上隐弅的丘陵，恰巧遇上无为谓。知对无为谓说："我想问你：怎样思虑才能懂得道？怎样做才能安于道？通过什么样的途径才能获得道？"问了三次无为谓都不回答，并不是不回答，而是不知道回答。

知得不到解答，返回白水之南，登上狐阕山，看见了狂屈。知又用问无为谓的话问狂屈。狂屈说："唉！我知道，正要告诉你，心中想说却忘了想要说的话。"

知得不到解答，返回帝宫，看见黄帝便向他请教。黄帝说："不思不虑便能懂得道，什么都不做便能安于道，不通过任何途径便能获得道。"

知问黄帝说："我和你知道，无为谓和狂屈不知道，究竟谁合乎道呢？"

黄帝说："无为谓合乎道，狂屈接近于道，我和你则差得远。知道的人不说，说的人不知道，所以圣人实行不说话的教化。道是不可以取得的，德是不可以达到的。仁是可以做到的，义是可以损弃的，礼是虚伪相欺的。所以说：'失去道然后出现德，失去德然后出现仁，失去仁然后出现义，失去义然后出现礼。礼是道的装饰和祸乱的开端。'所以说：'修道的人应一天天地抛弃那些人为的虚伪的东西，不断地抛弃，直到无为的境界，无为也就无所不为。'现在都在追求外物，要想归返于虚无之道，不是太难了吗！能够轻易做到的，只有那些至人！生是死的延续，死是生的开端，谁能知道它们的规律！人的生，乃是气的聚积；气聚便是生，气散便是死。既然死生相随相伴，我又有什么忧虑的！所以万物是一体的，觉得美的便视之为神奇，丑的便视之为腐臭；腐臭可以转化为神奇，神奇也可以转化为腐臭。所以说：'天下万物只不过是一气罢了'圣人因此而看重同一。"

知对黄帝说："我问无为谓，无为谓不回答我，并不是不回答我，而是不知道回答我。我问狂屈，狂屈心中想告诉我，却没有告诉我，并不是不告诉我，而是心中想告诉我，却忘记了。现在我问你，你知道，为什么还说和道差得远呢？"

黄帝说："无为谓合乎道，因为他不知道；狂屈接近于道，因为他忘记了；我和你距道不远，是因为知道了。"

狂屈听了，认为黄帝懂得道的理论。

天地有大美而不言，四时有明法而不议①，万物有成理而不说。圣人者，原天地之美而达万物之理②，是故至人无为，大圣不做，观于天地之谓也。

今彼神明至精③，与彼百化④，物已死生方圆，莫知其根也，扁然而万物自古以固存⑤。六合为巨，未离其内；秋毫为小，待之成体。天下莫不沉浮，终身不故⑥；阴阳四时运行，各得其序。惛然若亡而存⑦，油然不形而神⑧，万物畜而不知⑨。此之谓本根，可以观于天矣。

[注释]

①明法：明显的规律。　②原：本。　③今：一作"合"。④百化：千变万化。　⑤扁（piān）然：轻快的样子。　⑥故：陈旧。　⑦惛然：暗淡不分明的样子。　⑧油然：不见迹象的样子。　⑨畜：养育。

[译文]

天地有崇高的美德而不言语，四时有明显的规律而不议论，万物有生成的原理而不说话。圣人以效法天地的美德为根本，通达万物之理，所以至人无为，大圣不作，这就叫做取法于天地。

天地神明精妙，与事物千变万化，万物的或死或生或方或圆，变化的本源不可捉摸，万物的生长不息，自古以来就已存在。天地四方宽阔巨大，却超不出它的范围；秋豪虽小，也要依靠它的作用才能形成。天地万物无不升降变化，日新月异；阴阳四时的运行，各有一定的规律顺序。天道若隐若现，不见形迹却有神妙的作用，万物都在天道的养育之中而不自知。这就叫本根，明白了这个道理就可以观察自然之道了。

齧缺问道乎被衣，被衣曰："若正汝形，一汝视，天和将至①；摄汝知，一汝度，神将来舍。德将为汝美，道将为汝居，汝瞳焉如新生之犊而无求其故②。"

言未卒，齧缺睡寐。被衣大说，行歌而去之，曰：

"形若槁骸，心若死灰，真其实知，不以故自持。媒媒晦晦③，无心而不可与谋。彼何人哉！"

[注释]

①天和：天道和顺。 ②瞳（tóng）焉：无知的样子。③媒媒晦晦：懵懵懂懂的样子。

[译文]

齧缺向被衣问道，被衣说："端正你的形体，集中你的视觉，天道和顺之理就会体现在你身上；收敛你的智慧，专一你的视觉，精神就会凝聚。德将显示你的完美，道将居于你的心中，你天真无知如同初生的牛犊一样于事无求。"

话音未毕，齧缺就睡着了。被衣非常高兴，唱着歌走了，他唱道："形如枯骨，心如死灰，他领悟了道，不固执己见。懵懵懂懂的样子，没有心机不可谋议。他是什么样的人啊！"

舜问乎丞曰①："道可得而有乎？"

曰："汝身非汝有也，汝何得有夫道？"

舜曰："吾身非吾有也，孰有之哉？"

曰："是天地之委形也②；生非汝有，是天地之委和也；性命非汝有，是天地之委顺也；孙子非汝有③，是天地之委蜕也④。故行不知所往，处不知所持⑤，食不知所味。天地之强阳气也⑥，又胡可得而有邪！"

[注释]

①丞：官名。一说为舜师。 ②委：授。赋予。 ③孙子：一作"子孙"。 ④蜕：蜕变生新。 ⑤处：居。持：守。⑥强阳：运动。

[译文]

舜问丞说:"道可以获得而据有吗?"

丞说:"你的身体你都不能据有,你怎么能够据有道呢?"

舜说:"我的身体不归我有,归谁所有?"

丞说:"是天地所赋予的形体;诞生不归你有,乃是天地所赋予的阴阳结合;性命不归你有,乃是天地所赋予的阴阳调和;子孙不归你有,乃是天地所赋予的蜕变生新。所以行动时不知去向,居留时不知持守,饮食时不知口味。这些都是天地运行变化的结果,怎么能够据有呢!"

孔子问于老聃曰:"今日晏闲①,敢问至道。"

老聃曰:"汝齐戒②,疏瀹而心③,澡雪而精神④,掊击而知⑤。夫道,窅然难言哉⑥!将为汝言其崖略⑦。

"夫昭昭生于冥冥,有伦生于无形,精神生于道,形本生于精⑧,而万物以形相生,故九窍者胎生⑨,八窍者卵生⑩。其来无迹,其往无崖⑪,无门无房,四达之皇皇也⑫。邀于此者⑬,四肢彊⑭,思虑恂达⑮,耳目聪明,其用心不劳,其应物无方⑯。天不得不高,地不得不广,日月不得不行,万物不得不昌,此其道与!

"且夫博之不必知,辩之不必慧,圣人以断之矣。若夫益之而不加益,损之而不加损者,圣人之所保也。渊渊乎其若海,魏魏乎其终则复始也⑰,运量万物而不匮⑱。则君子之道,彼其外与!万物皆往资焉而不匮^⑲，此其道与！

"中国有人焉，非阴非阳，处于天地之间，直且为人^⑳，将反于宗^㉑。自本观之，生者，喑醷物也^㉒。虽有寿夭，相去几何？须臾之说也。奚足以为尧、桀之是非！果蓏有理^㉓，人伦虽难，所以相齿^㉔。圣人遭之而不违^㉕，过之而不守。调而应之^㉖，德也；偶而应之^㉗，道也；帝之所兴，王之所起也。

"人生天地之间，若白驹之过郤^㉘，忽然而已。注然勃然^㉙，莫不出焉；油然漻然^㉚，莫不入焉。已化而生，又化而死，生物哀之，人类悲之。解其天弢^㉛，堕其天袟^㉜，纷乎宛乎^㉝，魂魄将往，乃身从之，乃大归乎^㉞！不形之形，形之不形，是人之所同知也，非将至之所务也^㉟，此众人之所同论也。彼至则不论，论则不至。明见无值^㊱，辩不若默。道不可闻，闻不若塞。此之谓大得^㊲。"

[注释]

①晏闲：安闲。　②齐：通斋。　③瀹（yuè）：疏通。④澡雪：洗净。　⑤掊击：抛弃。　⑥窅（yǎo）然：深远的样子。　⑦崖略：大概。　⑧形本：形体。　⑨九窍者：人类。　⑩八窍者：禽类。　⑪崖：边际。　⑫皇皇：宽广。⑬邀：顺。　⑭彊：古"强"字。　⑮恂（xún）：畅通。⑯无方：没有一定框框。　⑰魏魏：即巍巍，高大的样子。⑱匮：一作"遗"。　⑲匮：乏。　⑳直且：姑且。　㉑宗：本。　㉒喑醷（yīn yì）：气息相聚。　㉓蓏（luǒ）：草类所结的果实。　㉔齿：邻比。　㉕不违：顺从。　㉖应：对待。

㉗偶：谐合。　㉘白驹：骏马。郤：通隙，缝隙。白驹过隙：形容极快。　㉙注然勃然：兴起、生出的样子。　㉚油然漻（liáo）然：消亡、寂静的样子。　㉛弢（tāo）：弓袋，此处指束缚。　㉜袠（zhì）：通帙，书袋，此处指包裹。　㉝纷乎：纷乱的样子。宛乎：宛转的样子。　㉞大归：大的还原，指死。　㉟将至：即将至者，将要达道的人。务：求。　㊱值：遇见。㊲大得：大收获，指得道。

［译文］

孔子问老子说："今天安闲无事，请讲讲最高的道。"

老子说："你要斋戒，疏通你的心灵，洗净你的精神，抛弃你的智慧。道非常深奥，不好说啊！我给你说个大略吧。

"光明产生于昏暗，有形产生于无形，精神产生于道，形体产生于精神，万物以各种形态互相产生，所以九窍的动物胎生，八窍的动物卵生。来的时候无痕无迹，去的时候无边无际，不知从哪儿生出来，不知哪儿是归宿，四通八达宽广辽阔。顺于道的，四肢强健，思路通达，耳目聪明，不用劳心，处事灵活。天不得不高，地不得不广，日月不得不运行，万物不得不昌盛，这就是道吧！

"况且，博学的未必有智慧，善辩的未必聪明，圣人早已抛弃了这些。不增不减，无损无益，乃是圣人所要保持的。深远似海，高大如山，周而复始地循环运行，运载万物而不会遗漏。然而君子的道，岂是呈现在外！虽然万物都来求取，但却不会匮乏，这就是道吧！

"中国有人，既不偏于阴也不偏于阳，处于天地之间，姑且为人，将返归于本宗。从根本上来看，所谓生命，不过是气的凝聚。虽有长寿与短命之别，但能相差多少呢？只是一瞬间而已。又何必去论说尧与桀的是非！瓜果各有其生长之理，人伦关系虽然复杂，但也类似于瓜里之理。圣人遇事而顺从，得过且过而不固执。和顺待人，便是德；谐合接物，便是道；帝王的兴起，就是靠无为之道。

"人生活在天地之间，就像骏马穿越空隙，一闪而已。万物蓬蓬勃勃，无不生长；销声匿迹，无不消亡。已经变化而生，却又变化而死，生物为之哀伤，人类为之悲痛。解除束缚，毁掉禁锢，纷乱宛转，魂魄升天，躯体入土，这就是返归大本！从无形变为有形，从有形又变为无形，这种生死变化是人所共知的，并不是将要得道的人所追求的，这是常人所共同议论的。得道的人就不去议论，议论的人就没有得道。清楚看见的其实没有看见，辩论不如沉默。道是不可听闻的，听闻不如充耳不闻。这才叫真正的得道。"

东郭子问于庄子曰①："所谓道，恶乎在？"

庄子曰："无所不在。"

东郭子曰："期而后可②。"

庄子曰："在蝼蚁。"

曰："何其下邪③？"

曰："在稊稗④。"

曰："何其愈下邪？"

曰："在瓦甓⑤。"

曰："何其愈甚邪？"

曰："在屎溺⑥。"

东郭子不应。庄子曰："夫子之问也，固不及质⑦。正获之问于监市履狶也⑧，每下愈况⑨。汝唯莫必[10]，无乎逃物。至道若是，大言亦然[11]。周遍咸三者，异名同实，其指一也。尝相与游乎无何有之宫[12]，同合而论，无所终穷乎！尝相与无为乎！澹而静乎！漠而清乎！调而闲乎！寥已吾志[13]，无往焉而不知其所至，去而来而不知其所止，吾已往来焉而不知其所终；彷徨乎冯闳[14]，大知入焉而不知其所穷[15]。物物者与物无际[16]，而物有际者，所谓物际者也；不际之际[17]，际之不际者也[18]。谓盈虚衰杀，彼为盈虚非盈虚，彼为衰杀非衰杀，彼为本末非本末，彼为积散非积散也。"

[注释]

①东郭子：人名，因住在东郭，故称。　②期而后可：请指明所在。　③下：卑下。　④稊稗：杂草名。　⑤甓（pì）：砖。　⑥溺：尿。　⑦质：实质。　⑧正获：即司正、司获，均为官名。监市：监管市场的人。履：踩。狶（xī）：大猪。履狶，买猪时选择肥猪的方法，踩一下猪腿就可辨别肥瘦。⑨每下愈况：愈是下部愈能真正反映猪的肥瘦。　⑩必：绝对。　⑪大言：表现道的言论。　⑫无何有之宫：指虚无的境界。　⑬寥：虚寂。　⑭冯闳（hóng）：虚无辽阔。　⑮大知入焉：大智入心，即心怀大智。　⑯物物者：支配万物的。际：界限。　⑰不际之际：没有界限的界限。　⑱际之不际：界限中的没有界限。

[译文]

东郭子问庄子说："所谓道，都在什么地方？"

庄子说："无所不在。"

东郭子说："请指明所在。"

庄子说:"在蝼蚁里。"

东郭子说:"怎么如此卑下?"

庄子说:"在稊稗里。"

东郭子说:"怎么更卑下了呢?"

庄子说:"在砖瓦里。"

东郭子说:"怎么愈来愈卑下了呢?"

庄子说:"在屎尿里。"

东郭子不吭声了。庄子说:"先生所问的,本来就没有触及到道的实质。司正和司获向监市者问踩猪选肥的方法,回答说愈是下部愈能真正反映猪的肥瘦。你不要将道的所在绝对化,道是不脱离物的。最高的道是这样,表现道的言论也是这样。'周'、'遍'、'咸'这三个概念,名称虽然不同,意思却是一样,所表示的意义是同一的。试着一同遨游于虚无的境界,同合而论之,道是没有穷尽的!让我们一同自然无为吧!恬淡而静寂啊!漠然而清净啊!和顺而悠闲啊!我的心志虚寂,前往却不知道要到哪里,去了又来却不知道止于何处,我来来往往而不知道何时是终结;漫游于虚无广阔的境界,心怀大智而不知道何处是尽头。道与物是没有界限的,而物与物之间是有界限的,这就是所谓物的界限;没有界限的界限,就是界限中的没有界限。所谓盈虚衰杀,其为盈虚而非盈虚,其为衰杀而非衰杀,其为本末而非本末,其为积散而非积散。"

婀荷甘与神农同学于老龙吉①。神农隐几阖户昼瞑,婀荷甘日中奓户而入②,曰:"老龙死矣!"神农隐几拥杖而起,嚗然放杖而笑③,曰:"天知予僻陋慢訑④,故弃予而死。已矣!夫子无所发予之狂言而死矣夫⑤!"

　　弇堈吊闻之⑥,曰:"夫体道者,天下之君子所系焉⑦。今于道,秋豪之端万分未得处一焉,而犹如藏其狂言而死,又况夫体道者乎!视之无形,听之无声,于人之论者,谓之冥冥,所以论道而非道也。"

[注释]

①妸(e)荷甘、神农、老龙吉:都是虚拟的人物。②奓(zhà):开。 ③嚗(bó)然:手杖掉在地上的声音。④慢迆(yí):漫诞,荒唐。 ⑤狂言:至言。 ⑥弇堈(yǎng gāng)吊:虚拟的人物。 ⑦系:仰仗,依赖。

[译文]

　　妸荷甘和神农同在老龙吉那里求学。神农靠在几案上关起门来白天睡觉,妸荷甘中午推开门跑进来说:"老龙死了!"神农扶着手杖站起来,又放下手杖笑了,他说:"先生知道我僻陋荒唐,所以丢下我死了。完啦!先生没有留下启发我的至言就死了啊!"

　　弇堈吊听到后说:"体现道的人,是天下君子所依赖的。现在老龙吉对于道,连一根毫毛末端的万分之一都没有得到,还知道藏着至言而死,何况体现道的人!看去无形,听来无声,议论者称它为冥冥,所议论的道并不是真正的道。"

　　于是泰清问乎无穷曰①:"子知道乎?"

　　无穷曰:"吾不知。"

　　又问乎无为。无为曰②:"吾知道。"

　　曰:"子之知道,亦有数乎③?"

曰：“有。”

曰：“其数若何？”

无为曰：“吾知道之可以贵，可以贱，可以约④，可以散，此吾所以知道之数也。”

泰清以之言也问乎无始曰⑤：“若是，则无穷之弗知与无为之知，孰是而孰非乎？”

无始曰：“不知深矣，知之浅矣；弗知内矣，知之外矣。”

于是泰清中而叹曰⑥：“弗知乃知乎！知乃不知乎！孰知不知之知？”

无始曰：“道不可闻，闻而非也；道不可见，见而非也；道不可言，言而非也。知形形之不形乎⑦！道不当名。”

无始曰：“有问道而应之者，不知道也。虽问道者，亦未闻道。道无问，问无应。无问问之，是问穷也⑧；无应应之，是无内也⑨。以无内待问穷，若是者，外不观乎宇宙，内不知乎大初⑩，是以不过乎昆仑，不游乎太虚⑪。”

[注释]

①泰清、无穷：都是虚拟的人物。　②无为：虚拟的人物。　③数：定数。　④约：聚，集中。　⑤无始：虚拟的人物。　⑥中：一作“卬”，古仰字。　⑦形形之不形：支配有形的东西是无形的。　⑧穷：空。　⑨内：内容。　⑩大初：即太初，万物的根本。　⑪太虚：极端虚无的境界。

[译文]

泰清问无穷说："你知道道吗?"

无穷说："我不知。"

又问无为。无为说："我知。"

泰清说："你知道道，道也有定数吗?"

无为说："有。"

泰清说："定数是什么样呢?"

无为说："我知道道可以尊贵，可以低贱，可以聚集，可以离散，这就是我所知道的道的定数。"

泰清又用这些话问无始说："像这样，无穷的不知和无为的知，究竟谁是谁非呢?"

无始说："不知的深刻，知的浅薄；不知的已深入其内，知的只知其皮毛。"

于是泰清仰头感叹说："不知的乃是知! 知的其实不知! 谁明白不知的知呢?"

无始说："道不可以听，听到的就不是道；道不可以看，看见的就不是道，道不可以说，说出来的就不是道。知道支配有形的东西是无形吗! 道不应当有名称。"

无始说："有人问道就回答的，是不懂道。问道的人，其实也没有听到道。道是无法问的，问了也无法回答。无法问而要问，就是空问；无法回答而回答，就是空答。以空答对空问，若是这样，对外便不能观察宇宙，对内则不知万物的根本，因而不能跨越昆仑，不能遨游于太虚。"

光曜问乎无有曰①："夫子有乎? 其无有乎?"

光曜不得问，而孰视其状貌②，窅然空然，终日视之而不见，听之而不闻，搏之而不得也③。

光曜曰："至矣！其孰能至此乎！予能有无矣，而未能无无也；及为无有矣，何从至此哉！"

[注释]

①光曜（yào）、无有：都是虚拟的人物。　②孰：通熟。熟视：细察。　③搏：抓。

[译文]

光曜问无有说："先生是有呢？还是无有？"

光曜得不到回答，就仔细观察他的状貌，空空虚虚，整天看也看不见，听也听不到声音，抓也抓不着。

光曜说："绝妙极了！谁能达到这种境界呢！我能达到'有无'，而不能达到'无无'；至于'无有'，不知怎样才能达到这种境界！"

　　大马之捶钩者①，年八十矣，而不失豪芒。大马曰："子巧与？有道与？"

　　曰："臣有守也②。臣之年二十而好捶钩，于物无视也，非钩无察也。是用之者，假不用者也以长得其用，而况乎无不用者乎！物孰不资焉！"

[注释]

①大马：官名，即大司马。　②有守：有所持守。

[译文]

大司马有个制钩的工匠，已经80岁了，做的钩分毫不差。大司马说："你是有绝技呢？还是有道？"

工匠说："我有所持守。我20岁时就喜欢捶钩，别的东西一概不看，把全部精力都集中在钩上。我所用心的，是因为借助了不用心才得以成就，何况那无不用的呢！万物谁不依赖于它呢？"

　　冉求问于仲尼曰①："未有天地可知邪？"

　　仲尼曰："可。古犹今也。"

　　冉求失问而退②，明日复见，曰："昔者吾问'未有天地可知乎？'夫子曰：'可。古犹今也。'昔日吾昭然③，今日吾昧然④，敢问何谓也？"

　　仲尼曰："昔之昭然也，神者先受之⑤；今之昧然也，且又为不神者求邪⑥！无古无今，无始无终。未有子孙而有子孙，可乎？"

　　冉求未对。仲尼曰："已矣，未应矣。不以生生死，不以死死生。死生有待邪⑦？皆有所一体。有先天地生者物邪？物物者非物。物出不得先物也。犹其有物也。犹其有物也，无已⑧。圣人之爱人也终无已者，亦乃取于是者也。"

　　[注释]

　　①冉求：孔子弟子。　②失问：没有得到想要的回答。③昭然：明白。　④昧然：糊涂。　⑤神者先受之：心神首先领会。　⑥不神者：指外界物象。　⑦有待：相互依存。⑧无已：无止境。

　　[译文]

冉求问孔子说:"没有天地之前的情形可以知道吗?"

孔子说:"可以。古今是一样的。"

冉求没有得到想要的回答就退下了,第二天又来求教,说:"昨天我问'没有天地之前的情形可以知道吗?'先生说:'可以。古今是一样的。'昨天我还明白,今天却糊涂了,请问这是为什么呢?"

孔子说:"昨天你明白,是用心神先去领会的结果;今天你糊涂,是因为求取具体所致。没有古没有今,没有始没有终。没有子孙以前便已有子孙,可以吗?"

冉求没有回答。孔子说:"算了吧,别回答了。死不借助于生,生也不借助于死。死和生是相互依存的吗?死和生都是一体的。有先于天地而生的物吗?产生物的是道不是物。物的产生不能在道之前,道生出了天地万物。有了天地万物,便生生不息。圣人慈爱人类,恩流百代而不废,乃是取法于道。"

颜渊问乎仲尼曰:"回尝闻诸夫子曰:'无有所将①,无有所迎。'回敢问其游②。"

仲尼曰:"古之人,外化而内不化;今之人,内化而外不化。与物化者,一不化者也。安化安不化,安与之相靡③,必与之莫多④。豨韦氏之囿⑤,黄帝之圃,有虞氏之宫,汤武之室。君子之人,若儒墨者师,故以是非相𩐈也⑥,而况今之人乎!圣人处物不伤物。不伤物者,物亦不能伤也。唯无所伤者,为能与人相将迎。山林与!皋壤与⑦!使我欣欣然而乐与!乐未毕也,哀又继之。哀乐之来,吾不能御,其去弗能止。

悲夫，世人直为物逆旅耳！夫知遇而不知所不遇，知能能而不能所不能⑧。无知无能者，固人之所不免也。夫务免乎人之所不免者，岂不亦悲哉！至言去言⑨，至为去为⑩。齐知之⑪，所知则浅矣。"

[注释]

①将：送。　②游：游心，精神活动。　③靡：顺。④莫多：不会太过，恰如其份。　⑤狶韦氏：远古帝王的称号。囿（yòu）：园。　⑥相鼙（jī）：互相攻击。　⑦皋（gāo）壤：原野。　⑧能能：能做到所能够做到的。　⑨至言：合乎道的言论。去言：无言。　⑩至为：合乎道的行为。去为：无为。　⑪齐：皆，全。

[译文]

颜渊问孔子说："我曾经听老师说：'不要送，不要迎。'请问其中的道理。"

孔子说："古时候的人，外表随物变化而内心宁静；现在的人，内心思绪万千而外表呆板不化。化和不化都安然顺任。安然与之相顺，相处得恰如其份。就像狶韦氏的苑圃，黄帝的园圃，有虞氏的宫殿，汤武的屋宇。君子一类的人，像儒墨的师辈，还以是非互相攻击，何况是现在的人呢！圣人与物相处而不伤物。不伤物的，物也不伤害他。只有无所伤害的，才能与人相互往来。山林啊！原野啊！使我欣然快乐！快乐还没有消逝，悲哀又接着来了。哀乐的来临，我不能抗拒，它的离去也无法制止。可悲啊，世人简直成了外物寄居的旅舍！只知道所见过的而不知道未见过的，能做到所能够做到的而不能做到所不能够做到的。有所不知有所不能，这本来是人所难免的。一定要避免人所难免的，岂不也很可悲吗！至言无言，至为无为。要是什么都知道，实际上所知的就肤浅了。"

杂　篇

庚　桑　楚

　　老聃之役有庚桑楚者①，偏得老聃之道②，以北居畏垒之山③，其臣之画然知者去之④，其妾之挈然仁者远之⑤；拥肿之与居⑥，鞅掌之为使⑦。居三年，畏垒大壤⑧。畏垒之民相与言曰："庚桑子之始来，吾洒然异之⑨。今吾日计之而不足，岁计之而有余。庶几其圣人乎！子胡不相与尸而祝之⑩，社而稷之乎⑪？"

　　庚桑子闻之，南面而不释然⑫。弟子异之。庚桑子曰："弟子何异于予？夫春气发而百草生，正得秋而万宝成⑬。夫春与秋，岂无得而然哉？天道已行矣。吾闻至人，尸居环堵之室⑭，而百姓猖狂不知所如往。今以畏垒之细民而窃窃焉欲俎豆予于贤人之间⑮，我其杓之人邪⑯？吾是以不释于老聃之言。"

　　弟子曰："不然。夫寻常之沟⑰，巨鱼无所还其体⑱，而鲵鳅为之制⑲；步仞之丘陵⑳，巨兽无所隐其躯，而孽狐为之祥㉑。且夫尊贤授能，先善与利㉒，自古尧、舜以然，而况畏垒之民乎！夫子亦听矣！"

　　庚桑子曰："小子来！夫函车之兽㉓，介而离山㉔，则不免于罔罟之患；吞舟之鱼，砀而失水㉕，则蚁能苦之。故鸟兽不厌高㉖，鱼鳖不厌深。夫全其形生之人，藏其身也，不厌深眇而已矣㉗。且夫二子者㉘，又何足以称扬哉！是其于辩也㉙，将妄凿垣墙而殖蓬蒿也。简发而栉㉚，数米而炊，窃窃乎又何足以济世哉！举贤则民相轧，任知则民相盗。之数物者，不足以厚民㉛。民之于利甚勤㉜，子有杀父，臣有杀君，正昼为盗㉝，日中穴阫㉞。吾语女，大乱之本，必生于尧、舜之间，其末存乎千世之后。千世之后，其必有人与人相食者也。"

　　[注释]

　　①役：门徒。　②偏得：部分地学到。　③畏垒：山名。　④画然：明察的样子。　⑤挈（qì）然仁者：自信做到仁的。　⑥拥肿：糊涂无知的样子。　⑦鞅掌：随随便便的样子。　⑧壤：通穰，丰收。　⑨洒然：惊怪的样子。　⑩尸而祝之：当作祖宗一样来祭祀崇拜。　⑪杜而稷之：为他建立社稷。　⑫不释然：不高兴。　⑬万宝：各种果实。　⑭尸居：安居。环堵之室：四面围有一堵墙的居室。　⑮窃窃：烦琐计较的样子。俎豆：奉祀。　⑯杓（biāo）：榜样。　⑰寻常：8尺为寻，2寻为常。　⑱还：转。　⑲制：曲折回旋。　⑳步仞：6尺为步，7尺或8尺为仞。　㉑祥：得意。　㉒先善：有善先用。　㉓函：含。　㉔介：独个。　㉕砀：通荡。砀而失水：因波流动荡而离开了水。　㉖厌：满足。　㉗眇：

远。　㉘二子：指尧和舜。　㉙辩：分辩。　㉚简：择。栉
(zhì)：梳发。　㉛厚民：利民。　㉜于利甚勤：努力谋利。
㉝正昼：大白天。　㉞阫（péi）：墙。穴阫：把墙挖穿。

[译文]

老子的门徒中有个名叫庚桑楚的，他部分地学到了老子的道，住在北边的畏垒山上。他的奴仆中凡精干聪明的被辞去不用，侍女中凡自信有仁义的被他疏远；糊涂无知的被他留用，鲁莽随便的供他役使。住了三年，畏垒一带大获丰收。畏垒的人民互相说："庚桑子刚来的时候，我们对他感到惊异。现在我们觉得他虽无近功，而有远利。他大概是圣人吧！我们何不祭祀崇拜他，为他建立社稷呢？"

庚桑子听说要奉他为君，心里很不高兴。弟子们感到很奇怪。庚桑子说："你们为什么对我感到奇怪？春气勃发而百草丛生，恰逢秋季而各种果实成熟。春和秋，难道无缘无故就能这样吗？这是天道运行的结果。我听说，至人安居于陋室，而百姓忘乎所以不知该怎么办。现在畏垒的小人们斤斤计较要把我放进贤人之列来进行崇拜，我难道是榜样之人吗？我之所以对此不高兴，是因为想起了老子的教诲。"

弟子说："不对。在小河沟里，大鱼无法转动身体，而小鱼却能游来游去；在低矮的丘陵地带，形体巨大的野兽无处藏身，而狐狸却能自如出没。况且，尊贤授能，赏善施利，自古尧、舜就是如此，何况畏垒的百姓呢！先生就顺从他们吧！"

庚桑子说："小子过来！口能含车的巨兽，独自离开山林，就难逃网罗之祸；吞舟的巨鱼，因波流动荡而离开了水，就连蚂蚁也能整治它。所以鸟兽不厌高，鱼鳖不厌深。全形养生的人，隐形藏身，也是不厌深远罢了！尧、舜这两个人，有什么值得颂扬的！他们对于善恶的分辨，犹如妄自凿破好垣墙种植蓬蒿以作为屏障一样。选择头发来梳，数米粒来煮，如此烦琐

的行为又怎么能够救世呢！选举贤能人民就会相互倾轧，任用
智者人民就会相互争盗。这几种措施，对人民是没有好处的。
人民致力于谋利，就会出现子杀父，臣杀君，白日抢劫，正午
挖墙等现象。我告诉你，大乱的根源，就产生在尧、舜时代，
其流弊遗存于千代之后。千代之后，必定会有人吃人的现象。"

　　南荣趎蹴然正坐曰①："若趎之年者已长矣，将恶
乎托业以及此言邪②？"

　　庚桑子曰："全汝形③，抱汝生④，无使汝思虑营
营⑤。若此三年，则可以及此言矣。"

　　南荣趎曰："目之与形，吾不知其异也，而盲者不
能自见；耳之与形，吾不知其异也，而聋者不能自闻；
心之与形，吾不知其异也，而狂者不能自得。形之与
形亦辟矣⑥，而物或间之邪⑦，欲相求而不能相得？今
谓趎曰：'全汝形，抱汝生，勿使汝思虑营营。'趎勉
闻道达耳矣⑧。"

　　庚桑子曰："辞尽矣。奔蜂不能化藿蠋⑨，越鸡不
能伏鹄卵⑩，鲁鸡固能矣。鸡之与鸡，其德非不同也，
有能与能不者，其才固有巨小也。今吾小才，不足以
化子。子胡不南见老子？"

　　南荣趎赢粮⑪，七日七夜至老子之所。

　　老子曰："子自楚之所来乎？"

　　南荣趎曰："唯。"

老子曰："子何与人偕来之众也?"

南荣趎惧然顾其后。

老子曰："子不知吾所谓乎?"

南荣趎俯而惭,仰而叹曰："今者吾忘吾答,因失吾问。"

老子曰："何谓也?"

南荣趎曰："不知乎人谓我朱愚[12],知乎,反愁我躯[13];不仁则害人,仁则反愁我身;不义则伤彼,义则反愁我己。我安逃此而可? 此三言者,趎之所患也,愿因楚而问之。"

老子曰："向吾见若眉睫之间[14],吾因以得汝矣[15],今汝又言而信之[16]。若规规然若丧父母[17],揭竿而求诸海也。女亡人哉,惘惘乎! 汝欲反汝情性而无由入,可怜哉!"

南荣趎请入就舍[18],召其所好[19],去其所恶,十日自愁[20],复见老子。

老子曰："汝自洒濯[21],熟哉郁郁乎[22]! 然而其中津津乎犹有恶也[23]。夫外韄者不可繁而捉[24],将内揵[25];内韄者不可缪而捉[26],将外揵。外门韄者,道德不能持,而况放道而行者乎[27]!"

南荣趎曰："里人有病[28],里人问之,病者能言其病[29],病者犹未病也。若趎之闻大道,譬犹饮药以加病也。趎愿闻卫生之经而已矣[30]"

老子曰："卫生之经，能抱一乎？能勿失乎？能无卜筮而知吉凶乎？能止乎？能已乎？能舍诸人而求诸己乎㉛？能翛然乎㉜？能侗然乎㉝？能儿子乎㉞？儿子终日嗥而嗌不嗄㉟，和之至也；终日握而手不掜㊱，共其德也；终日视而目不瞚㊲，偏不在外也。行不知所之，居不知所为，与物委蛇而同其波。是卫生之经已。"

南荣趎曰："然则是至人之德已乎？"

曰："非也。是乃所谓冰解冻释者，能乎？夫至人者，相与交食乎地而交乐乎天，不以人物利害相撄，不相与为怪，不相与为谋，不相与为事，翛然而往，侗然而来。是谓卫生之经已。"

曰："然则是至乎？"

曰："未也。吾固告汝曰：'能儿子乎？'儿子动不知所为，行不知所之，身若槁木之枝而心若死灰矣。若是者，祸亦不至，福亦不来。祸福无有，恶有人灾也！"

[注释]

①南荣趎（chú）：庚桑楚的弟子。蹴（cù）然：恭敬的样子。　②托：凭借。　③全汝形：保养好你的身体。　④抱汝生：保住你的天性。　⑤营营：劳累而不知休息的样子。⑥辟：通譬，比类，相似。　⑦间：间隔，阻塞。　⑧勉：勉强，约略。　⑨奔蜂：小蜂，细腰土蜂。蠋（zhú）：大青虫。⑩越鸡：越地所产的鸡。伏：孵。鹄：天鹅。　⑪赢：担。

⑫朱愚：愚钝。　⑬反愁我躯：反而令我自身愁苦。　⑭眉睫之间：指表情。　⑮得汝：知道了你的心事。　⑯信：证实。　⑰规规然：茫然自失的样子。　⑱入就舍：入居弟子之舍。　⑲召：吸取。　⑳自愁：自感苦恼。　㉑洒濯（zhuó）：洗涤。　㉒熟：通孰。　㉓津津：流露的样子。　㉔镬（hù）：束缚。捉：促，急迫。　㉕捷（jiàn）：闭。　㉖缪（móu）：缠缚。　㉗放：通仿，仿效，学习。　㉘里人：住在同一里的人，即邻居。　㉙"病者能言其病"下原有"然其病"三字，属于衍文而删除。　㉚卫生：养生。　㉛舍诸人：对人无所求。　㉜翛（xiāo）然：无所牵挂的样子。　㉝侗（dòng）然：胸怀开朗的样子。　㉞能儿子：能和小孩一样天真。　㉟嗥（háo）：号叫。嗌（yì）：喉咙。嗄（shà）：沙哑。　㊱捥（niè）：拳曲。　㊲瞚（shùn）：通瞬，眼睛转动。

[译文]

南荣趎恭敬地端坐着说："像我这样大的年纪，怎样学习才能达到您所说的那种境界呢？"

庚桑子说："保养好你的身体，保住你的天性，不要思虑重重。这样经过三年，就可以达到我所说的那种境界了。"

南荣趎说："眼睛的外形，我看不出有什么不同，但盲人却无法自闻；耳朵的外形，我看不出有什么不同，但聋子却无法自闻；心的形态，我不知道有什么不同，但狂人却不能自得。从外表来看，形体之间并无区别，或许是由于什么东西阻塞，使得无法达到所追求的目标！现在您对我说：'保养好你的身体，保住你的天性，不要思虑重重。'我听道勉强只达到耳朵，未能心领神会。"

庚桑子说："话已经说尽了。小蜂不能孵化大青虫，越鸡不能孵化天鹅蛋，鲁鸡就可以。鸡和鸡之间的德性并无不同，

但有能与不能的区别，才能有大有小。现在我的才小，不足以
开导你。你为什么不南行去拜见老子！"

南荣趎背负干粮，走了七天七夜赶到老子住的地方。

老子说："你是从庚桑楚那里来的吗？"

南荣趎说："是的。"

老子说："你为什么和这么多人一起来呢？"

南荣趎惊异地回顾身后。

老子说："你不懂我所说的意思吗？"

南荣趎惭愧地低下了头，又仰面而叹说："现在我忘了我
的回答，因而也忘了我所问的。"

老子说："怎么说呢？"

南荣趎说："无智吧人们说我愚钝，有智吧反而令我自身
愁苦；不行仁则伤害别人，行仁则反而伤害自身；不行义则伤
害他人，行义则反而伤害自身。我怎样才能逃避这些？上述三
种情况，就是我所忧虑的，希望通过庚桑楚的介绍来向先生求
教。"

老子说："刚才我看你眉目间的神情，便知道了你的心事，
现在听你一说又证实了我的判断。你茫然自失的样子就像丧失
了父母，拿着竹竿去探测大海。你是亡真失道之人啊，迷迷惘
惘！你想恢复你的天性却无从做起，可怜啊！"

南荣趎请求留在馆舍受业，吸取所好，抛弃所恶，10天
后仍然自感愁苦，于是又去拜见老子。

老子说："你自我洗涤，有什么郁郁不乐的！被外物牵累
时，不应因为繁杂而紧张，而要心神内守；被心事所缠缚时，
不应因为纠缠不清而急躁，而要排除外来干扰。外界和内心都
有牵累的话，那就连有道德的人也不能自持，何况是学道的人
呢？"

南荣赵说："一个人有病，邻里的人去问候他，病人能说出自己的病状，那就还未达到不可救药的程度。像我这样听闻大道，犹如吃药而加重了病情，我只想听听养生的方法。"

老子说："养生之道，能保持纯真吗？能不丧失天性吗？能不占卜便知吉凶吗？能心性宁静吗？能心平气和吗？能不求人而求己吗？能无所牵挂吗？能胸怀开朗吗？能像小孩一样天真吗？小孩整天号哭而喉咙不哑，这是因为和气纯厚；整天握拳而手不曲，这是因为合乎自然的德性；整天注视而目不转睛，这是因为不偏注于所看的外物。行动时毫无目的，安居时无所作为，与物变化而随波逐流。这就是养生之道。"

南荣赵说："那么这就是至人的境界了吗？"

老子说："不是。这就是所说的解开心性的执滞，你能做到吗？要是至人，求食于地而与天同乐，不为人物利害所扰动，不相互责怪，不相互为谋，不为世俗之事所累，无牵无挂而去，轻轻松松而来。这就是养生道。"

南荣赵说："那么这就是最高的境界吗？

老子说："还未达到。我曾经告诉你说：'能像小孩一样天真吗？'小孩动作盲目无意，行动漫无目的，身体像枯木而心灵如死灰。像这个样子，灾祸不至，幸福不来。连祸福都没有，怎么会有人为的灾难呢！"

宇泰定者①，发乎天光②。发乎天光者，人见其人，物见其物。人有修者，乃今有恒；有恒者，人舍之，天助之。人之所舍，谓之天民；天之所助，谓之天子。

[注释]

　　①宇泰定：心境安泰。　　②天光：自然的光芒。

[译文]

　　心境安泰的人，便能发出自然的光芒。发出自然光芒的，人和物都各自显露出他们本来的面目。人有修炼，就能培养常德；有常德的人，人们归附于他，天也保佑他。人们归附的，称为天民；天保佑的，称为天子。

　　学者，学其所不能学也；行者，行其所不能行也；辩者，辩其所不能辩也。知止乎其所不能知，至矣；若有不即是者①，天钧败之②。

[注释]

　　①不即是：不这样。　　②天钧：自然之性。

[译文]

　　学习的人，是学他所不能学的；实行的人，是实行他所不能实行的；辩论的人，是辩他所不能辩的。认识停止在不能认识的范围，便是至极；如果不是这样，自然的天性就要受挫了。

　　备物以将形①，藏不虞以生心②，敬中以达彼③，若是而万恶至者，皆天也，而非人也，不足以滑成④，不可内于灵台⑤。灵台者有持⑥，而不知其所持，而不可持者也。

　　不见其诚己而发，每发而不当；业入而不舍⑦，每更为失。为不善乎显明之中者，人得而诛之；为不善乎幽间之中者⑧，鬼得而诛之。明乎人，明乎鬼者，然后能独行。

券内者⑨，行乎无名，券外者，志乎期费⑩。行乎无名者，唯庸有光⑪；志乎期费者，唯贾人也⑫。人见其跂⑬，犹之魁然⑭。与物穷者⑮，物入焉；与物且者⑯，其身之不能容，焉能容人！不能容人者无亲，无亲者尽人⑰。兵莫憯于志⑱，镆铘为下；寇莫大于阴阳，无所逃于天地之间。非阴阳贼之⑲，心则使之也。

[注释]

①将：养。　②不虞：无所思虑。　③彼：外物。④滑：乱。　⑤灵台：心　⑥持：守。　⑦业入：已纳入心里。失：错。　⑧幽间之中：在阴暗的地方。　⑨券：契合。⑩期：必。　⑪庸：常。　⑫贾人：商人。　⑬跂（qì）：抬起脚后跟站着。　⑭魁然：高大的样子。　⑮与：待。穷：空。　⑯且：通阻。　⑰尽人：弃绝于人。　⑱憯：通惨，毒。　⑲贼：害。

[译文]

备物来滋养形体，用无思无虑来培养心神，以真诚之心与外物相通，如果这样各种灾难还是降临，那都是天命，而不是自己所作所为的过错，不值得为此而扰乱自然形成的心性，不可放在心里。心灵有所持守，而不知所持守，而不可持守。

自己心中都还未做到真诚就表示出来，那么与外界就往往合不来；不肯抛弃已扰入内心的外物，就往往会错上加错。明目张胆地干坏事，就会受到众人的讨伐；在阴暗的地方干坏事，就会受到鬼的惩罚。公开与暗中都光明正大，就能独往独来。

　　只求与自己心性相契合的，就会不务虚名；追求与外界契合的，总想为人所重用。不务虚名的，必然能永放光芒；志在为人所重用的只不过如商人一般。人们看他抬起脚后跟站着，他自己还感觉很高大。以空虚的胸怀对待万物，就能容纳万物；心胸不畅与万物格格不入，连自身都不能相容，怎么能容人！不能容人的无亲，无亲弃绝于人。心志是伤害的人利器，它比最锋利的剑还要厉害；敌人中最厉害的是阴阳，因为阴阳二气充满于天地之间，人们无法逃避，并不是阴阳伤害你，而是由于你的心志未能顺乎自然，阴阳不能调和而造成的。

　　道通，其分也，其成也毁也。所恶乎分者，其分也以备；所以恶乎备者，其有以备。故出而不反，见其鬼；出而得，是谓得死。灭而有实，鬼之一也。以有形者象无形者而定矣。

　　出无本①，入无窍②。有实而无乎处，有长而无乎本剽③。有所出而无窍者有实。有实而无乎处者，宇也④；有长而无本剽者，宙也⑤。有乎生，有乎死，有乎出，有乎入，入出而无见其形，是谓天门。天门者，无有也，万物出乎无有。有不能以有为有，必出乎无有，而无有一无有。圣人藏乎是。

　　[注释]

　　①本：根源。　②窍：门。　③本剽：本末，始终。④宇：指空间中没有止境的上下四方。　⑤宙：指时间上没有终始的古往今来。

[译文]

道无所不通，事物的本分，事情的成败，都与道相通。厌恶本分的，是因为不守本分而求全；厌恶全的，是因为本分不足而求全。所以，心神外驰而不返，死期就临近了；心神外驰而有所得，得到的就是死亡。心神死亡而空有躯体，就和鬼没有什么区别了。以有形的躯体去效法无形的道，心神和躯体就充实而安定了。

出无根源，入无门径。有实际存在而没有处所，有成长而没有始终，有所出而没门径的有实。有实际存在而没有处所的，就是宇；有成长而没有始终的，就是宙。有生有死，有出有入，出入而不显露其形，称为天门。天门就是无有，万物产生于无有。有不能以有为有，必定产生于无有，而无有一无所有。圣人就隐身于这种境界。

古之人，其知有所至矣，恶乎至？有以为未始有物者，至矣，尽矣，弗可以加矣。其次以为有物矣，将以生为丧也，以死为反也，是以分已。其次曰始无有，既而有生，生俄而死；以无有为首，以生为体，以死为尻；孰知有无死生之一守者①，吾与之为友。是三者虽异，公族也，昭景也②，著戴也③，甲氏也④，著封也⑤，非一也。

[注释]

①一守：一体。　②昭景：楚国的公族昭氏和景氏。③著戴：以显赫的职位而著称。　④甲氏：即楚国的公族屈氏。　⑤著封：以封地而著称。

[译文]

古时候的人，他们的认识达到了极高的境界。是什么样的境界呢？他们认为在宇宙初开时是不曾有物的，这种认识无与伦比。其次一等的认识，认为宇宙间有事物存在，生就是有所失，死是从有还原到无，这就有了区别。再次一等的认识，认为宇宙原来无有，后来有了生，生忽然又死了；以无有为头，以生为躯体，以死为尾部；谁知道有无死生为一体，我就和他做朋友。这三者虽有差异却同出一源，昭氏和景氏以显赫的职位而著称，甲氏以封地而著称，虽然同为公顷族，却有所区别。

有生黬也①，披然曰移是②。尝言移是，非所言也。虽然，不可知者也。腊者之有腹胲③，可散而不可散也；观室者周于寝庙④，又适其偃焉⑤。为是举移是⑥。

请尝言移是。是以生为本，以知为师，因以乘是非⑦；果有名实⑧，因以己为质⑨；使人以己为节⑩，因以死偿节⑪。若然者，以用为知⑫，以不用为愚；以彻为名⑬，以穷为辱。移是，今之人也，是蜩与学鸠同于同也。

[注释]

①黬（àn）：疵，黑痣。　②披然：纷纷然。移是：争论是非。　③腊：腊祭，古代十二月的祭祀。腹（pí）：牛胃。胲（gāi）：牛蹄。　④周：遍。寝庙：住所。　⑤偃：厕所。　⑥举：举例说明。　⑦乘：驾驭。　⑧果：真的。　⑨质：

主。　⑩节：节操。　⑪偿：殉。　⑫用：炫耀。　⑬彻：通达。

[译文]

脸上生了黑痣，人们纷纷争论它的是非。试谈谈是非之争的问题，但并非能够说得很清楚。尽管这样，却不能为一般人所理解。腊祭的祭品中有牛的内脏和四肢，这些东西本可以分开来放，但祭祀时却必须放在一起；参观宫室的人遍览庙堂寝室，无须去游观厕所，但厕所终究又不能不去。以上两个例子就是说明是非的问题。

请让我说说是非之争的问题。它是以个人的心性为本，以个人的认识为标准，凭着个人的认识驾驭是非；果真是名实的区别，便以自我为主；使别人以自己为节操的准则，而以死殉节。像这样，便以炫耀为智，以隐晦为愚。争论是非的，是现在的人，他们的见识如同蝉与小鸠一般。

蹍市人之足①，则辞以放骜②，兄则以妪③，大亲则已矣④。故曰，至礼有不人⑤，至义不物⑥，至知不谋，至仁无亲⑦，至信辟金⑧。

彻志之勃⑨，解心之谬⑩，去德之累，达道之塞。贵富显严名利六者，勃志也；容动色理气意六者，谬心也；恶欲喜怒哀乐六者，累德也；去就取与知能六者，塞道也。此四六者不荡胸中则正，正则静，静则明，明则虚，虚则无为而无不为也。道者，德之钦也；生者，德之光也；性者，生之质也。性之动，谓之为；为之伪，谓之失。知者，接也；知者，谟也；知者之

所不知，犹睆也。动以不得已之谓德，动无非我之谓
治，名相反而实相顺也。

[注释]

①蹍（niǎn）：踩踏。　②放骜（ào）：放纵妄动。
③妪：抚慰。　④大亲：父母。已矣：算了。　⑤不人：没有
内外之别。　⑥不物：没有物我之分。　⑦无亲：不分亲疏。
⑧辟：排除。　⑨彻：消解。勃：乱。　⑩谬：束缚。

[译文]

踩踏了市场上人的脚，就道歉说自己放肆，踩了兄弟就抚
慰一下，踩了父母则无须说什么。所以说，至礼没有内外之
别，至义没有物我之分，至智无须谋虑，至仁不分亲疏，至信
不用金钱为质。

消解意志的错乱，解除心灵的束缚，去掉德性的拖累，贯
通道的障碍。高贵、富有、显达、威严、名誉、利禄六者，错
乱意志；容貌、举动、颜色、情理、气息、情意六者，束缚心
灵；厌恶、欲望、欣喜、愤怒、悲哀、欢乐六者，拖累德性；
舍弃、依从、索取、给与、智慧、技能六者，是道的障碍。上
述四种六者不扰动心胸就能平正，平正就宁静，宁静就明澈，
明澈就空虚，空虚就能无为而无不为。道是德的主宰，生是德
的光辉，天性是生的本质。天性的活动，叫做为；为的虚伪，
称为失。智是与外界相接触，智是内心的谋虑；智所不能知，
就像斜视一样所见有限。不得已而动称为德，所做所为不是由
于我叫做治，名义上相反而实际上是相顺的。

羿工乎中微而拙于使人无己誉①；圣人工乎天而
拙乎人②。夫工乎天而倛乎人者③，唯全人能之④。唯
虫能虫⑤，唯虫能天⑥。全人恶天？恶人之天⑦？而况

吾天乎人乎！

一雀适羿，羿必得之，威也；以天下为之笼，则雀无所逃。是故汤以胞人笼伊尹⑧，秦穆公以五羊之皮笼百里奚。是故非以其所好笼之而可得者，无有也。

介者拸画⑨，外非誉也⑩；胥靡登高而不惧⑪，遗死生也。夫复谓不馈而忘人⑫，忘人，因以为天人矣。故敬之而不喜，侮之而不怒者，唯同乎天和者为然⑬。出怒不怒，则怒出于不怒矣；出为无为，则为出于无为矣。欲静则平气，欲神则顺心。有为也欲当，则缘于不得已。不得已之类，圣人之道。

[注释]

①工：善。中微：射中微小的目标。　②工乎天：善于顺应天然。拙乎人：不善于处理人事。　③俍（liáng）：善。　④全人：完美的人。　⑤唯虫能虫：只有鸟兽才能安于为鸟兽。　⑥能天：能顺乎天然。　⑦人之天：人为的天然。⑧胞：通庖，厨师。　⑨介者：单足人。拸（chǐ）：不拘法度。画：装饰。　⑩外非誉：已将毁誉置之度外。　⑪胥靡：罪犯。　⑫复谓（xí）：不馈，对别人对自己的馈赠不知回报。⑬同乎天和：合乎自然。

[译文]

羿善于射中微小的目标，而拙于使人不赞誉自己；圣人善于顺庆天然，而不善于处理人事。善于顺应天然而又善于处理人事，只有全人才能做到。只有鸟兽才能安于为鸟兽，只有鸟兽能顺乎天然。全人哪里知道天然？哪里知道人为的天然？何况是自己将天和人区分开来的！

一只鸟飞向羿，羿必定射中他，这是依靠他的威猛；如果把天下作为笼子，鸟就无处可逃了。所以，汤以厨师笼住了伊尹，秦穆公用 5 张羊皮笼住了百里奚。所以说不投其所好能笼络住的，是没有的。

　　残疾人放弃打扮，因为他已经把人们对他容貌的毁誉不放在心上了。罪犯登高而不惧怕，因为他已经把生死置之度外了。不知报答别人而忘己忘人，便达到了天人合一的境界。所以尊敬他而不欣喜，侮辱他也不愤怒，他已经完全和自然合为一体了。发怒而不怒，则怒出自于不怒；有为而无为，则为出自于无为。要心静就要平气，要安神就要顺心。有所为而要得当，就要顺乎于不得已。不得已的行为，就是圣人之道。

徐 无 鬼

　　徐无鬼因女商见魏武侯①，武侯劳之曰："先生病矣②！苦于山林之劳，故乃肯见于寡人。"

　　徐无鬼曰："我则劳于君，君有何劳于我！君将盈耆欲③，长好恶④，则性命之情病矣；君将黜耆欲⑤，掔好恶⑥，则耳目病矣。我将劳君，君有何劳于我！"武侯超然不对⑦。

　　少焉，徐无鬼曰："尝语君，吾相狗也。下之质⑧，执饱而止⑨，是狸德也⑩；中之质，若视日⑪；上之质，若亡其一⑫。吾相狗，又不若吾相马也。吾相马，直者中绳，曲者中钩，方者中矩，圆者中规。

是国马也⑬，而未若天下马也。天下马有成材⑭，若邮
若失⑮，若丧其一，若是者，超轶绝尘⑯，不知其所。"
武侯大悦而笑。

徐无鬼出，女商曰："先生独可以说吾君乎？吾所
以说吾君者，横说之则以《诗》、《书》、《礼》、《乐》，
从说之则以《金板》、《六弢》，奉事而大有功者不可为
数，而吾君未尝启齿。今先生何以说吾君，使吾君说
若此乎？"

徐无鬼曰："吾直告之吾相狗马耳。"

女商曰："若是乎？"

曰："子不闻夫越之流人乎？去国数日，见其所知
而喜；去国旬月，见其所尝见于国中者喜；及期年也，
见似人者而喜矣。不亦去人滋久，思人滋深乎？夫逃
虚空者，藜藋柱乎鼪鼬之径，踉位其空⑰，闻人足音
跫然而喜矣⑱，又况乎昆弟亲戚之謦欬其侧者乎⑲！久
矣夫，莫以真人之言謦欬吾君之侧乎！"

　　[注释]
　　①徐无鬼：隐士。女商：魏武侯的宠臣。　②病：困
苦。　③盈者欲：追求嗜欲的满足。　④长：增加。　⑤黜
(chù)：减损，抑制。　⑥掔（qiān）：通牵，引申为排除。
⑦超然：若有所失的样子。　⑨执饱而止：吃饱就满足了。
⑩狸德：狐狸的习性，指贪食。　⑪视日：凝视太阳，比喻看
得高远。　⑫若亡其一：好象忘了自己。　⑬国马：一国之好
马。　⑭成材：天生的无须训练的性能。　⑮邮：亡。　⑯超

轶（yì）：超越。 ⑰跟位其空：长久住在旷野。 ⑱茕（qióng）然：脚步声。 ⑲謦欬（qīng kài）：本指咳嗽，引申为言谈。

[译文]

徐无鬼由女商推荐去见魏武侯，武侯慰问他说："先生辛苦啊！山林的生活困苦不堪，所以你才肯来见我。"

徐无鬼说："我应该慰问你，你怎么却慰问我！你要追求嗜欲的满足，增加好恶之情，心性就受伤害；如果你要抑制嗜欲，弃除好恶，耳目就会无法忍受。我正要慰问你，你怎么却慰问我！"武侯若有所失而无法回答。

过了一会儿，徐无鬼说："我给你说说我的相狗术。下狗，吃饱了就心满意足，这是狐狸的习性；中等狗，看得高远；上等狗，好像忘了自身的存在。我的相狗术不如我的相马术。我相中的马，齿直如绳，项曲如钩，头方如矩，目圆如规。这是一国之好马，可是比不上全天下之好马。天下之好马天生优质，若亡若失，好像忘了自身存在。像这样的马，跑起来飞快，顷刻就无影无踪了。"武侯听了非常高兴，哈哈大笑。

徐无鬼出来，女商说："先生是怎么让君王高兴的？我取悦于君王的方法是，横讲《诗》、《书》、《礼》、《乐》，纵讲《金板》、《六弢》，所干的成功大事不计其数，而君王从未开口笑过。现在先生是怎样取悦于君王的，使君王高兴成这个样子？"

徐无鬼说："我只是给他讲了讲我的相狗术和相马术。"

女商说："是这样吗？"

徐无鬼说："你没有听说过越国那些被流放的人吗？离开国都几天，见了自己所认识的人就高兴；离开国都几十天，见了曾经在国都见过的人就高兴；离开一年，见了似乎认识的人就高兴。不就是与人离别愈久，思念之情愈深吗？那些逃到荒凉之地的人，周围野草丛生，连老鼠出没的路径都堵塞了，长久住在旷野，听到人的脚步声就很高兴，何况是兄弟亲戚在旁边谈笑呢！已经很久没有人用真人之言在君王身旁谈说了啊！"

　　徐无鬼见武侯，武侯曰："先生居山林，食芋栗，厌葱韭①，以宾寡人②，久矣夫！今老邪？其欲干酒肉之味邪③？其寡人亦有社稷之福邪？"

　　徐无鬼曰："无鬼生于贫贱，未尝敢饮食君之酒肉，将来劳君也。"

　　君曰："何哉！奚劳寡人？"

　　曰："劳君之神与形。"

　　武侯曰："何谓邪？"

　　徐无鬼曰："天地之养也一，登高不可以为长，居下不可以为短。君独为万乘之主，以苦一国之民，以养耳目鼻口，夫神者不自许也④。夫神者，好和而恶奸；夫奸，病也，故劳之。唯君所病之，何也？"

　　武侯曰："欲见先生久矣！吾欲爱民而为义偃兵，可乎？"

　　徐无鬼曰："不可。爱民，害民之始也；为义偃兵，造兵之本也。君自此为之，则殆不成。凡成美，恶器也。君虽为仁义，几且伪哉！形固造形⑤，成固有伐⑥，变固外战。君亦必无盛鹤列于丽谯之间⑦，无徒骥于锱坛之宫⑧，无藏逆于得，无以巧胜人，无以谋胜人，无以战胜人。夫杀人之士民，兼人之土地，以养吾私与吾神者，其战不知孰善？胜之恶乎在？君若勿已矣，修胸中之诚，以应天地之情而勿撄。夫民死已脱矣，君将恶乎用夫偃兵哉！"

[注释]

①厌：饱食。　②宾：通摈，弃。　③干：求。酒肉之味：指官禄。　④神：心神。自许：自得。　⑤形：形势。造：导致。　⑥伐：夸耀。　⑦盛：陈列。鹤列：军阵名，借指军队。丽谯（qiáo）：城楼。　⑧徒：步兵。骥：骑兵。锱坛：宫名。

[译文]

徐无鬼去见魏武侯，武侯说："先生住在山林里，食野果，吃野菜，躲避寡人已经很久了！现在老了吧？是想求官禄吗？果真这样那就是寡人和国家的福气了！"

徐无鬼说："我出身贫贱，从未敢想谋求官禄，我是来慰问你的。"

武侯说："为什么！如何慰问我？"

徐无鬼说："慰问你的心神和形体。"

武侯说："从何说起呢？"

徐无鬼说："天地对万物的养育是一视同仁的，身居高位的不可自以为尊贵，处于下层的也不必自以为低贱。你独为万乘之主，劳苦一国的人民，以供养你享受，心神却自感不舒服。心神喜欢平和而厌恶奸邪；奸邪导致生病，所以来慰问。你得病的原因是什么呢？"

武侯说："我想见到先生已经很久了！我想爱民而为仁义停止战争，可以吗？"

徐无鬼说："不可以。爱民，是害民的开始；为仁义而停止战争，是产生战争的根源。你从这里入手，恐怕不会成功。凡是建立美名的，都是凶器。你虽然实行仁义，但却近乎虚伪。一种情势必然会导致另一种情势，两种对立的情势形成后必然会各自夸耀，情势的进一步变化必然会引起战争。你也决不要陈重兵在城下，不要集结兵骑在宫前，不要藏有贪心，不要用智巧去胜人，不要用谋略去胜人，不要用战争去胜人。屠杀别国的人民，兼并他人的土地，用来奉养自己的私欲和心神，这种战争有什么好处？胜利究竟表现在哪里？你如不愿无为而想做些什么，那就修养内心的真诚，顺应自然而不兴事扰民。人民已经免除了死亡之灾，你哪里还需要有意去停止战争！"

　　黄帝将见大隗乎具茨之山①，方明为御②，昌寓骖乘③，张若、謵朋前马④，昆阍、滑稽后车⑤。至于襄城之野，七圣皆迷，无所问涂。

　　适遇牧马童子，问涂焉，曰："若知具茨之山乎？"曰："然。""若知大隗之所存乎？"曰："然。"

　　黄帝曰："异哉小童！非徒知具茨之山，又知大隗之所存。请问为天下。"

　　小童曰："夫为天下者，亦若此而已矣，又奚事焉？予少而自游于六合之内，予适有瞀病⑥，有长者教予曰：'若乘日之车而游于襄城之野。'今予病少痊，予又且复游于六合之外。夫为天下亦若此而已。予又奚事焉！"

黄帝曰："夫为天下者，则诚非吾子之事。虽然，请问为天下。"小童辞。

黄帝又问。小童曰："夫为天下者，亦奚以异乎牧马者哉！亦去其害马者而已矣！"

黄帝再拜稽首，称天师而退⑦。

[注释]

①大隗（wěi）：大道，一说是古时候的圣人。具茨：山名，在今河南省境内。　②方明：虚拟的人名。　③昌寓（yù）：虚拟的人名。骖乘：随车侍卫。　④张若、谐（xí）朋：虚拟的人名。前马：向导。　⑤昆阍、滑稽：虚拟的人名。后车：车后随从。　⑥眊（mào）：眼花。　⑦天师：天道之师。

[译文]

黄帝要去具茨山上拜见大隗，方明驾车，昌寓侍卫，张若、谐朋前导，昆阍、滑稽殿后。行至襄城的野外，这七个圣人都迷失了方向，无从问路。

正好遇到一位牧马童子，于是向他问路："你知道具茨山吗？"回答说："知道。"又问："你知道大隗在什么地方吗？"回答说："知道。"

黄帝说："小童真是奇异！不仅知道具茨山，还知道大隗的所在。请问如何治理天下。"

小童说："治理天下，也像这样就行了，又何必生事呢！我小时候自己遨游于天地四方，我当时有目眩症，有位长者教我说：'你乘着太阳遨游于襄城的原野。'现在我的病稍有好转，我又遨游于天地四方之外。治理天下也像这样就行了。我又何必生事呢！"

黄帝说："治理天下，的确不是你的事。尽管如此，还是请你谈谈如何治理天下。"小童不答话。

　　黄帝又问。小童说："治理天下，和牧马没有什么两样！除掉害群之马就行了！"

　　黄帝叩头拜谢，称他为天师而告退。

　　知士无思虑之变则不乐，辩士无谈说之序则不乐①，察士无凌谇之事则不乐②，皆囿于物者也③。

　　招世之士兴朝④，中民之士荣官⑤，筋力之士矜难⑥，勇敢之士奋患⑦，兵革之士乐战，枯槁之士宿名⑧，法律之士广治⑨，礼教之士敬容⑩，仁义之士贵际⑪。农夫无草莱之事则不比⑫，商贾无市井之事则不比⑬。庶人有旦暮之业则劝⑭，百工有器械之巧则壮⑮。钱财不积则贪者忧，权势不尤则夸者悲⑯。势物之徒乐变⑰，遭时有所用，不能无为也。此皆顺比于岁⑱，不物于易者也⑲。驰其形性⑳，潜之万物㉑，终身不反㉒，悲夫！

[注释]

　　①序：层次，逻辑性。　②察士：以名察见长的人。凌谇（suī）：言辞尖锐。　③囿：局限，束缚。　④招世之士：以呼民救世为己任的人。兴朝：使朝政振兴。　⑤中民：理民，统治人民。荣官：以官爵为显荣。　⑥筋力之士：大力士，壮士。矜难：以能解救危难而自豪。　⑦奋患：奋身除患。　⑧枯槁之士：隐士。宿名：保持自己的名声。　⑨广治：扩充统治的地盘。　⑩敬客：注重仪容。　⑪贵际：重视

交际。　⑫草莱之事：开荒耕种。　⑬市井之事：指买卖、经
商。　⑭旦暮之业：日常的工作。　⑮壮：气壮，自豪。
⑯尤：出众。　⑰势物之徒：追求权利的人。　⑱顺比于岁：
投合于一时。　⑲不物于易：不为外物所牵累。　⑳形性：身
心。　㉑不反：执迷不悟。　㉒不反：执迷不悟。

[译文]

　　智谋之士喜欢思虑多变，善辩之士喜欢言谈的逻辑有序，
明察之士喜欢言辞尖锐，他们都被外在事物所束缚。

　　呼民救世之士使朝政振兴，为官者以官爵为显荣，壮士以
能解危而自豪，勇敢之士奋发除患，战士热衷于征战，山林隐
士注意保持自己的名节，以法治国的人热衷于扩大权力，礼教
之士注重仪容，仁义之士重视交际。农夫没有耕作之事就心神
不安，商贾没有买卖之事就不舒坦。普通人有日常工作就勤奋
努力，工匠手艺高超就感到自豪。贪财的人不能积聚钱财就会
忧虑，自吹自擂的人权小位卑时就自感悲哀。追求权利的人喜
欢世事多变，遇到机会就有用武之地，不甘于默默无为。这些
人都是投合一时，被外物所牵累。他们逐时俯仰，沉弱于外
物，终生执迷不悟，可悲啊！

　　　庄子曰："射者非前期而中①，谓之善射，天下皆
羿也，可乎？"

　　　惠子曰："可。"

　　　庄子曰："天下非有公是也②，而各是其所是，天
下皆尧也，可乎？"

　　　惠子曰："可。"

庄子曰:"然则儒墨杨秉四③,与夫子为五,果孰是邪?或者若鲁遽者邪④?其弟子曰:'我得夫子之道矣!吾能冬爨鼎而夏造冰矣。'鲁遽曰:'是直以阳召阳,以阴召阴,非吾所谓道也。吾示子乎吾道。'于是为之调瑟,废一于堂⑤,废一于室,鼓宫宫动,鼓角角动,音律同矣。夫或改调一弦,于五音无当也⑥,鼓之,二十五弦皆动,未始异于声而音之君已。且若是者邪?"

惠子曰:"今夫儒墨杨秉,且方与我以辩,相拂以辞⑦,相镇以声,而未始吾非也,则奚若矣?"

庄子曰:"齐人蹢子于宋者⑧,其命阍也不以完⑨,其求钘钟也以束缚⑩,其求唐子也而未始出域⑪,有遗类矣⑫!夫楚人寄而蹢阍者,夜半于无人之时而与舟人斗,未始离于岑而足以造于怨也⑬。"

[注释]

①前期:预定目标。 ②公是:公认的是非标准,公理。 ③杨:杨朱。秉:公孙龙的字。 ④鲁遽:周初人,事迹不详。 ⑤废:置,放。 ⑥无当:不合。 ⑦相拂以辞:用语言相反驳。 ⑧蹢(zhí):投。 ⑨阍:守门人。 ⑩钘(xíng):乐器,形状像钟。 ⑪唐:失。 ⑫遗类:违反常理。 ⑬岑(cén):岸。造于怨:结怨。

[译文]

庄子说:"射箭的人没有预定目标,随便射中哪里都算是中,这样称得上是善射的话,那么天下的人都可以称为羿,可以这么说吗?"

惠子说："可以。"

庄子说："天下没有公认的是非标准，各自以主观标准为标准，那么每个人都可以称为尧，可以这么说吗？"

惠子说："可以。"

庄子说："那么，儒、墨、杨朱、公孙龙四家，加上先生共五家，究竟谁对呢？或者像鲁遽那样吗？他的弟子说：'我得到先生的道了！我能冬天烧鼎夏天造冰了。'鲁遽说：'这只是以阳气召阳气，以阴气召阴气，而不是我所说的道。我给你演示一下我的道。'于是调整瑟弦，放一张在堂上，另放一张在室内，弹这把瑟的宫音另一把瑟的宫音应和，弹这把瑟的角音另一把瑟的角音应和，音律相同。如果调整一弦的调，与五音不合，再弹奏，二十五根弦全都起共鸣，音调并没有什么不同，可以称得上是众音的君主。你也像这样吗？"

惠子说："现在儒、墨、杨朱、公孙龙四家，正在和我辩论，用言语相反驳，用名声相压制，而我并没有错，这该怎么说呢？"

庄子说："齐人把儿子放在宋国，让他像残废者一样做守门人，他有一个小钟包扎起来，惟恐破损，有人寻找丢失的儿子却不出门，这些都是违反常理的！楚人寄居在别人家里却顶撞看门人，半夜里在无人之际又和船夫打斗，船还没有离岸却已经造成了仇怨。"

庄子送葬，过惠子之墓，顾谓从者曰："郢人垩慢其鼻端若蝇翼①，使匠石斫之②。匠石运斤成风③，听而斫之④，尽垩而鼻不伤⑤，郢人立不失容⑥。宋元君闻之，召匠石曰：'尝试为寡人为之。'匠石曰：'臣则尝能斫之。虽然，臣之质死久矣⑦。'自夫子之死也⑧，吾无以为质矣，吾无与言之矣。"

[注释]

①郢（yǐng）：楚国国都。垩（è）：石灰。　②匠石：工匠名。斫（zhuó）：削。　③运：挥动。斤：斧。　④听：任意。　⑤尽垩：把石灰全削净。　⑥不失容：脸不变色。⑦质：对手。　⑧夫子：指惠子。

[译文]

庄子送葬，经过惠子的坟墓，回过头来对跟随他的人说："郢人在鼻尖上涂了如蝇翼一般薄薄一层石灰，让匠石替他削掉。匠石飞快地挥动斧子，漫不经心地劈削下去，削净了石灰而鼻子完好无损，郢人站在那里面不改色。宋元君听说了这件事，把匠石找来说：'给我试试看。'匠石说：'我过去能削。但是，我的对手早已死了。'自从先生死后，我没有对手了，我没有谈论的对象了。"

管仲有病，桓公问之曰："仲父之病病矣①，可不讳云？至于大病②，则寡人恶乎属国而可③？"

管仲曰："公谁欲与？"

公曰："鲍叔牙④。"

曰："不可。其为人洁廉，善士也；其于不己若者不比之⑤；又一闻人之过，终身不忘。使之治国，上且钩乎君⑥，下且逆乎民。其得罪于君也，将弗久矣！"

公曰："然则孰可？"

对曰：“勿已，则隰朋可。其为人也，上忘而下畔⑦，愧不若黄帝而哀不己若者。以德分人谓之圣，以财分人谓之贤。以贤临人，未有得人者也；以贤下人，未有不得人者也。其于国有不闻也⑧，其于家有不见也⑨。勿已，则隰朋可。”

[注释]

①病矣：病危了。　②大病：死。　③属国：委任国政。　④鲍叔牙：齐国贤臣。　⑤不己若者：不如自己的。⑥钩：曲，违背。　⑦上忘：在上不自高自大。下畔：对下亲善。　⑧不闻：不干预。　⑨不见：不细察。

[译文]

管仲得了病，齐桓公问他说：“您的病已经很重了，还有什么不能说吗？您一旦去世，我把国政托付给谁好呢？”

管仲说：“您打算托付给谁？”

桓公说：“鲍叔牙。”

管仲说：“不可以。他为人廉洁，是一位善士；他对于不如他的人就不亲近，他一听到别人的过错，便终身不忘。让他治理国家，对上违背国君，对下违逆民意。他得罪国君不会长久了。”

桓公说：“那么谁可以呢？”

管仲说：“实在不行的话，隰朋可以。他的为人，在上不自高自大而对下亲善，他自愧不如黄帝而怜爱不如他的人。以德施人称为圣，以财施人称为贤。以贤能居高临下地待人，没有能得人心的；以贤能谦虚待人，没有不得人心的。他对于国事不横加干预，对于家事不细察苛求。实在不行的话，隰朋可以。”

　　吴王浮于江，登乎狙之山。众狙见之，恂然弃而走，逃于深蓁①，有一狙焉，委蛇攫搔②，见巧乎王。王射之，敏给搏捷矢。王命相者趋射之，狙执死。

　　王顾谓其友颜不疑曰："之狙也，伐其巧，恃其便以敖予，以至此殛也！戒之哉！嗟乎，无以汝色骄人哉！"颜不疑归而师董梧，以锄其色，去乐辞显，三年而国人称之。

[注释]

　　①深蓁（zhēn）：荆赖丛。　②攫（jué）：搏。搔（zǎo）：抓。

[译文]

　　吴王渡过长江，登上狝猴山。群猴看到人，惊慌失措地奔跑，逃入荆棘丛中。有一只狝猴，跳来跳去，向吴王显示它的灵巧。吴王射它，它敏捷地接住箭。吴王命随从急射，狝猴遂被射死。

　　吴王回过头对他的朋友颜不疑说："这只狝猴，夸耀它灵巧，它依仗敏捷傲视我，落了丧命的下场！要引以为戒啊！唉，不要以骄横的态度待人啊！"颜不疑回去便拜董梧为师，改掉骄傲的毛病，抛弃奢侈而辞谢荣华，三年之后国人更称颂他。

　　南伯子綦隐几而坐，仰天而嘘。颜成子入见曰："夫子，物之尤也①。形固可使若槁骸，心固可使若死灰乎？"

曰："吾尝居山穴之中矣。当是时也，田禾一睹我而齐国之众三贺之②。我必先之③，彼故知之；我必卖之④，彼故鬻之⑤。若我而不有之，彼恶得而知之？若我而不卖之，彼恶得而鬻之？嗟乎！我悲人之自丧者，吾又悲夫悲人者，吾又悲夫悲人之悲者，其后而日远矣⑥。"

[注释]

①尤：出类拔萃。　②田和：齐太公之名。　③我必先之：我名声在先。　④卖之：出卖名声。　⑤鬻（yù）：贩卖。⑥日远：一天天地远离。

[译文]

南伯子綦靠着几案而坐，仰起头来嘘气。颜成子走进来说："先生是出类拔萃者。形体乃可以变成枯骨一般，心灵可以变成死灰一样吗？"

南伯子綦说："我曾经隐居在山洞中。在那个时候，田禾一来看我，齐国的民众便再三地祝贺他。我必定先有名声，他才知道；我必定名声外扬，他才来找我。如果我没有名声，他怎么会知道呢？如果我名声不外扬，他怎么会来找我呢？唉！我悲哀那些丧失自己天性的人，我悲怜那些悲伤别人的人，我又悲怜人的自我迷失，我又悲伤那悲伤人的悲伤。随后一天天地远离那些可悲者，终于达到了寂莫无为的境界。

仲尼之楚，楚王觞之①，孙叔敖执爵而立②，市南宜僚受酒而祭，曰："古之人乎！于此言已。"

曰："丘也闻不言之言矣③，未之尝言，于此乎言之。市南宜僚弄丸而两家之难解④，孙叔敖甘寝秉羽而郢人投兵⑤。丘愿有喙三尺⑥。"

彼之谓不道之道⑦，此之谓不言之辩⑧，故德总乎道之所一。而言休乎知之所不知，至矣。道之所一者，德不能同也；知之所不能知者，辩不能举也；名若儒墨而凶矣⑨。故海不辞东流，大之至也；圣人并包天地，泽及天下，而不知其谁氏。是故生无爵，死无谥⑩，实不聚，名不立，此之谓大人。狗不以善吠为良，人不以善言为贤，而况为大乎！夫为大不足以为大，而况为德乎！夫人备矣，莫若天地；然奚求焉，而大备矣。知大备者，无求，无失，无弃，不以物易己也。反己而不穷，循古而不摩⑪，大人之诚。

[注释]

①觞（shàng）：本为牛角杯，此借为酒，用酒招待。②孙叔敖：楚庄王时的执政卿，当时孔子还没有出世，两个人不可能聚会，这里所讲的是寓言，并非史实。　③不言之言：无言的言论，指关于道的理论。　④弄丸：玩球。　⑤甘寝：安寝。　⑥愿有喙三尺：希望有像 3 尺长的鸟嘴那样的嘴巴。⑨凶：危险。⑩谥（shì）：古代君王和贵族死后，根据他的一生作为评定一个封号，称为谥号。⑪摩：灭。

[译文]

孔子到楚国，楚王设酒宴请他，孙叔敖手持酒器站立着，市南宜僚接过酒祝祭说："古时候的人啊！在这种场合发表议论。"

孔子说："我听过无言的言论，还没有说过，就在这里讲

一讲。市南宜僚因玩球而免除了卷入两家灾难的危险，孙叔敖
高枕逍遥而使楚国偃兵息武。我没有那么多话可说。"

　　市南宜僚和孙叔敖可称之为无为之道，孔子可称之可不言
之辩，所以德是统属于道的。智力无法掌握的就不去说它，就
是最好的。道所同一的，德无法与之相等；智力所不能掌握
的，就不能辩举；像儒墨那样以名声相标榜是危险的。所以，
大海不拒绝东流入海的水流，广大至极；圣人包容天地，恩泽
广被天下，而名声不为人知。因此生前没有爵位，死后没有谥
号，不聚敛钱财，不树立名声，这就是大人。狗不因为会叫就
是良狗，人不因为能说就是贤才，何况成就大业呢！成就大业
不足以伟大，何况修养道德呢！最能体现大的，莫过于天地；
天地体现了大，所以无须追求什么。最具有智慧的，无所追
求，无所丧失，无所舍弃，不因外物而改变自己的天性。无止
境地反求于自己，遵循古之大道而永不停息，这就是大人纯正
的品性。

　　　子綦有八子①，陈诸前②，召九方歅曰③："为我
相吾子，孰为祥？"

　　九方歅曰："梱也为祥④。"

　　子綦瞿然喜曰⑤："奚若？"

　　曰："梱也，将与国君同食以终其身。"

　　子綦索然出涕曰⑥："吾子何为以至于是极也⑦！"

　　九方歅曰："夫与国君同食，泽及三族，而况父母
乎！今夫子闻之而泣，是御福也。子则祥矣，父则不
祥。"

子綦曰：“歆，汝何足以识之，而梱祥邪？尽于酒肉，入于鼻口矣，而何足以知其所自来？吾未尝为牧而牂生于奥⑧，未尝好田而鹑生于宎⑨，若勿怪，何邪？吾所与吾子游者，游于天地。吾与之邀乐于天，吾与之邀食于地；吾不与之为事，不与之为谋，不与之为怪。吾与之乘天地之诚而不以物与之相撄⑩，吾与之一委蛇而不与之为事所宜⑪。今也然有世俗之偿焉⑫！凡有怪征者，必有怪行，殆乎！非我与吾子之罪，几天与之也⑬！吾是以泣也。”

无几何而使梱之于燕，盗得之于道，全而鬻之则难，不若刖之则易，于是乎刖而鬻之于齐，适当渠公之街⑭，然身食肉而终。

[注释]

①子綦：即上文的南伯子綦。　②陈：列队。　③九方歆（yīn）：相传是秦穆公时人，善看相。　④梱（kǔn）：子綦子名。　⑤瞿然：惊喜的样子。　⑥索然：流泪的样子。⑦是极：这般境地。　⑧牂（zāng）：母羊。奥：房子里的西南角。⑨宎（yāo）：房子里的东北角。　⑩乘天地之诚：顺天地之自然。　⑪宜：合。　⑫今也然：现在却。　⑬几：大概。　⑭当渠公之街：替渠公管街道。

[译文]

子綦有八个儿子，列队站在面前，叫来九方歆说：“为我儿子看看相，看谁有福？”

九方歆说：“梱有福。”

子綦惊喜地说：“会怎么样呢？”

九方歂说："梱将会与国君享受同样的饮食以至终身。"

子綦黯然落泪说："我的儿子为什么会到这般境地？"

九方歂说："与国君同食，恩泽被及三族，何况父母呢！现在先生听到却哭，这是拒绝福气。儿子有福，父亲却没有福。"

子綦说："歂，你怎么知道梱有福呢？你只知道酒肉入于鼻口，而不知道它的来历！我没有放牧而屋里却生出羊来，没有打猎而屋里却生出鹌鹑来，你对此不感到奇怪，为什么呢？我与我的儿子遨游，游于天地。我与他同乐于天，我与他求食于地。我与他不求事业，不图谋虑，不立怪异。我与他顺天地之自然而不使他受外物困扰，我与他循任自然而不使他被外事所牵制。现在却有了世俗的报答！凡有怪异的征兆，必有怪异的行为表现，危险啊！这不是我和儿子的罪过，大概是天的惩罚！我因此而哭泣。"

不久梱被派去出使燕国，途中被强盗掳获，强盗觉得身体健全不好卖掉，不如砍掉脚容易卖，于是将他的脚砍掉卖到齐国，正好替渠公看管街道，而终身食肉。

　　啮缺遇许由，曰："子将奚之？"

　　曰："将逃尧。"

　　曰："奚谓邪？"

　　曰："夫尧，畜畜然仁[1]，吾恐其为天下笑。后世其人与人相食与！夫民，不难聚也，爱之则亲，利之则至，誉之则劝，致其所恶则散。爱利出乎仁义，捐仁义者寡[2]，利仁义者众。夫仁义之行，唯且无诚，且假乎禽贪者器③。是以一人之断制利天下④，譬之犹一撖也⑤。夫尧知贤人之利天下也，而不知其贼天下也⑥，夫唯外乎贤者知之矣⑦。"

[注释]

①畜畜然：不断追求的样子。　②捐：抛弃。　③禽贪者器：贪求者的工具。　④断制：独裁。　⑤一撇（piē）：一刀切。　⑥贼：害。　⑦外乎贤者：无心做贤人的人。

[译文]

啮缺遇见许由，问："你要去哪里？"

许由说："逃避尧。"

啮缺问："为什么呢？"

许由说："尧不断追求仁义，我担心他被天下人嘲笑。后世岂不要人与人相残食了吗！民众不难笼络，爱他们就亲近，施利就来，称赞他们就努力，给他们所厌恶的就离散。爱和利出于仁义，抛弃仁义的少，利用仁义的多。仁义的行为，不但虚伪，而且还会成为贪求者利用的工具。这是用一个人的独裁取利于天下，如同用一刀切。尧只知道贤人有利于天下，而不知道他们对天下的危害，只有无心做贤人的人才知道。"

有暖姝者①，有濡需者②，有卷娄者③。

所谓暖姝者，学一先生之言，则暖暖姝姝而私自说也，自以为足矣，而未知未始有物也。是以谓暖姝者也。

濡需者，豕虱是也，择疏鬣长毛自以为广宫大囿，奎蹄曲隈④，乳间股脚，自以为安室利处，不知屠者之一旦鼓臂布草操烟火，而己与豕俱焦也。此以域进，此以域退，此其所谓濡需者也。

卷娄者，舜也。羊肉不慕蚁，蚁慕羊肉，羊肉膻也。舜有膻行，百姓悦之，故三徙成都，至邓之虚而十有万家。尧闻舜之贤，举之童土之地⑤，曰冀得其来之泽。舜举乎童土之地，年齿长矣，聪明衰矣，而不得休归，所谓卷娄者也。

是以神人恶众至⑥，众至则不比，不比则不利也。故无所甚亲，无所甚疏，抱德炀和⑦，以顺天下，此谓真人。于蚁弃知，于鱼得计，于羊弃意。

以目视目，以耳听耳，以心复心。若然者，其平也绳，其变也循。古之真人，以天待人，不以人入天。古之真人，得之也生，失之也死；得之也死，失之也生。

[注释]

①暖姝（shū）：沾沾自喜的样子。 ②濡（rú）需：偷安一时的样子。 ③卷娄：劳形自苦。 ④奎：两腿之间。蹏：即蹄字。曲隈：深曲处，这里指猪身上的隐蔽皱折处。 ⑤童土：不长草木之地。 ⑥众至：来归附的人多。 ⑦炀（yáng）和：温和，不冷不热。

[译文]

有沾沾自喜的，有偷安一时的，有劳形自苦的。

所谓沾沾自喜的，只学一家之言，就洋洋得意，自以为饱学，实则一无所获。这就叫沾沾自喜。

偷安一时的，就像猪身上的虱子，选择猪毛疏长之处，自以为是宽广的宫殿范围，寄吞于蹄边胯下和乳腹股脚之间，自以为是安居的好地方，没想到屠夫一旦举臂放草拿火把，自己与猪一同被烧焦。将进退都局限在像猪身上一样的狭隘范围内，这就是所谓的偷安一时。

劳形自苦的，就像舜一样。羊肉不爱蚂蚁，但蚂蚁爱羊肉，这是因为羊肉有膻味的缘故。舜的行为有膻味，百姓喜欢他，所以三次迁移形成了都邑，到邓地时追随他的百姓已有十几万家。尧听说舜贤能，就把他从荒野提拔起来，说是希望得到他带来的恩泽。舜被从荒野提拔起来，年龄大了，智力衰退，却不能退居家中休息，这就是所谓的劳形自苦。

因此，神人讨厌来归附的人多，人多就不可能都亲近，不亲近就会生祸害而有所不利。所以不过分亲近，不过分疏远，坚守天德而温和，以顺应天下，这就叫真人。对蚂蚁来说应该抛弃爱羊肉的心智，对鱼来说要得水适意，对羊来说要剔除吸引他物的意念。

用眼睛看眼睛所能看见的，用耳朵听耳朵所能听见的，用心灵领会心灵所能领会的。如果这样，就会平直如绳，变化顺乎自然。古时候的真人，以天道对待人事，不用人事去干预自然的天道。古时候的真人得失听其自然，以得为生，以失为死；以得为死，以失为生。

药也，其实堇也①，桔梗也，鸡癕也②，豕零也③，是时为帝者也④，何可胜言！

句践也以甲楯三千栖于会稽⑤，唯种也能知亡之所以存⑥，唯种也不知其身之所以愁。故曰，鸱目有所适⑦，鹤胫有所节⑧，解之也悲⑨。

故曰，风之过，河也有损焉；日之过，河也有损焉。请只风与日相与守河⑩，而河以为未始其撄也，恃源而往者也。故水之守土也审⑪，影之守人也审，物之守物也审。

故目之于明也殆，耳之于聪也殆，心之于殉也殆⑫。凡能其于府也殆⑬，殆之成也不给改⑭。祸之长也兹萃⑮，其反也缘功⑯，其果也待久⑰。而人以为己宝，不亦悲乎！故有亡国戮民无已，不知问是也⑱。

故足之于地也践，虽践，恃其所不蹍而后善博也⑲；人之于知也少，虽少，恃其所不知而后知天之所谓也。知大一⑳，知大阴㉑，知大目㉒，知大均㉓，知大方㉔，知大信㉕，知大定㉖，至矣！大一通之，大阴解之，大目视之，大钧缘之㉗，大方体之㉘，大信稽之㉙，大定持之㉚，尽有天㉛，循有照㉜，冥有枢㉝，始有彼㉞，则其解之也似不解之者，其知之也似不知之也，不知而后知之。其问之也，不可以有崖㉟，而不可以无崖。颉滑有实㊱，古今不代㊲，而不可以亏，则可不谓有大扬推乎㊳，阖不亦问是已㊴，奚惑然为！以不惑解惑，复于不惑，是尚大不惑。

[注释]

①堇（jǐn）：药名，又叫紫堇。　②鸡雍（yōng）：鸡头草。　③豕零：猪苓。　④帝：主要，贵重。　⑤句（gōu）践：春秋时越国国君。会稽（kuài jī）：山名，在今浙江绍兴一带。　⑥种：即文种，为越王句践的谋臣，辅佐句践灭吴，后

被句践所杀。　⑦适：适用。　⑧节：度，分寸。　⑨解：割断。　⑩相与守河：同时对着河水吹晒。　⑪审：宁静。　⑫殉：追逐。⑬府：心脏。　⑭不给改：不及改。　⑮兹萃：增长愈多。　⑯缘：由。功：功夫。　⑰果：有成效。⑱问：探求。　⑲蹍（niǎn）：踩。　⑳大一：绝对的同一。㉑大阴：极端的宁静。　㉒大目：大道的观点。　㉓大均：绝对平均。　㉔大方：大道的度量。　㉕大信：真实之理。㉖大定：绝对的安定。　㉗缘：顺。　㉘体：体现。　㉙稽：稽核。　㉚持：守。　㉛尽有天：万物都有自然。　㉜循：遵循。　㉝冥：幽昧。㉞彼：指道。　㉟崖：通涯，边际。㊱颉（xié）滑：错综复杂。　㊲代：变换。　㊳扬搉（què）：粗略法度，大体轮廓。　㊴阖（hé）：通盍，何。

[译文]

譬如药材，像紫堇、桔梗、鸡头草、猪苓这些草药，急需的时候就贵重，贵贱无定，怎么能说得清呢！

勾践仅剩下3000兵卒困守在会稽山上，只有文种能知道在败亡中图生存，也只有文种不知道自身的祸患。所以说，猫头鹰的眼睛有所适用，鹤的腿是有一定分寸的，如果截短就可悲。

所以说，风吹过，河水就有损；太阳晒过，河水也有损。若是风和太阳同时对着河水吹晒，河水却未曾受损，这是由于靠着水源不断流入的缘故。所以，水守住了土就平静，影子守住了人就安宁，物守住了他物融合不离。

所以，眼睛过于明察，耳朵过于灵敏，心神过分逐物，这样都是危险的。凡是才能都要费心神，这对于心脏来说是危险的，造成了危害就来不及挽救了。祸害迅速滋长而又多端，要回头就得经过下苦功，有成效就需要旷日持久。而人们却把目明、耳聪、才能之类视为自己的宝贝，岂不是太可悲了吗？所以，灭国杀人的事件层出不穷，却不知道从这里寻找原因。

　　脚所踩的地方不大，虽然不大，但要凭靠周围没有踩的地方才能走得远；人所知很少，虽然少，但要凭靠所不知的才会知道天所表现的自然之道。知绝对的同一，知极端的宁静，知大道的观点，知绝对的平均，知大道的度量，知真实之理，知绝对安定，就达到了最高的境界。绝对的同一来贯通，极端的宁静来解化，大道的观点来明察，绝对的平均来顺随，大道的度量来体现，真实之理来稽核，绝对的安定来持守。

　　万物之中有自然，循任之际有光明，幽冥之中有枢机，初始之际有彼端。在这种境地中，解悟了好像没有解悟一样，知道了好像不知道一样，不知道然后才能知道。追问它，不可以有边际，也不可以没有边际。错综复杂中有核心，古今不变，而不可以亏损，难道不可以说它有大体轮廓吗？为什么不探求它，而又疑惑呢！以不惑解惑，返归于不惑，这就是所崇高的大不惑。

则　阳

　　则阳游于楚①，夷节言之于王②，王未之见，夷节归。

　　彭阳见王果曰③："夫子何不谭我于王④？"

　　王果曰："我不若公阅休⑤。"

　　彭阳曰："公阅休奚为者邪？"

　　曰："冬则擉鳖于江⑥，夏则休乎山樊⑦。有过而问者，曰：'此予宅也。'夫夷节已不能，而况我乎！吾又不若夷节。夫夷节之为人也，无德而有知，不自许⑧，以之神其交⑨，固颠冥乎富贵之地⑩，非相助以德，相助消也⑪。夫冻者假衣于春，喝者反冬乎冷风⑫。夫楚王之为人也，形尊而严；其于罪也，无赦如虎；非夫佞人正德⑬，其孰能桡焉⑭！故圣人其穷也，使家人忘其贫；其达也，使王公忘爵禄而化卑⑮。其于物也，与之为娱矣；其于人也，乐物之通而保己焉。故或不言而饮人以和，与人并立而使人化⑯，父子之宜。彼其乎归居，而一闲其所施。其于人心者若是其远也。故曰待公阅休。"

[注释]

①则阳：即彭阳，字则阳，鲁国人。　②夷节：楚国大夫。　③王果：楚臣。　④谭：通谈，介绍。　⑤公阅休：隐士。　⑥擉（chuō）：通戳，刺。　⑦山樊：山傍。　⑧不自许：投机取巧。　⑨神：神通。　⑩颠冥：沉溺。　⑪消：丧失。　⑫喝（yē）：中暑。　⑬佞人：有才干的人。正德：有纯正的道德。　⑭桡：通挠，屈服。　⑮化卑：变得卑谦。⑯化：感化。

[译文]

则阳到楚国游说，夷节将他推荐给楚王，楚王不接见，夷节就回去了。

彭阳见到王果，说："先生为什么不把我介绍给楚王?"

王果说："我不如公阅休。"

彭阳说："公阅休是干什么的?"

王果说："他冬天在长江刺鳖，夏天在山旁休息。过路的人问他，他说：'这里是我的住宅。'夷节的推荐都不行，何况我呢！我还不如夷节。夷节的为人，没有德而有智，投机取巧，在交际场上广显神通，沉溺在富贵场中，他不是从道德上帮助别人，而是使人丧德。受冻的人总想借助温暖的春天而如得寒衣一般，酷热难熬的人总希望能得到冬天的冷风。楚王的为人，仪表尊贵而威严；对于犯罪的人，凶猛如虎从不赦免；如果不是有才干或道德纯正的人，谁能说服他！所以，圣人在穷困的时候，使家人忘记贫寒；在通达的时候，使王公贵族忘记爵禄而变得卑谦。他对于物，和谐共处；他对于人，乐于沟通，而又不丧失自己的本性。他广施不言之教，以和顺的态度待人，与人共处能使人感化，如同父亲对儿子的影响一样。他返归山林隐居，以清静无为的处世态度对待一切。他与常人的心性迥然不同，相去甚远。所以说要等待公阅休。"

　　圣人达绸缪①，周尽一体矣②，而不知其然，性也。复命摇作而以矢为师③，人则从而命之也④。忧乎知，而所行恒无几时，其有止也，若之何！

　　生而美者，人与之鉴，不告则不知其美于人也。若知之，若不知之，若闻之，若不闻之，其可喜也终无已，人之好之亦无已，性也。圣人之爱人也，人与人名，不告则不知其爱人也。若知之，若不知之，若闻之，若不闻之，其爱人也终无已，人之安之亦无已，性也。

[注释]

①达：通。绸缪（móu）：纠葛。　②周尽一体：调和得非常周全。　③复命：静。摇作：动。以天为师：以顺任自然为原则。　④命：名，称呼。

[译文]

圣人化解矛盾纠葛，调和得非常周全，却不知道其中的原委，这是出于天性。静动都以顺任自然为原则，人们仰慕他而称之为圣人。为自己所知的事而担忧，所作所为通常难以持久，生命都要终止了，有什么办法呢！

天生美丽的，别人给他镜子，若是不赞美他，他也不知道自己比别人美。好像知道，又好像不知道，好像听到了，又好像没听到，他的欣喜没有止境，别人对他的喜爱也没有止境，这都是出于本性。圣人爱别人，是人们给了他圣人的称号，若是不赞誉他，他也不知道自己在爱别人。好像知道，又好像不知道，好像听到了，又好像没听到，他对别人的爱没有止境，人们安于被他爱也没有止境，这也是出于本性。

旧国旧都①，望之畅然。虽使丘陵草木之缗入之者十九，犹之畅然，况见见闻闻者也，以十仞之台县众间者也！

冉相氏得其环中以随成②，与物无终无始，无几无时③。日与物化者，一不化者也，阖尝舍之④！夫师天而不得师天，与物皆殉⑤，其以为事也若之何⑥？夫圣人未始有天，未始有人，未始有始，未始有物，与世偕行而不替⑦，所行之备而不洫⑧，其合之也若之何？汤得其司御门尹登恒为之傅之⑨，从师而不囿⑩，得其随成。为之司其名，之名赢法，得其两见⑪。仲尼为之尽虑⑫，为之傅之。容成氏曰⑬："除日无岁，无内无外。"

[注释]

①旧国旧都：祖国，故乡。　②冉相氏：传说中远古时代的帝王。环中：枢纽，要领。随成：随顺天道而成功。　③几：期。　④阖尝：何曾。　⑤殉：逐，求。　⑥为事：对待事情。　⑦替：废。⑧洫（xù）：败坏。　⑨司御：官吏。门尹：官名。登恒：人名。　⑩囿：束缚。　⑪两见：两方面都得到显现。　⑫尽虑：绝虑，无心。　⑬容成氏：传说是老子的老师。

[译文]

远游于异国他乡的人，望见自己的祖国和故乡都会无限喜悦，即使是丘陵草木遮蔽住了它的十分之八九，心情还是舒畅，何况是身临其境地看到了它的原貌，这就如同十仞高台悬在众人之间！

冉相氏得其要领而随物自成，与万物一齐变化，无终无始，无有定期。随时与物变化的，内心则静寂不变，何曾舍离过天道的要领！有心效法自然便适得其反，与外物相逐，怎么可以这样做呢？在圣人的眼里，不曾有天，不曾有人，不曾有始，不曾有物，与世同行而不废止，所行完备而不败坏，他是如何冥合于道的呢？汤得到司御门尹登恒而拜为师傅，任凭师傅所为而不加束缚，得以随物自成。这样一来，师傅的美名和汤的师法两方面都得到显现。孔子忘怀绝虑，与之相辅相成。容成氏说："没有日就没有年岁，没有内就没有外。"

魏莹与田侯牟约①，田侯牟背之。魏莹怒，将使人刺之。

犀首公孙衍闻而耻之②，曰："君为万乘之君也，而以匹夫从仇③！衍请受甲二十万④，为君攻之，虏其人民，系其牛马，使其君内热发于背⑤，然后拔其国。忌也出走⑥，然后抶其背⑦，折其脊。"

季子闻而耻之⑧，曰："筑十仞之城，城者既十仞矣，则又坏之，此胥靡之所苦也⑨。今兵不起七年矣，此王之基也。衍乱人，不可听也。"

华子闻而丑之⑩，曰："善言伐齐者，乱人也；善言勿伐者，亦乱人也；谓伐之与不伐乱人也者，又乱人也。"

君曰："然则若何？"

曰："君求其道而已矣！"

惠子闻之而见戴晋人⑪。戴晋人曰："有所谓蜗者，君知之乎？"

曰："然。"

"有国于蜗之左角者曰触氏，有国于蜗之右角者曰蛮氏，时相与争地而战，伏尸数万，逐北旬有五日而后反。"

君曰："噫！其虚言与？"

曰："臣请为君实之。君以意在四方上下有穷乎？"

君曰："无穷。"

曰："知游心于无穷，而反在通达之国，若存若亡乎?"

君曰："然。"

曰："通达之中有魏，于魏中有梁，于梁中有王。王与蛮氏，有辩乎?"

君曰："无辩。"

客出而君惝然若有亡也⑫。

客出，惠子见。君曰："客，大人也，圣人不足以当之⑬。"

惠子曰："夫吹筦也⑭，犹有嗃也⑮；吹剑首者，映而已矣⑯。尧、舜，人之所誉也；道尧、舜于戴晋人之前，譬犹一映也。"

[注释]

①魏莹：即魏惠王，名莹。田侯牟：齐威王。 ②犀首：魏国官名，类似于将军。 ③以匹夫从仇：用匹夫的手段报仇。 ④受甲：领兵。 ⑤内热：心火之热。 ⑥忌：齐国将军田忌。 ⑦抶（chì）：鞭打。 ⑧季子：不知何人，一说为苏秦。 ⑨胥靡：刑徒。 ⑩华子：魏国贤臣。 ⑪戴晋人：魏国贤人。 ⑫惝（chǎng）然：恍惚不定的样子。 ⑬当之：与之相比。 ⑭筦：同管。 ⑮嗃（xiāo）：吹管声，表示大而长的声音。 ⑯映（xuè）：吹气声，表示小而短的声音。

[译文]

魏惠王和齐威王订立盟约，齐威王背约。魏惠王大怒，准备派人去刺杀他。

犀首公孙衍听到了觉得羞耻，对魏王说："陛下是万乘之国的君主，却用匹夫的手段报仇！我请求领兵20万，为陛下攻打齐国，俘虏人民，掠取牛马，使齐王内心焦急，然后攻占齐国。齐将田忌败走，然后鞭打其背，折断他的脊梁。"

季子听说后认为可耻，对魏王说："筑10仞高的城，城已10仞高了，再去毁坏它，这是让筑城的刑徒叫苦连天的行径。现在已有7年不打仗了，这是君王立业的基础。公孙衍是祸乱之人，不能听他的。"

华子听说后感到耻辱，对魏王说："巧言伐齐的，是祸乱之人；巧言不伐齐的，也是祸乱之人；说伐齐和不伐齐的都是祸乱之人的人，还是祸乱之人。"

魏王说："那么该怎么办呢？"

华子说："陛下追求虚无之道就行了！"

惠子听了，将戴晋人引荐给魏王。戴晋人说："有所谓的蜗牛，陛下知道吗？"

魏王说："知道。"

戴晋人说："蜗牛的左角有个国家名叫触氏，右角有个国家名叫蛮氏，两国经常互相为争夺土地而打仗，战死者达数万人，追击败兵半个月后才回师。"

魏王说："嘻！这是假话吧？"

戴晋人说："那我就给陛下说说实情。陛下觉得上下四方有穷尽吗？"

魏王说："没有穷尽。"

戴晋人说："知道游心于天下，回过头来想一想通达之国，不觉得若有若无吗？"

魏王说："是的。"

戴晋人说："通达之国中有个魏国，魏国里有个梁都，梁都内有个君王。这个君王和那个蛮氏有什么区别呢？"

魏王说："没有什么区别。"

客人告辞而魏王恍惚不定若有所失。

客人退出，惠子入见。魏王说："客人真是个伟大的人物，圣人也难以与之相比。"

惠子说："吹竹管的，还有悠长的声音；吹剑首的，只有一丝轻音而已。尧和舜，是人们所称誉的；在戴晋人面前谈论尧、舜，如同一丝轻音罢了。"

孔子之楚，舍于蚁丘之浆①。其邻有夫妻臣妾登极者②，子路曰："是稯稯何为者邪③？"

仲尼曰："是圣人仆也。是自埋于民，自藏于畔④。其声销⑤，其志无穷⑥，其口虽言，其心未尝言，方且与世违而心不屑与之俱。是陆沈者也⑦，是其市南宜僚邪？"

子路请往召之。孔子曰："已矣！彼知丘之著于己也⑧，知丘之适楚也，以丘为必使楚王之召己也，彼且以丘为佞人也。夫若然者，其于佞人也羞闻其言，而况亲见其身乎！而何以为存？"

子路往视之，其室虚矣。

[注释]

①蚁丘：山丘名。浆：指卖浆之家。　②极：屋顶。③稯稯（zōng）：群聚在一起。　④畔：田垄。　⑤声销：名声消失。　⑥无穷：远大。　⑦沈：通沉。陆沈：虽在陆地而

如同沉入水中一般，意指不离开世间而隐居于世间。　⑧著：明了，了解。

[译文]

孔子往楚国去，途中停宿在蚁丘的卖浆之家。邻居的夫妻臣妾爬上屋顶观望，子路说："这些人聚集在一起干什么呢？"

孔子说："这些是圣人的仆役。他们隐居于民间，藏身于田园。他们名声消亡，志向远大，口中虽言，内心却不曾言语，与世俗相违而不愿随波逐流。是位自隐之士，该不是市南宜僚吧？"

子路要过去请他们。孔子说："算了吧！他知道我了解他们，知道我要去楚国，以为我必定让楚王去请他，而且他视我为佞人，如果这样的话，他连佞人的言论都羞于听，何况是亲自见面！你怎么能请到他呢？"

子路过去一看，屋内已空无一人。

长梧封人问子牢曰①："君为政焉勿卤莽②，治民焉勿灭裂③。昔予为禾④，耕而卤莽之，则其实亦卤莽而报予⑤；芸而灭裂之⑥，其实亦灭裂而报予。予来年变齐⑦，深其耕而熟耰之⑧，其禾蘩以滋⑨，予终年厌飧⑩。"

庄子闻之曰："今人之治其形，理其心，多有似封人之所谓，遁其天，离其性，灭其情，亡其神，以众为。故卤莽其性者，欲恶之孽，为性萑苇蒹葭始萌⑪，以扶吾形，寻擢吾性⑫。并溃漏发，不择所出，漂疽疥痈⑬，内热溲膏是也⑭。"

[注释]

①长梧：地名。封人：守封疆的人。子牢：孔子弟子，宋国卿士。　②卤莽：草率。　③灭裂：轻薄。　④为禾：种庄稼。　⑤实：果实。报：报答。　⑥芸：除草。　⑦变齐：变更耕田的方法。齐：通剂，方法。　⑧熟耰（yōu）：反复耕作。　⑨繁：繁荣。滋：茂盛。　⑩厌飧（sūn）：饱食。⑪萑（huán）苇兼（jiān）葭（jiā）：各种芦苇。　⑫寻：渐渐。擢（zhuó）：助长。　⑬漂疽（jù）：脓疮。　⑭溲膏：遗精。

[译文]

长梧封人对子牢说："您为政不要卤莽，治民不要轻薄。过去我种庄稼，耕作时草率，收成就很差；除草时马虎，收成也很不好。第二年我改变了耕作方法，深耕细作，禾苗繁茂，结果收获甚丰，使我终年足食。"

庄子听到后说："现在人们整治形体，调理心性，很多都像封人所说的那样，逃避自然，离散本性，减损真情，丧失精神，去追随俗人的所作所为。所以对本性草率的，滋长恶欲，就如同芦苇般地蔽塞心性，欲念缠身，助长恶性。于是上溃下漏，百病皆生，流脓生疥，内发外泄。"

柏矩学于老聃①，曰："请之天下游。"

老聃曰："已矣！天下犹是也②。"

又请之，老聃曰："汝将何始？"

曰："始于齐。"

至齐，见辜人焉③，推而强之④，解朝服而幕之⑤，号天而哭之，曰："子乎子乎！天下有大菑⑥，

子独先离之⑦。曰莫为盗！莫为杀人！荣辱立，然后
睹所病⑧；货财聚，然后睹所争。今立人之所病，聚
人之所争，穷困人之身，使无休时。欲无至此，得乎？
古之君人者，以得为在民，以失为在己；以正为在民，
以枉为在己⑨。故一形有失其形者⑩，退而自责。今则
不然，匿为物而愚不识⑪，大为难而罪不敢⑫，重为任
而罚不胜⑬，远其涂而诛不至。民知力竭，则以伪继
之，日出多伪，士民安敢不伪！夫力不足则伪，知不
足则欺，财不足则盗。盗窃之行，于谁责而可乎？"

[注释]

　①柏矩：老子门徒。　②犹是也：都是如此。　③辜
人：被处死示众的犯人。　④强：借作僵，僵仆，推倒。
⑤幕：覆盖。　⑥菑：通灾。　⑦离：通罹，遭受。　⑧病：
忧。　⑨枉：过失。　⑩一：一旦。形：通刑。　⑪匿为物而
愚不识：隐匿真相而愚弄百姓。　⑫大为难而罪不敢：把困难
扩大而归罪于那些畏难的人。　⑬重为任而罚不胜：把任务加
重而处罚不胜任的人。

[译文]

　柏矩跟随老子学习，说："我想到天下去游历。"

　老子说："算了吧！天下到处都一样。"

　柏矩再次请求，老子说："你要先到哪里？"

　柏矩说："先到齐国。"

　到了齐国，看到被处死示众的犯人尸体，他将竖立的尸体
放倒，脱下自己的朝服覆盖在尸体上，号天大哭说："你啊你
啊！天下有了大祸，你首先遭难。所谓不要为盗！不要杀人！
荣辱观树立之后，才可以看到由此而产生令人忧心的事；财货

积聚在某些人手上的时候，才可以看到由此而产生的利害之争。现在树立人所忧心的，积聚人所纷争的，使人身穷困，无休无止。想不走到这般地步，办得到吗？古时候的人君，成功则归功于百姓，失败则归咎于自己；将正确的归于人民，将过失归于自己。所以一旦施刑不当，就退而自责。现在却不是这样，而是隐匿真相以愚弄百姓，制造困难而归罪于那些畏难的人，加重任务而处罚不胜任者，延长路程而诛杀那些走不到的人。人民智力穷尽，就用虚伪来应付，人君经常虚伪，老百姓怎能不虚伪呢！能力不足便虚伪，智慧不足便欺诈，财物不足便盗窃。盗窃成风，该责备谁呢？"

　　蘧伯玉行年六十而六十化①，未尝不始于是之②，而卒诎之以非也③，未知今之所谓是之非五十九年非也。万物有乎生而莫见其根④，有乎出而莫见其门⑤。人皆尊其知之所知，而莫知恃其知之所不知而后知，可不谓大疑乎！已乎已乎！且无所逃，此所谓然与然乎！

[注释]

　　①蘧（qú）伯玉：卫国贤大夫。　②始于是之：开始时认为对的。　③诎（qù）：通黜，贬斥，批判。　④根：根本。⑤门：出口。

[译文]

　　蘧伯玉60年来在认识上年年都有变化，未尝不是开始时认为对的，而后来总是把原来认为是对的当作错的，很难说现在所认为是对的就不是59年来所认为是错的。万物都有它的产生却不见它的根本，有它的出处却不见它的门径。人们都看重他的智力所能认识的，而不知道凭借他们智力所不能知的而后达到所知，这难道不是大疑惑吗！罢了罢了！世人无法避免这种疑惑。这样说是对呢，果真是对的吗？

仲尼问于大史大弢、伯常骞、狶韦曰^①："夫卫灵公饮酒湛乐^②，不听国家之政；田猎毕弋^③，不应诸侯之际^④。其所以为灵公者何邪？"

大弢曰："是因是也。"

伯常骞曰："夫灵公有妻三人，同滥而浴^⑤。史鳝奉御而进所^⑥，搏币而扶翼^⑦。其慢若彼之甚也^⑧，见贤人若此其肃也^⑨，是其所以为灵公也。"

狶韦曰："夫灵公也死，卜葬于故墓不吉^⑩，卜葬于沙丘而吉。掘之数仞，得石椁焉，洗而视之，有铭焉，曰：'不冯其子^⑪，灵公夺而里之^⑫。'夫灵公之为灵也久矣，之二人何足以识之^⑬！"

[注释]

①大史：史官。大弢（tāo）、伯常骞、狶（xī）韦：三位太史之名。　②湛（dān）：通耽，沉弱。　③毕：古代捕猎用的长柄网。弋（yì）：系着绳子的箭。　④际：交际，盟会。　⑤滥：洗澡盆。　⑥史鳝（qiū）：卫国贤大夫。奉御：手捧御用的东西。　⑦慢：放荡。　⑧搏币：接过币帛。扶翼：恭敬地扶住。　⑨肃：敬。　⑩故墓：生前挖好的墓穴。⑪冯：通凭，依靠。　⑫里：居。　⑬之二人：指大弢与伯常骞。

[译文]

孔子问太史大弢、伯常骞、狶韦说：“卫灵公饮酒作乐，不理国政；醉心于田猎，不与诸侯交际。他为什么被谥号为灵公？”

大弢说：“就是由于他这个样子的缘故。”

伯常骞说：“卫灵公有三个妻子，他和她们同在一个浴盆洗澡。史鳍手捧御用的东西走进来，灵公忙命人接过他手上的东西，恭敬地扶接着他。灵公的生活放荡到如此地步，见到贤人又是这样地恭敬，这就是他被谥为灵公的缘故。”

狶韦说：“灵公死后，占卜安葬在生前挖好的墓穴不吉利，占卜葬于沙丘吉利。在选好的葬处挖地数仞，发现一具石椁，洗掉沙土一看，上面有铭文：‘子孙不足依靠，灵公夺占居之。’由此看来，灵公之所以称为‘灵’早已成定局。这两个人怎么会知道这些呢！”

少知问于大公调曰①：“何谓丘里之言②？”

大公调曰：“丘里者，合十姓百名而以为风俗也，合异以为同，散同以为异。今指马之百体而不得马，而马系于前者，立其百体而谓之马也。是故丘山积卑而为高，江河合水而为大，大人合并而为公。是以自外入者，有主而不执③；由中出者，有正而不距④。四时殊气⑤，天不赐⑥，故岁成；五官殊职，君不私，故国治；文武殊才，大人不赐，故德备；万物殊理，道不私，故无名。无名故无为，无为而无不为。时有终始，世有变化。祸福淳淳⑦，至有所拂者而有所宜⑧；

自殉殊面⑨，有所正者有所差。比于大泽⑩，百材皆度；观于大山，木石同坛⑪。此之谓丘里之言。"

少知曰："然则谓之道，足乎？"

大公调曰："不然。今计物之数，不止于万，而期曰万物者⑫，以数之多者号而读之也⑬。是故天地者，形之大者也；阴阳者，气之大者也；道者为之公⑭。因其大以号而读之则可也，已有之矣，乃将得比哉！则若以斯辩⑮，譬犹狗马，其不及远矣。"

少知曰："四方之内，六合之里，万物之所生恶起？"

大公调曰："阴阳相照相盖相治⑯，四时相代相生相杀⑰。欲恶去就⑱，于是桥起⑲；雌雄片合⑳。于是庸有㉑。安危相易，祸福相生，缓急相摩㉒，聚散以成。此名实之可纪，精微之可志也㉓。随序之相理㉔，桥运之相使㉕，穷则反㉖，终则始，此物之所有。言之所尽，知之所至，极物而已。睹道之人，不随其所废㉗，不原其所起㉘，此议之所止。"

少知曰："季真之莫为㉙，接子之或使㉚，二家之议，孰正于其情，孰偏于其理？"

大公调曰："鸡鸣狗吠，是人之所知；虽有大知，不能以言读其所自化，又不能以意其所将为。斯而析之，精至于无伦，大至于不可围，或之使，莫之为，未免于物而终以为过。或使则实，莫为则虚。有名有实，是物之居；无名无实，在物之虚。可言可意，言而愈疏。未生不可忌，已死不可徂。死生非远也，理不可睹。或之使，莫之为，疑之所假。吾观之本，其往无穷；吾求之末，其来无止。无穷无止，言之无也，与物同理；或使莫为，言之本也，与物终始。道不可有，有不可无。道之为名，所假而行。或使莫为，在物一曲，夫胡为于大方？言而足，则终日言而尽道；言而不足，则终日言而尽物。道，物之极，言默不足以载；非言非默，议有所极。"

[注释]

①少知、大公调：都是虚拟的寓言人物。　②丘里：古代四井为邑，四邑为丘，五家为邻，五邻为里。一说十家为丘，二十家为里。丘里之言，犹说街谈巷议。　③有主而不执：有主见但不固执。　④距：排斥，拒绝。　⑤气：气候。⑥赐：偏私。　⑦淳淳：流行的样子。　⑧拂：逆，矛盾。⑨面：向。　⑩比：譬如。　⑪坛：原意为用土堆成的台地，这里引申为基础。　⑫期：限定。　⑬读：称，表达。⑭为之公：总括一切。　⑮辩：通辨，区别。　⑯相照：相应，　⑰杀：消除。　⑱欲：喜爱。恶：讨厌。去：疏远。就：接近。　⑲桥起：像桔槔一样翘起。　⑳片：通牉(pàn)，牉合，异性相交配。　㉑庸：常。　㉒相摩：互相转化。　㉓志：记。　㉔理：治理。　㉕相使：相互作用。㉖穷则反：物极必反。　㉗废：终结。　㉘原：追根溯源。㉙季真：齐国学士。　㉚接子：齐国学士。

[译文]

少知问大公调说："什么是丘里之言？"

大公调说："丘里就是综合十姓百人而形成的风俗，合异成为同，散同成为异。现在分别指马的各个部位便不能称其为马，将马的各个部位综合起来合为一体，才可以称之为马。所以丘山聚积卑小而高，江河汇合众流而大，大人容合众人而大公无私。所以从外界进入内心，虽有主见却不固执；从内心发出的，虽有正理但不排斥外物。春夏秋冬气候不同，天不偏私，因而一年四季自然形成；五官不同职，君不偏私，所以国家大治；文武各有其才，大人不偏私，所以德性完备；万物各有其理，道不偏私，所以无可名状。无可名状所以无为，无为而无不为。时序有终始，世事有变化。祸福流行，既有所违逆也有所适宜；各自追求不同的方面，既有正确也有错误的。譬如大泽，各种材木都有它的用途；观看大山，树木和石头都依赖大山而存在。这就是所说的丘里之言。"

少知说："那么称之为道，总该可以了吧？"

大公调说："不对。现在世间的事物超过万数，而限称为万物，是用数目中最多的数字来统称它。所以，天地是形体中最大的，阴阳是气体中最大的道则总括一切。因为它大而这样称呼是可以的，但已经有了名称，怎么还能和没有名称的相比呢！如果那样去区别，就如同狗和马相比，相差太远了。"

少知说："四方之内，六合之中，万物产生于哪里？"

大公调说："阴阳相应相害相克，四季相生相杀。欲、恶、去、就的意念，于是纷纷而生；雌雄交合于是常有。安危互相变换，祸福相伴相生，缓急互相转化，聚散相因而成。这就是名实可为纲纪，精微可以记述。按照自然变化的程序相互治理，此起彼伏的相互作用，物极则反，终则复始，这是万物所具有的现象。用语言所能说清楚的，靠智慧可以想到的，都是以事物的现象为极限罢了。认识道的人，不追寻物的终结，不探求物的起源，这就是议论的终点。"

少知说:"季真主张的'莫为',接子提倡的'或使',这两家的理论,谁合情理?谁偏于理?"

大公调说:"鸡鸣狗叫,这是人所知道的;即使是有大智慧的人,不能用语言来说明它们为什么会鸣叫,也无法根据鸣叫判断出它们想要干的事情。由此分析,精微至于绝伦,广大至于无限,主张或有所使,提倡莫有所为,都未免受物的局限而成为过当之言。'或使'的主张过于拘泥,'莫为'的理论则显得空虚。有名有实,是物的所在;无名无实,则空虚无物。可以言说可以意会,愈说离道愈远。未生的不能禁止,已死的无法阻拦。死生是身边常见的现象。死生之理却不能知晓。或有所使,莫有所为,所依据的就是疑惑。我观察它的过去,其往无穷;我探求它的未来,其来无尽。无穷无尽,言语虽无从表达,但符合于事物之理;'或使'、'莫为',是很多言论的基础,它们与外物相始终。不可以视道为有,也不可以视道为无。道的名称,乃是假借之称。'或使'、'莫为'两者的理论,各片面局限于事物的一个方面,有什么资格谈论大道?言语周遍,则终日言说的都是道;言语偏执,则终日言说的尽是物。道是万物的顶点,言谈和沉默都不足以表达;既不谈说也不沉默,才是最好的表达方式。

外 物

外物不可必[①],故龙逢诛,比干戮,箕子狂[②],恶来死[③],桀、纣亡。人主莫不欲其臣之忠,而忠未必信,故伍员流于江,苌弘死于蜀,藏其血,三年而化为碧。人亲莫不欲其子之孝，而孝未必爱，故孝己忧而曾参悲④。木与木相摩则然⑤，金与火相守则流⑥。阴阳错行，则天地大绞⑦，于是乎有雷有霆，水中有火⑧，乃焚大槐。有甚忧两陷而无所逃⑨，螴蜳不得成⑩，心若县于天地之间⑪，慰暋沈屯⑫，利害相摩，生火甚多⑬，众人焚和⑭，月固不胜火⑮，于是乎有颓然而道尽⑯。

[注释]

①必：强求。　②箕子：商纣王的叔父，多次忠谏纣王未被采纳，因惧怕迫害装疯。　③恶来：纣王的奸臣，助纣为虐，最后与纣王一起被杀。　④孝己：殷高宗的儿子，因遭后母虐待忧闷而死。曾参悲：曾对父母十分孝顺，但常常遭父母毒打，所以经常悲泣。　⑤然：同燃。　⑥相守：放在一起。流：熔化。　⑦绞（gāi）：通骇，动乱。　⑧水中有火：指雨中闪电。　⑨两陷：内心阴阳错乱。　⑩螴蜳（chén dūn）：心神不定的样子。得成：一切得到成功。　⑪县：通悬。　⑫慰暋（mǐn）沈屯：苦闷沉郁。　⑬生火：心火上升。　⑭众人焚和：众人过于计较利害，致使心火升腾而失去调和。　⑮月：比喻人清静平明的本性。　⑯颓（tuí）然：败坏的样子。尽：丧失干净。

[译文]

外物不可强求，所以龙逢被杀，比干被害，箕子装疯，恶来丧命，桀、纣灭亡。君主都希望臣子忠心，但忠心未必被信任，所以伍员浮尸于江，苌弘身死于蜀，他的血藏了三年后化为碧玉。父母都希望儿子孝顺，但孝顺未必为父母所爱，所以孝己忧闷而死，曾参常常悲泣。木与木相摩擦则燃烧，金与火

放在一起就熔化。阴阳错乱，则天地大震荡，于是就会有雷
霆，下雨闪电，焚毁大树。忧虑过甚导致内心错乱而无法解
脱，心神不定而一无所成，心就像悬吊在天地之间，苦闷沉
郁，权衡利害，心火上升，众人过于计较利害致使心火升腾而
失去调和，内心的清静平明之气不能克制火气，于是就会精神
崩溃而道德丧失干净。

　　庄周家贫，故往贷粟于监河侯①。监河侯曰：
"诺。我将得邑金②，将贷子三百金，可乎？"

　　庄周忿然作色曰③："周昨来，有中道而呼者，周
顾视车辙中，有鲋鱼焉④。周问之曰：'鲋鱼来！子何
为者邪？'对曰：'我，东海之波臣也⑤。君岂有斗升
之水而活我哉？'周曰：'诺。我且南游吴越之王⑥，
激西江之水而迎子，可乎？'鲋鱼忿然作色曰：'吾失
我常与⑦，我无所处。吾得斗升之水然活耳，君乃言
此，曾不如早索我于枯鱼之肆⑧！'"

[注释]

　　①贷：借。监河侯：监管河水的侯王，一说指魏文侯。
②邑金：封邑的租赋收入。　③忿（fen）然：生气的样子。
作色：变脸。　④鲋（fu）鱼：鲫鱼。　⑤波臣：水界的臣
子，水官。　⑥游：游说。　⑦常与：时时同在一起的，这里
指水。　⑧枯鱼之肆：卖鱼干的市场。

[译文]

　　庄子家境贫穷，去向监河侯借粮。监河侯说："好吧。我
就要得到封邑的租赋，到时借给你300金，可以吗？"

　　庄子生气地说："我昨天来的时候，半路上听到有呼唤我的，回头一看，车辙中有一条鲫鱼。我问它：'鲫鱼！你在干什么呢？'它回答说：'我是东海的水官。你有斗升的水救我活命吗？'我说：'好吧。我将到南方去游说吴越之王，引西江的水来迎接你，可以吗？'鲫鱼气愤地说：'我失去了赖以生存的水，无处栖身。我只需要斗升的水就能够活命，而你却说出这样的话，那还不如趁早到卖鱼干的市场上去找我！'"

　　任公子为大钩巨缁①，五十犗以为饵②，蹲乎会稽，投竿东海，旦旦而钓③，期年不得鱼。已而大鱼食之，牵巨钩，錎没而下鹜④，扬而奋鬐⑤，白波若山，海水震荡，声侔鬼神⑥，惮赫千里⑦。任公子得若鱼，离而腊之⑧，自制河以东⑨，苍梧已北⑩，莫不厌若鱼者⑪。已而后世辁才讽说之徒⑫，皆惊而相告也。夫揭竿累⑬，趣灌渎⑭，守鲵鲋⑮，其于得大鱼难矣。饰小说以干县令⑯，其于大达亦远矣。是以未尝闻任氏之风俗，其不可与经于世亦远矣⑰。

　　[注释]
　　①任公子：任国的公子。缁：黑绳。　②犗（jiè）：阉割过的牛。　③旦旦：每天。　④錎（xiàn）：通陷。下鹜（wù）：在水底乱跑。　⑤奋鬐（qí）：摆动鱼鳍。　⑥侔（móu）：同。　⑦惮（dàn）赫：震惊。　⑧离：剖开。腊（xī）：晾干。　⑨制河：即浙江。　⑩苍梧：山名，一说为九嶷山。　⑪厌：饱食。　⑫辁（quán）才：粗浅的才能，小才。讽说：道听途说，传说。　⑬累：细绳。　⑭灌渎：小

溪，小水沟。　⑮鲵鲋：小鱼。⑯小说：低微的言论。　⑰经于世：经理世事。

[译文]

　　任公子用大钩和粗长的黑绳做了一套钓具，用50头牛做鱼饵，蹲在会稽山上，投竿于东海，天天守钓，一年都没有钓到鱼。一年后大鱼忽然吞食钓饵，牵动大钩，沉入水下四处游荡，扬头摆尾，激起白浪如山，海水震荡，声如鬼神，震惊千里。任公子得到这条鱼，剖开晾晒成鱼干，从浙江以东，苍梧以北，没有人不饱餐这条鱼的。后世才学疏浅的道听途说之徒，都惊奇地奔走相告。举着小竿细绳，驻足于小水沟旁，守候小鱼小虾，就不可能钓到大鱼。巧饰碎言细语以求高名，就不可能通达于道。因为他们不懂任公子不求急功近利的风尚，所以也就不可能经理世事。

　　儒以《诗》《礼》发冢①。大儒胪传曰②："东方作矣③，事之何若？"

　　小儒曰："未解裙襦④，口中有珠。""《诗》固有之曰：'青青之麦，生于陵陂。生不布施⑤，死何含珠为？'接其鬓⑥，压其颊⑦，而以金椎控其颐⑧，徐别其颊⑨，无伤口中珠！"

[注释]

　　①发：挖开。冢（zhǒng）：墓葬。发冢：盗墓。　②胪（lú）传：传话。　③东方作：东方亮，太阳出来了。　④襦（rú）：短上衣。　⑤布施：施舍。⑥接其鬓：揪着尸体的鬓发。　⑦颊（huì）：下巴的胡须，这里连指下巴。　⑧金椎：金属做的锤子。控：敲打。颐（yí）：面颊。　⑨徐别：慢慢

地分开。

[译文]

儒生用《诗》《礼》盗掘坟墓。大儒传话说："天亮了，事情怎么样了？"

小儒说："衣服还没有脱掉，嘴里含有珠玉。"大儒说："《诗》中说：'青青的麦苗，长在坡地上。生前不施舍人，死后为何含珠？'揪着尸体的鬓发，按着下巴，你用锤子敲开两腮，慢慢地分开两颊，不要伤了嘴里的珠玉！"

老莱子之弟子出取薪①，遇仲尼，反以告，曰："有人于彼②，修上而趋下③，末偻而后耳④，视若营四海⑤，不知其谁氏之子。"

老莱子曰："是丘也，召而来。"

仲尼至。曰："丘！去汝躬矜与汝容知⑥，斯为君子矣。"

仲尼揖而退，蹙然改容而问曰⑦："业可得进乎？"

老莱子曰："夫不忍一世之伤而骜万世之患⑧，抑固窭邪⑨？亡其略弗及邪⑩？惠以欢为骜，终身之丑，中民之行易进焉耳⑪，相引以名，相结以隐⑫。与其誉尧而非桀，不如两忘而闭其所誉。反无非伤也⑬，动无非邪也⑭。圣人踌躇以兴事，以每成功。奈何哉其载焉终矜尔⑮！"

[注释]

①老莱子：楚国隐士。出取薪：出去打柴。　②于彼：

在那里。　③修上而趋下：上身长而下身短。　④末偻：背曲。后耳：耳朵向后贴。　⑤营四海：经营天下。　⑥躬矜：行为矜持。　⑦蹙（cù）然：局促不安的样子。⑧鳌：通傲，轻视。　⑨窭（jù）：本指贫穷。这里指智力贫乏。　⑩略：智略。弗及：不及，不能达到。　⑪中人之行：中等水平人的所作所为。　⑫隐：私。　⑬反：违反自然。无非伤：必有损害。

⑭动：不安静。无非邪：必生邪念。　⑮载：负。

[译文]

老莱子的弟子出去打柴，遇见孔子，回来告诉老莱子说："有个人在那里，上身长而下身短，伸头曲背耳朵向后，神情好像是在经营天下，不知道他是谁。"

老莱子说："那是孔丘，召他来。"

孔子走进来。老莱子说："孔丘！抛弃你行为的矜持和容貌的机智，就可以成为君主。"

孔子作揖而后退，局促不安地问："我的德业能够提高吗？"

老莱子说："不忍心一代人的悲伤而轻视了万世的祸患，是固陋无知呢，还是智略不及呢？以施恩惠取悦于世为骄傲，这是终身的羞耻，是中等人的所作所为，以名声互相引进，以私利互相勾结。与其称赞尧而非议桀，不如将两者都忘记而抛弃那些称赞和非议。违反自然必有损害，坐立不安必生邪念。圣人从容随物以兴事，而常常成功。你为什么总是背着矜持自傲的包袱呢！"

宋元君夜半而梦人被发窥阿门①，曰："予自宰路之渊②，予为清江使河伯之所③，渔者余且得予④。"

元君觉，使人占之⑤，曰："此神龟也。"

君曰："渔者有余且乎？"

左右曰："有。"

君曰："令余且会朝⑥。"

明日，余且朝。君曰："渔何得？"

对曰："且之网得白龟焉，其圆五尺。"

君曰："献若之龟⑦。"

龟至，君再欲杀之，再欲活之，心疑，卜之，曰："杀龟以卜吉。"乃刳龟，七十二钻而无遗策⑧。

仲尼曰："神龟能见梦于元君⑨，而不能避余且之网；知能七十二钻而无遗策，不能避刳肠之患。如是，则知有所困，神有所不及也。虽有至知，万人谋之。鱼不畏网而畏鹈鹕⑩。去小知而大知明，去善而自善矣。婴儿生无石师而能言⑪，与能言者处也。"

[注释]

①宋元君：宋国国君。阿门：侧门。　②宰路：渊名。③清江：江名。河伯：河神。　④余且：渔夫名。　⑤占：占卜吉凶。　⑥会朝：朝见。⑦若：你。　⑧无遗策（cè）：占算吉凶毫无遗失，十分应验。　⑨见（xiàn）梦：托梦。⑩鹈鹕（tí hú）：水鸟名。　⑪石师：应为"硕师"，大师。

[译文]

宋元君半夜梦见有人披头散发在侧门窥视，说："我从宰路深渊来，作为清江的使者到河伯那里去，渔夫余且捕获了我。"

宋元君醒来后，让人占卜，回报说："这是一只神龟。"

宋元君问："渔夫中有名叫余且的吗？"

身边的侍臣说："有。"

宋元君说："令余且前来朝见。"

第二天，余且来朝见。宋元君问："你捕获到了什么？"

余且回答说："我的鱼网捕获了一只白龟，直径有5尺。"

宋元君说："把你的龟献上来。"

龟送到后，宋元君又想杀掉，又想放生，犹豫不决，就进行占卜，答案是："杀龟占卜吉利。"于是杀了龟，用来占卜，占了72次，无不应验。

孔子说："神龟能托梦给宋元君，却不能逃脱余且的鱼网；智慧能多次占卜而无不应验，却不能避免开肠破肚的祸患。由此看来，智慧有所局限，神灵也有所不及。虽然有最高的智慧，也要采用万众的谋略。鱼不知畏惧网而害怕鹈鹕。弃除小智则大智才明，去掉小善则大善自显。婴儿生来没有大师教就会说话，这是因为与会说话的人相处的缘故。"

惠子谓庄子曰："子言无用。"

庄子曰："知无用而始可与言用矣。天地非不广且大也，人之所用容足耳。然则厕足而垫之致黄泉①，人尚有用乎！"

惠子曰："无用。"

庄子曰："然则无用之为用也亦明矣。"

[注释]

①厕：通侧，旁边，之外。垫：挖掘。致：至，达到。

[译文]

惠子对庄子说："你的言论无用。"

庄子说："知道了无用才可以和你谈论有用的问题。天地并非不广大，而人所用的只是容足之地罢了。然而如果把立足之外的地方都向下挖掘到黄泉，人所立足的这块小地方还有用吗？"

惠子说："无用。"

庄子说："那么，无用就是有用的道理也就很明白了。"

庄子曰："人有能游，且得不游乎！人而不能游，且得游乎！夫流遁之志①，决绝之行②，噫，其非至知厚德之任与③！覆坠而不反④，火驰而不顾，虽相与为君臣，时也，易世而无以相贱⑤。故曰，至人不留行焉⑥。

"夫尊古而卑今，学者之流也⑦。且以狶韦氏之流观今之世，夫孰能不波⑧！唯至人乃能游于世而不僻，顺人而不失己。彼教不学，承意不彼。

"目彻为明⑨，耳彻为聪，鼻彻为颤⑩，口彻为甘，心彻为知，知彻为德。凡道不欲壅⑪，壅则哽⑫，哽而不止则跈⑬，跈则众害生。物之有知者恃息⑭，其不殷⑮，非天之罪。天之穿之⑯，日夜无降⑰，人则顾塞其窦⑱。胞有重阆⑲，心有天游⑳。室无空虚，则妇姑勃谿㉑；心无天游，则六凿相攘㉒。大林丘山之善于人也，亦神者不胜。

"德溢乎名㉓，名溢乎暴㉔，谋稽乎誸㉕，知出乎争，柴生乎守㉖，官事果乎众宜㉗。春雨日时，草木怒生㉘，铫鎒于是乎始修㉙，草木之到植者过半而不知其然㉚。静然可以补病㉛，眦搣可以沐老㉜，宁可以止遽。虽然若是，劳者之务也，非佚者之所未尝过而问焉。圣人之所以骇天下㉝，神人未尝过而问焉；贤人所以骇世，圣人未尝过而问焉；君子所以骇国，贤人未尝过而问焉；小人所以合时㉞，君子未尝过而问焉。

"演门有亲死者㉟，以善毁爵为官师㊱，其党人毁而死者半㊲。尧与许由天下，许由逃之；汤与务光天下，务光怒之；纪他闻之，帅弟子而踆于窾水㊳，诸侯吊之，三年，申徒狄因以踣河㊴。荃者所以在鱼㊵，得鱼而忘荃；蹄者所以在兔㊶，得兔而忘蹄；言者所以在意，得意而忘言。吾安得夫忘言之人而与之言哉！"

[注释]

①流遁：流荡逐物。　②决绝：固执己见。　③厚德：品德高尚。任：用。　④覆坠：指遇到极大的挫折。　⑤易世：世代变易。　⑥留行：固执于自己的所作所为。　⑦流：习气，风尚。　⑧波：震动。　⑨彻：灵通。　⑩颤（shān）：通膻，善于辩别气味。　⑪壅（yōng）：堵塞。　⑫哽（gěng）：通梗，阻塞。　⑬胗（zhěn）：通抮，乖戾。　⑭息：气息，呼吸。　⑮殷：畅盛。　⑯穿：通。　⑰降：减。　⑱窦：孔窍。　⑲胞：胎胞。阆（làng）：空隙。　⑳天游：自然活动。　㉑妇姑：婆媳。勃豀（xī）：争吵。　㉒六凿：六窍。攘：

排斥。　㉓溢：败坏。　㉔暴：显露。㉕諰（xián）：急迫，
紧急。㉖柴：塞。　㉗果：成功。㉘怒：猛。㉙铫鎒
（yáo nòu）：除草的农具。　㉚到植：倒生。　㉛静然：安静，
静默。补病：养病。　㉜眦搣（zì miè）：按摩。沐老：洗除老
态，防止衰老。　㉝骇（xiè）：通骇，惊动。　㉞合时：迎合
时宜。　㉟演门：宋国城门名。　㊱毁：因悲伤而毁容。
㊲党人：乡里，邻居。㊳踆（cūn）：通蹲。窾（kuǎn）水：
水名。　㊴申徒狄：隐士。蹄（fù）河：投河。　㊵荃
（quán）：通筌，鱼笱，一种捕鱼的竹笼。　㊶蹄：一种捕兔的
器具。

[译文]

　　庄子说："人若能游，怎么会不游呢！人若不能游，怎么
会游呢！流荡逐物的心志，固执己见的行为，唉，这都不是至
知厚德者的所为！遭到重挫而不反悔，急速奔驰而不回头，社
会上虽然有君与臣的相对关系，但这是时势所造成的，世代一
变君臣的关系也就变了。所以说，至人不固执于自己的所做所
为。

　　"尊古而卑今，这是学者的风气。如果用狶韦氏时代的风
气来观察衡量当今之世，谁能不感到震动！只有至人才能遨游
于世而不偏僻，随顺人情而不丧失自己的本性。别人虽然教导
我但我无心去学他，我表面上接受，但我绝不会学成他那个样
子。

　　"眼睛灵通是明，耳朵灵通是聪，鼻子灵通是膻，口舌灵
通是甘，内心灵通是智，智慧灵通是德。凡是道就不能堵塞，
堵塞就梗阻，梗阻不止就乖戾，乖戾就会产生种种危害。有生
命的物类依靠呼吸，如果不畅盛，那不是天的罪过。天使人长
了七窍，日夜一样的畅通，人们却自己堵塞了孔窍。胞胎都有
空隙的地方，心灵也有自然活动的地方。住房如果不够宽畅，
那么婆媳之间就会争吵；心灵如果没有自然活动的地方，六窍

就会互相排斥。森林高山之所以使人心旷神怡，也是因为广阔无比的缘故。

"道德的败坏在于追求名声，名声的败坏在于过分显露自己，计谋产生于急近，智慧产生于争夺，滞塞产生于固执，行政事务的成功在于适应民众。春雨及时降下，草木怒生，于是修好了农具除草整地，然而草木大半却又再生，但不知道其中的原因。安静可以养病，按摩可以防止衰老，宁静可以平息急躁。虽然如此，这还是劳碌的人所做的事，闲逸的人是不过问的。圣人惊扰天下，神人不去过问；贤人惊扰世间，圣人不去过问；君子惊扰国家，贤人不去过问；小人迎合时宜，君子不去过问。

"演门有个死了双亲的人，因为善于悲哀毁容而被封为官师，他邻里的人却因为效法他悲哀毁容而死了大半。尧要把天下让给许由，许由逃避；汤要让位给务光，务光大怒；纪他听到后，带领众弟子蹲在窾水边准备跳河，诸侯都去慰问他，三年后，申徒狄因此跳河而死。筌是用来捕鱼的，捕到鱼就忘了筌；蹄是用来捕兔的，捕到兔就忘了蹄；言论是用来表达意思的，掌握了意思就忘了言论。我怎么能够遇到忘记言论的人而和他谈论呢！"

寓　言

寓言十九①，重言十七②，卮言日出③，和以天倪④。

寓言十九，藉外论之⑤。亲父不为其子媒。亲父誉之，不若非其父者也；非吾罪也，人之罪也。与己同则应，不与己同则反；同于己为是之，异于己为非之。

重言十七，所以已言也⑥，是为耆艾⑦。年先矣⑧，而无经纬本末以期年耆者⑨，是非先也。人而无以先人，无人道也；人而无人道，是之谓陈人⑩。

卮言日出，和以天倪，因以曼衍⑪，所以穷年。不言则齐，齐与言不齐，言与齐不齐也，故曰无言。言无言，终身言，未尝言；终身不言，未尝不言。有自也而可⑫，有自也而不可；有自也而然，有自也而不然。恶乎然？然于然；恶乎不然？不然于不然。恶乎可？可于可；恶乎不可？不可于不可。物固有所然，物固有所可，无物不然，无物不可。非卮言日出，和以天倪，孰得其久！万物皆种也⑬，以不同形相禅⑭，始卒若环⑮，莫得其伦⑯，是谓天均⑰。天均者天倪也。

[注释]

①寓言：寄托寓言的言论。十九：十分之九。　②重言：借重先哲时贤的言论。　③卮（zhī）言：无心之言。日出：时常出现。　④天倪：自然。⑤藉：通借。外：他人。⑥已言：别人说过的言论。　⑦耆艾：长寿的人。⑧年先：年长。　⑨经纬本末：道理，见解。　⑩陈人：陈腐的人。⑪曼衍：支漫推衍，发挥。　⑫有自也：有所由来。　⑬皆种：都是种子，意指都可以生长出新的事物。　⑭形：形式，状态。相禅：新陈代谢。　⑮始卒若环：首尾相接像环一样，即事物的变化始终循环。　⑯伦：条理，次序。⑰天均：自然

平均。

［译文］

我的言论寓言占十分之九，其中重言占十分之七，无心之言随时出现，合于自然的分际。

寓言十分之九，借助他人之口论说。父亲不为自己的儿子说媒。父亲称赞儿子，不如别人称赞更能令人信服。这不是我的过错，而是他人的过错。和自己的看法相同就赞成，和自己的看法不同就反对；和自己看法相同的就肯定，和自己看法不相同的就否定。

重言占十分之七，之所以重复老话，因为这是长者的言论。年龄虽长，却不通事理，就不能算是长者。做人而没有过人之处，就是没有为人之道；没有为人之道，就是陈腐的人。

无心之言随时出现，合于自然，支漫推衍，以终天年。不说则自然齐同，原本齐同的一经主观论说就不齐同了，主观论说齐同的便不齐同，所以说要发表不带主观成分的言论。发表不带主观成分的言论，则终身都在论说，却好像未曾论说；终身不言不语，却未尝不在言语。可有可的原因，不可有不可的原因；对有对的原因，不对有不对的原因。什么是对？对有对的道理；什么是不对？不对有不对的道理；什么是可？可有可的道理；什么是不可？不可有不可的道理。物固有所是，所固有所可，物都有不是，物都有不可。若不是无心之言随时出现，合于自然，谁能长久！万物都可以生长出新的事物，以不同的形式新陈代谢，始终循环，找不到头绪，这就叫天均。天均就是自然。

庄子谓惠子曰："孔子行年六十而六十化，始时所是，卒而非之，未知今之所谓是之非五十九年非也。"

惠子曰："孔子勤志服知也①。"

庄子曰："孔子谢之矣②，而其未之尝言。孔子云：'夫受才乎大本③，复灵以生④。鸣而当律⑤，言而当法，利义陈乎前，而好恶是非直服人之口而已矣⑥。使人乃以心服而不敢蘁⑦，立定天下之定。'已乎已乎！吾且不得及彼乎！"

[注释]

①勤志：努力实现自己的志愿。服知：运用心智。②谢：辞去，抛弃。③大本：自然，天道。④复灵：复得天地之灵气。⑤鸣：声音。⑥直：只能，仅仅。⑦蘁(wù)：违逆，不顺从。

[译文]

庄子对惠子说："孔子60年来在认识上年年都有变化，开始时所认为对的，最终又否定了，很难说现在所认为是对的就不是59年来所认为是错的。"

惠子说："孔子为努力实现自己的志愿而运用心智。"

庄子说："孔子已经改变了那种态度，只是未曾说明罢了。孔子说：'人的才智受之于天道，但要复得天地之灵气才有生气。声音合乎韵律，言论合乎法度，将利义摆在前面，好恶是非的说教只能服人之口而已。如果使众人心服而不敢违逆，则可以立刻使天下平定下来。'算了吧，算了吧！我还比不上他呢！"

曾子再仕而心再化①，曰："吾及亲仕②，三釜而心乐③；后仕④，三千钟而不洎⑤，吾心悲。"

弟子问于仲尼曰：“若参者，可谓无所县其罪乎⑥？”

曰：“既已县矣。夫无所县者，可以有哀乎？彼视三釜三千锺⑦，如观雀蚊虻相过乎前也。”

[注释]

①仕：做官。化：变。　②及亲：能养父母。　③釜（fǔ）：古代量器，6斗4升为1釜。　④后：指双亲死后。⑤钟：古代量器，6斛4斗为1钟。洎（jì）：及。　⑥县其罪：为爵禄所系累。　⑦彼：指不被爵禄所系累的人。

[译文]

曾子再做官时心境又有变化，他说：“我父母在世的时候做官，俸禄只有3釜，而心里很快活；后来做官，俸禄虽达3000钟，但已不能奉养双亲而感到很悲伤。”

弟子问孔子说：“像曾参这样，可以说是不受爵禄所系累了吧？”

孔子说：“他已经被系累了。要是不受系累，会有悲伤之感吗？那些不受系累的人，视3釜、3000钟如同鸟雀蚊虻在眼前飞过一样而毫不在意。”

颜成子游谓东郭子綦曰：“自吾闻子之言，一年而野①，二年而从②，三年而通③，四年而物④，五年而来⑤，六年而鬼入⑥，七年而天成⑦，八年而不知死不知生，九年而大妙⑧。生有为，死也。劝公以其私⑨，死也有自也；而生阳也⑩，无自也。而果然乎？恶乎其所适？恶乎其所不适？天有历数，地有人据，吾恶乎求之？莫知其所终，若之何其无命也？莫知其所始，若之何其有命也？有以相应也⑪，若之何其无鬼邪？无以相应也，若之何其有鬼邪？"

[注释]

①野：质朴。　②从：顺从，不固执。　③通：通达。④物：与物同化。　⑤来：众物来归。　⑥鬼入：鬼神来附。　⑦天成：合于自然。⑧大妙：领悟了大道的玄妙。⑨劝：助。　⑩生阳：感于阳气而生。　⑪相应：相感应。

[译文]

颜成子游对东郭子綦说："自从我听了你的话，一年而返于质朴，二年而顺从，三年而通达，四年而与物同化，五年而众物来归，六年而鬼神来附，七年而合于自然，八年而不觉死生，九年而领悟道之玄妙。人生而有为，则相当于死亡。以私助公，其死亡是有原因的；感于阳气而生，则是没有缘故的。果然是这样吗？何处适当？何处不适当？天有四时变化，地为人所占据，我还有什么追求？不知道它的终结，怎么会有死？不知道它的起始，怎么会有生？若有相互感应的现象，怎么能说没有鬼神？若没有相互感应的现象，怎么能说有鬼神？"

众罔两问于景曰①："若向也俯而今也仰②，向也括撮而今也被发③，向也坐而今也起，向也行而今也止，何也？"

景曰："搜搜也④，奚稍问也⑤！予有而不知其所以⑥。予，蜩甲也⑦，蛇蜕也⑧，似之而非也。火与日，吾屯也⑨；阴与夜，吾代也。彼吾所以有待邪？

而况乎以有待者乎！彼来则我与之来，彼往则我与之往，彼阳强则我与之阳强。阳强者又何以有问乎！"

[注释]

　　①罔两：影外的暗影。　　②若：你。向：过去，原来。③括撮：束发。④搜搜：运动的样子。　　⑤奚稍问：何足问。　　⑥所以：原因。　　⑦蜩（tiáo）甲：蝉壳。　　⑧蛇蜕：蛇脱下的皮。　　⑨屯：聚。

[译文]

　　影外的暗影问影子说："你刚才低着头而现在仰着脸，刚才束发而现在披发，刚才坐着而现在站立，刚才行走而现在停止，这是怎么回事？"

　　影子说："这只是自然而然地运动罢了，有什么值得好问的！我自己也不知道为什么会这样。我是蝉壳，是蛇蜕，好像是却又不是。在火和阳光下，我就显现了；阴暗或者夜晚，我就消失了。形是我所依赖的吗？何况无所依赖！形来则我随之来，形往则我随之往，形运动则我随之运动。运动是一种自然而然的现象，有什么好问的！"

　　阳子居南之沛①，老聃西游于秦，邀于郊②，至于梁而遇老子③。老子中道仰天而叹曰④："始以汝为可教，今不可也。"

　　阳子居不答。至舍⑤，进盥漱巾栉⑥，脱屦户外，膝行而前曰："向者弟子欲请夫子，夫子行不闲，是以不敢。今闲矣，请问其过。"

　　老子曰："而睢睢盱盱⑦，而谁与居？大白若辱⑧，盛德若不足。"

阳子居蹴然变容曰:"敬闻命矣!"

其往也,舍者迎将⑨,其家公执席⑩,妻执巾栉,舍者避席,炀者避灶⑪。其反也,舍者与之争席矣。

[注释]

①阳子居:即杨朱,字子居。沛:地名,今江苏沛县一带。　②邀:相约。③梁:地名,今河南开封。　④中道:途中。　⑤舍:旅舍。　⑥盥(guàn)漱:洗手漱口。巾栉:洗脸梳头。　⑦睢睢(suī):仰视的样子。盱盱(xū):张大眼睛的样子。　⑧大白:非常洁白。　⑨舍者:旅客。　⑩家公:旅舍的主人。　⑪炀:做饭。

[译文]

阳子居南往沛地,老子西游于秦,相约在郊野见面,走到梁地遇到了老子。老子在途中仰头向天长叹说:"开始我还以为你可以教诲,现在看来却并非如此。"

阳子居不吭声。到了旅舍,侍奉老子梳洗,将鞋脱在门外,跪行向前说:"刚才弟子想请教先生,先生忙着走路,所以不敢开口。现在歇息有空,请先生指出我的过错。"

老子说:"你神态傲慢,谁愿意和你相处?非常洁白的东西好像有污点,道德高尚的人好像不足的样子。"

阳子居愧然变色说:"恭听先生的教诲了!"

阳子居来的时候,旅舍的人恭敬相迎,店主亲自替他安排坐席,女主人侍奉他梳洗,先坐的人让出位子,做饭的人都不敢当灶。当他返回时,旅舍的人不再敬畏他,和他争抢席位。

让　王

　　尧以天下让许由，许由不受。又让于子州支父^①，子州支父曰："以我为天子，犹之可也。虽然，我适有幽忧之病^②，方且治之，未暇治天下也。"夫天下至重也，而不以害其生，又况他物乎！唯无以天下为者，可以托天下也。

　　舜让天下于子州支伯^③，子州支伯曰："予适有幽忧之病，方且治之，未暇治天下也。"故天下大器也，而不以易生^④，此有道者之所以异乎俗者也。

　　舜以天下让善卷^⑤，善卷曰："余立于宇宙之中，冬日衣皮毛，夏日衣葛绨^⑥；春耕种，形足以劳动；秋收敛，身足以休食；日出而作，日入而息，逍遥于天地之间而心意自得。吾何以天下为哉！悲夫，子之不知余也！"遂不受。于是去而入深山，莫知其处。

　　舜以天下让其友石户之农^⑦，石户之农曰："惓惓乎后之为人^⑧，葆力之士也^⑨。"以舜之德为未至也，于是夫负妻戴，携子以入于海，终身不反也。

　　[注释]

　　①子州支父：怀道之人，隐士。　　②幽忧：深忧。③子州支伯：即支州支父。　④易：交换。　⑤善卷：怀道之

人，隐士。　　⑥葛烯：粗布。⑦石户：地名。　　⑧惓惓 (juàn)：勤苦的样子。　　⑨葆力：勤力。

[译文]

尧将天下让给许由，许由不接受。又让给子州支父，子州支父说："让我当天子，也可以。但是，我刚刚患上深忧之病，正在治疗，没有功夫去治理天下。"天下是最贵重的，而他不因此妨害自己的性命，何况其他事情呢！只有对天下不在意的人，才可以把天下托付给他。

舜让天下给子州支伯，子州支伯说："我刚刚患深忧之病，正在治疗，没有功夫去治理天下。"天下是重大的名器，而不以此来交换性命，这就是有道之人与凡夫俗子的不同之处。

舜将天下让给善卷，善卷说："我站在宇宙之中，冬天穿皮毛，夏天穿粗布；春天耕种，鼓足力气劳动；秋季收获，放松身心休养；日出而作，日入而息，逍遥于天地之间而心情舒畅。我为什么要去治理天下呢！可悲啊，你不了解我！"没有接受天下。于是远离尘世而潜入深山，不知隐于何处。

舜将天下让给他的朋友石户的农夫，石户的农夫说："勤苦啊，君王的为人，你是勤力之士。"认为舜的德行还没有达到境界，于是丈夫背负行装，妻子头顶器具，带着子女隐居于海岛，终身没有回来。

大王亶父居邠①，狄人攻之②。事之以皮帛而不受③，事之以犬马而不受，事之以珠玉而不受，狄人之所求者土地也。大王亶父曰："与人之兄居而杀其弟，与人之父居而杀其子，吾不忍也。子皆勉居矣！为吾臣与为狄人臣奚以异！且吾闻之，不以所用养害所养④。"因杖策而去之⑤。民相连而从之，遂成国于岐山之下⑥。夫大王亶父可谓能尊生矣⑦。能尊生者，虽贵富不以养伤身，虽贫贱不以利累形。今世之人居高官尊爵者，皆重失之，见利轻亡其身，岂不惑哉！

[注释]

①大王亶（dàn）父：又称古公亶父，周文王的祖父。邠（bīn）：地名，在今陕西彬县、旬邑一带。　②狄人：当时与周族为邻的一个部族。　③事：奉送。　④所用养：指土地。所养：指百姓。　⑤笑：同策，马鞭。　⑥岐山：山名，在今陕西岐山县东北。　⑦尊生：珍重性命。

[译文]

大王亶父率族众居住在邠地，屡遭狄人的攻击。周人相继拿出皮帛、犬马、珠玉奉送给狄人以求和，但狄人都拒不接受，他们所要的是周人居住的土地。大王亶父说："如果强行与狄人抗争，周人的子弟势必有遭到残杀的，我实在不忍心。你们好好地居住下去！做我的臣民与做狄人的臣民有什么不同！而且我听说，不要因为占据土地而使土地上的人民受害。"于是放弃了这块土地而另图居地。民众成群结队地追随他，在岐山之下建立了国家。大王亶父可以说是能珍重性命。能珍重性命的，虽然富贵也不会因养尊处优而伤害身心，虽然贫贱也不会因追求利禄而累伤形体。现时身居高官尊爵的人，都把失掉既得利益看得非常重要，见利就不顾性命地去舍身追求，岂不是糊涂虫吗！

越人三世弑其君，王子搜患之①，逃乎丹穴②。而越国无君，求王子搜不得，从之丹穴。王子搜不肯出，越人熏之以艾，乘以王舆。王子搜援绥登车③，仰天而呼曰："君乎君乎！独不可以舍我乎！"王子搜非恶为君也，恶为君之患也。若王子搜者，可谓不以国伤生矣，此固越人之所欲得为君也。

[注释]

①王子搜：名叫搜的王子。　②丹穴：洞穴名，一说为南山洞。　③援绥：拉着绳子。

[译文]

越国人杀了三世的国君，王子搜对此很忧惧，逃到丹穴藏身躲祸。越国没有国君，找不到王子搜，就追寻到丹穴。王子搜不肯出穴，越国人就用烧艾烟熏丹穴的方式迫使他出来，并用国君的车子来接他。王子搜拉着绳子登上车，仰天呼号说："君王啊，君王！为什么惟独不肯放过我呢！"王子搜并不是厌恶当国君，而是厌恶当国君的祸患。像王子搜这样的人，可以说是不愿因君位而伤害性命，这也正是越国人要他当国君的原因所在。

韩魏相与争侵地。子华子见昭僖侯①，昭僖侯有忧色。子华子曰："今使天下书铭于君之前②，书之言曰：'左手攫之则右手废③，右手攫之则左手废，然而攫之者必有天下。'君能攫之乎？"

昭僖侯曰："寡人不攫也。"

子华子曰："甚善！自是观之，两臂重于天下也，身亦重于两臂。韩之轻于天下亦远矣，今之所争者，其轻于韩又远。君固愁身伤生以忧戚不得也！”

昭僖侯曰：“善哉！教寡人者众矣，末尝得闻此言也。”子华子可谓知轻重矣。

[注释]

①子华子：魏国贤士，怀道之人。昭僖侯：韩国国君。②铭：誓约。　③废：砍掉。

[译文]

韩魏两国互相争夺土地。子华子见到昭僖侯，昭僖侯面有忧色。子华子说：“现在让天下人在您面前写下誓约，誓约上写着：‘左手取它就要砍掉右手，右手取它就要砍掉左手，但是取到的就必得天下。’您愿意取它吗？”

昭僖侯说：“我不去取。”

子华子说：“很好！由此看来，两只手臂比天下重要，身体又比两只手臂重要。韩国远比天下为轻，现在所争夺的，又远比韩国为轻。您何必愁身伤生地去忧虑得不到的东西呢！”

僖侯说：“好啊！劝说我的人很多，但我还未曾听到这样的妙语。”子华子可以说是知道轻重。

鲁君闻颜阖得道之人也①，使人以币先焉②。颜阖守陋间③，苴布之衣而自饭牛④。鲁君之使者至，颜阖自对之⑤。使者曰：“此颜阖之家与？”颜阖对曰：“此阖之家也。”使者致币，颜阖对曰：“恐听者谬而遗使者罪⑥，不若审之。”使者还，反审之，复来求之，则不得已。故若颜阖者，真恶富贵也。

[注释]

①颜阖：鲁国隐士。　②以币先：送去礼品以表达心意。　③陋闾：简陋的穷巷。　④苴（jù）布：麻布。饭牛：喂牛。　⑤自对之：亲自接待。⑥遗（wèi）：致，给。

[译文]

鲁国国君听说颜阖是得道之人，就派人带礼品前去致意。颜阖住在简陋的穷巷，穿着粗布衣服正在亲自喂牛。鲁君的使者来了，颜阖上前接待。使者说："这里是颜阖的家吗？"颜阖回答说："是的。"使者送上礼物，颜阖说："恐怕听错了而连累使者受罪，不如核实一下。"使者回去，核实无误，又来找颜阖，没有找到。像颜阖这样的人，真正是厌恶富贵了。

故曰，道之真以治身①，其绪余以为国家②，其土苴以治天下③。由此观之，帝王之功，圣人之余事也，非所以完身养生也。今世俗之君子，多危身弃生以殉物④，岂不悲哉！凡圣人之动作也，必察其所以之与其所以为⑤。今且有人于此，以随侯之珠弹千仞之雀⑥，世必笑之。是何也？则其所用者重而所要者轻也⑦。夫生者，岂特随侯之重哉⑧！

[注释]

①真：精华。　②绪余：残余。　③土苴（jù）：糟粕。　④殉物：追逐名利。　⑤所以为：所以这样做。　⑥随侯之珠：随国国君的宝珠。　⑦要：求取。　⑧岂特：岂止。

[译文]

所以说，道的精华用来修身，残余用来治国，糟粕用来治理天下。由此看来，帝王的功业，只是圣人的余事，而不是用来保身养性的。现在世俗的君子，多危身弃性去追逐名利，岂不可悲！大凡圣人的行动，必定明察其所以往和所以为的意义。假如现在有这样一个人，他用随侯之珠当做子弹去射高空的飞鸟，世人肯定会嘲笑他。为什么呢？因为他用贵重的东西去求取轻贱之物。就性命而论，它比随侯之珠还要贵重！

　　子列子穷，容貌有饥色。客有言之于郑子阳者曰[①]："列御寇，盖有道之士也，居君之国而穷，君无乃为不好士乎[②]？"郑子阳即令官遗之粟。子列子见使者，再拜而辞。

　　使者去，子列子入，其妻望之而拊心曰[③]："妾闻为有道者之妻子，皆得佚乐。今有饥色，君过而遗先生食，先生不受，岂不命邪？"

　　子列子笑谓之曰："君非自知我也。以人之言而遗我粟，至其罪我也又且以人之言，此吾所以不受也。"其卒，民果作难而杀子阳。

[注释]

　　①子阳：郑国执政卿，相国。　②好士：重视士人。③拊心：表示痛心的样子。

[译文]

　　列子穷困，面容有饥色。有人对郑子阳说："列御寇是有道之士，住在您的国内而穷困，您难道不重视士人吗？"郑子阳即派官吏送去粮食。列子见到派来的使者，再三辞谢而不接受。

　　使者走后，列子走进屋里，妻子看着他伤心地说："我听说做有道之人的妻子，都能悠闲快乐。现在饥寒交迫，相国关心你而派人送来粮食，而你却不接受，岂不是命中注定的吗？"

　　列子笑着对妻子说："相国并不是自己了解我。他是听了别人的话而送给我粮食，那他将来也会听别人的话而怪罪我，这就是我不接受的原因。"最终，人民果然造反而杀了子阳。

　　楚昭王失国①，屠羊说走而从于昭王②。昭王反国，将赏从者，及屠羊说。屠羊说曰："大王失国，说失屠羊③；大王反国，说亦反屠羊。臣之爵禄已复矣，又何赏之有！"

　　王曰："强之④！"

　　屠羊说曰："大王失国，非臣之罪，故不敢伏其诛；大王反国，非臣之功，故不敢当其赏。"

　　王曰："见之！"

　　屠羊说曰："楚国之法，必有重赏大功而后得见。今臣之知不足以存国，而勇不足以死寇⑤。吴军入郢，说畏难而避寇，非故随大王也⑥。今大王欲废法毁约而见说，此非臣之所以闻于天下也。"

　　王谓司马子綦曰："屠羊说居处卑贱而陈义甚高⑦，子綦为我延之以三旌之位⑧。"

　　屠羊说曰："夫三旌之位，吾知其贵于屠羊之肆也⑨；万钟之禄，吾知其富于屠羊之利也。然岂可以食爵禄而使吾君有妄施之名乎⑩！说不敢当，愿复反吾屠羊之肆。"遂不受也。

[注释]

①失国：指楚昭王因吴军攻占国都而逃亡在外。　②屠羊说：名叫说的屠羊者。　③失屠羊：因亡国而失去了屠羊的职业。　④强之：强令受赏。　⑤死寇：杀敌。　⑥故：故意，有心。　⑦陈义：陈说理义。　⑧三旌之位：卿位。⑨肆：市，买卖。　⑩妄施：不按制度规定的滥施。

[译文]

楚昭王丧失国土。屠羊说跟随昭王逃亡。昭王返国后，要奖赏随从者，屠羊说也在奖赏之列。屠羊说说："大王失去国土，我也失去了屠羊的职业；大王返国，我又重操旧业。我的爵禄已经恢复了，又有什么好奖赏的呢！"

昭王说："强令他受赏！"

屠羊说说："大王失去国土不是我的罪过，所以我不该受罚；大王返国，也不是我的功劳，所以我不应领赏。"

昭王说："来晋见我！"

屠羊说说："根据楚国的法令，必须是有大功而受重赏的人才能晋见。现在我的才智不足以保国，勇气不足以杀敌。吴军攻占国都，我畏惧危难而逃避敌寇，并不是诚心追随大王。现在大王要违反常规而接见我，这不是我希望让天下传闻的事。"

昭王对司马子綦说："屠羊说地位卑贱而道义很高，你替我延请他出任卿职。"

屠羊说说："卿的职位，我知道比屠羊的职业尊贵；万钟的俸禄，我知道比屠羊的收入丰厚。然而我怎么可以贪图爵禄而使大王蒙受滥施的名声呢！我不敢接受，希望重新操起我屠羊的旧业。"终于没有接受。

原宪居鲁①，环堵之室②，茨以生草③，蓬户不完，桑以为枢④，而瓮牖二室⑤，褐以为塞⑥，上漏下湿，匡坐而弦歌⑦。

子贡乘大马⑧，中绀而表素⑨，轩车不容巷⑩，往见原宪。原宪华冠縰履⑪，杖藜而应门⑫。

子贡曰："嘻！先生何病？"

原宪应之曰；"宪闻之，无财谓之贫，学而不能行谓之病。今宪贫也，非病也。"子贡逡巡而有愧色⑬。

原宪笑曰："夫希世而行⑭，比周而友⑮，学以为人，教以为己，仁义之慝⑯，舆马之饰，宪不忍为也。"

[注释]

①原宪：孔子弟子。　②环堵之室：极言居室矮小。③茨以生草：用草盖房。　④桑以为枢：用树条作门枢。⑤瓮牖（yǒu）：用破瓮做窗户。⑥褐：粗布衣。　⑦匡坐：端

坐，正坐。　　⑧子贡：孔子弟子。　　⑨绀（gàn）：红青色。
⑩不容巷：街巷容纳不了。　　⑪华冠：用华木皮做的帽子。縰
（xǐ）：没有跟的鞋，形似拖鞋。　　⑫应门：应声开门。　　⑬逡
（qūn）巡：进退犹豫不决。　　⑭希世而行：观望社会风向而行
事。　　⑮比周：结党。　　⑯慝（tè）：奸恶。

[译文]

　　原宪住在鲁国，房屋矮小，茅草盖顶，蓬草编成的门户残
缺不全，用桑树条作门枢，破瓮做窗户，居室一分为二，用粗
布烂衣堵塞漏洞，屋顶漏地面潮湿，他却端坐在屋里弹弦唱歌。

　　子贡乘着大马，内衣红青而外衣素白，大马高车堵塞街
巷，前去探望原宪。原宪破帽烂鞋，柱着黎杖应声开门。

　　子贡说：“咦！先生是什么病呢？”

　　原宪回答说：“我听说，没有钱财称为贫，有学问而不能
施行称为病。我是贫，不是病。”子贡进退两难面有愧色。

　　原宪笑着说：“见风使舵，结党为友，为了使人看重而学，
为了自己声誉而教，仁义的奸恶，车马的华饰，这是我所不屑
于为之的。”

　　曾子居卫，缊袍无表①，颜色肿哙②，手足胼
胝③。三日不举火④，十年不制衣，正冠而缨绝⑤，捉
衿而肘见⑥，纳屦而踵决⑦。曳縰而歌《商颂》，声满
天地，若出金石。天子不得臣，诸侯不得友。故养志
者忘形，养形者忘利，致道者忘心矣。

[注释]

　　①缊（yún）袍：用乱麻做絮的袍子。　　②肿哙

(kuài)：浮肿　③胼胝（pián zhī）：生茧。　④不举火：不升火煮饭。　⑤正：整。缨：帽子上的带子。绝：断。　⑥见：通现，露出。　⑦踵决：鞋跟破裂。

[译文]

曾子住在卫国，衣着破烂，脸色浮肿，手足生茧。3天不升火煮饭，10年不添制衣服，一整帽子就断了带子，一拉衣襟就露出了胳膊肘，一穿鞋后跟就破裂。他拖拉着烂鞋唱《商颂》，声音充满天地，就像敲击金石乐器发出来的一样。天子不能使他做臣僚，诸侯无法和他交朋友。所以养志的人忘却形体，养形的人忘却利禄，求道的人忘却心机。

孔子谓颜回曰："回，来！家贫居卑，胡不仕乎？"

颜回对曰："不愿仕。回有郭外之田五十亩^①，足以给飦粥^②；郭内之田十亩，足以为丝麻；鼓琴足以自娱，所学夫子之道者足以自乐也。回不愿仕。"

孔子愀然变容曰^③："善哉回之意！丘闻之：'知足者，不以利自累也；审自得者^④，失之而不惧；行修于内者^⑤，无位而不怍^⑥。'丘诵之久矣，今于回而后见之，是丘之得也。"

[注释]

①郭：外城。　②飦（zhān）：稠粥。　③愀（qiǎo）然：表情改变的样子。　④审：明察。　⑤行修于内：进行内心的精神修养。　⑥怍（zuò）：惭愧。

[译文]

孔子对颜回说："颜回，来！你家境贫穷居室卑陋，为什么不做官呢?"

颜回说:"不愿意做官。我在郊外有田50亩,只够供给吃饭;郊内有桑麻之40亩,足够供给穿衣;弹琴足以自娱,所学先生之道足以自乐。我不愿意做官。"

孔子变容改色说:"你的心意好极了!我听说:'知足的人,不因利禄而拖累自己;明察自己得失的人,对于所失而不忧惧;修养内心的人,没有官爵而不惭愧。'我常常诵读这些话,现在在你身上得到了体现,这是我的收获。"

中山公子牟谓瞻子曰①:"身在江海之上,心居乎魏阙之下②,奈何?"

瞻子曰:"重生。重生则利轻。"

中山公子牟曰:"虽知之,未能自胜也③。"

瞻子曰:"不能自胜则从④,神无恶乎?不能自胜而强不从者,此之谓重伤。重伤之人,无寿类矣。"

魏牟,万乘之公子也,其隐岩穴也,难为于布衣之士,虽未至乎道,可谓有其意矣。

[注释]

①中山公子牟:魏国公子,名牟,封于中山,又称魏牟。瞻子:魏国贤人。②魏阙:巍然高大的宫门,代指宫廷。③自胜:自我控制。 ④从:放任。

[译文]

中山公子牟对瞻子说:"虽身居江湖,心里却想着宫廷里的荣华富贵,怎么办呢?"

瞻子说:"重生。重生就轻利。"

中山公子牟说："我虽然知道，但不能自我控制。"

瞻子说："不能自我控制放任，心神不厌恶吗？不能自我控制而又硬要那样去做，这就是双重的损伤。双重损伤的人，就不能长寿了。"

魏牟，是万乘之国的公子，他隐居山间，要比平民困难得多，虽然还没有达到道的境界，但可以说有这种意念了。

孔子穷于陈蔡之间，七日不火食，藜羹不糁①，颜色甚惫，而弦歌于室。颜回择菜，子路、子贡相与言曰："夫子再逐于鲁，削迹于卫，伐树于宋，穷于商周，围于陈蔡，杀夫子者无罪，藉夫子者无禁②。弦歌鼓琴，未尝绝音，君子之无耻也若此乎？"

颜回无以应，入告孔子。孔子推琴喟然而叹曰："由于赐③，细人也④。召而来，吾语之。"

子路、子贡入。子路曰："如此者可谓穷矣！"

孔子曰："是何言也！君子通于道之谓通，穷于道之谓穷。今丘抱仁义之道以遭乱世之患，其何穷之为！故内省而不穷于道，临难而不失其德，天寒既至，霜雪既降，吾是以知松柏之茂也。陈蔡之隘⑤，于丘其幸乎！"

孔子削然反琴而弦歌⑥，子路扢然执干而舞⑦。子贡曰："吾不知天之高也，地之下也。"

古之得道者，穷亦乐，通亦乐。所乐非穷通也，道德于此⑧，则穷通为寒暑风雨之序矣。故许由娱于颍阳⑨，而共伯得乎丘首⑩。

[注释]

①糁（sǎn）：米粒。　②藉：凌辱，欺负。　③由：子路名。赐：子贡名。　④细人：见识浅的人，小人。　⑤隘：困厄。　⑥削然：取琴的动作声。反琴：再取琴而弹。　⑦扢（xì）然：威武的样子。　⑧德：通得。⑨许由娱于颍阳：相传许由不接受尧的弹让，隐居于颍水之阳，自得其乐。　⑩共伯得乎丘首：共伯名和，食封于共，贤而有才。周厉王出逃后，诸侯拥立共伯为君，执政14年，史称"共和行政"。后周宣王即位，共伯隐退于丘首山，逍遥自得。

[译文]

孔子被围困在陈蔡两国之间，7天吃不上熟食，野菜汤里没有一粒米，脸色疲惫不堪，但仍在室内弹琴唱歌。颜回采择野菜，子路和子贡相互议论说："先生两次被鲁国驱逐，卫国不让居留，在宋国蒙受伐树之辱，在商周陷入困境，又在陈蔡被围困，杀了先生也不犯法，凌辱先生也无人禁止。而先生却弹琴唱歌，从不间断，君子有这样不知羞耻的吗？"

颜回无话可说，进屋告诉了孔子。孔子推开琴叹气说："子路和子贡，是见识短浅的小人。叫他们进来，我对他们说。"

子路和子贡走进来。子路说："落到这般地步，可以说是穷困了吧！"

孔子说："这是什么话！君子通于道称为通，穷于道称为穷。现在我心怀仁义之道而遭乱世之患，怎么能叫穷！所以内心反省而不穷于道，临难而不丧失德，经过风雪严寒，我才知道松柏的茂盛。陈蔡的困厄，对我来说真是幸事啊！"

孔子取过琴来重新弹唱，子路威武地执干起舞，子贡说："我不知道天高地厚。"

古时候得道的人，穷困也快乐，通达也快乐。所乐的不是穷困和通达，在这里获得了道，穷困和通达就像寒暑风雪的循序变化一样平常。所以许由自娱于颍水之阳，共伯逍遥于丘首之山。

舜以天下让其友北人无择①，北人无择曰："异哉后之为人也，居于畎亩之中而游尧之门②！不若是而已③，又欲以其辱行漫我④。吾羞见之。"因自投清泠之渊⑤。

[注释]

①北人无择：北方人，名无择。 ②畎（quǎn）亩：田间。 ③若：但。④辱行：耻辱的行为。 ⑤清泠（líng）：深渊名。

[译文]

舜将天下让给他的朋友北人无择，北人无择说："舜的为人真奇怪，身居田间却投靠在尧的门下！不但如此，还想用他这种耻辱的行为来玷污我。我羞于见他。"于是自投于清泠之渊。

汤将伐桀，因卞随而谋①，卞随曰："非吾事也。"

汤曰："孰可？"

曰："吾不知也。"

汤又因务光而谋②，务光曰："非吾事也。"

汤曰："孰可？"

曰："吾不知也。"

汤曰："伊尹何如③？"

曰："强力忍垢④，吾不知其他也。"

汤遂与伊尹谋伐桀，剋之⑤，以让卞随。卞随辞曰："后之伐桀也谋乎我，必以我为贼也⑥；胜桀而让我，必以我为贪也。吾生乎乱世，而无道之人再来漫我以其辱行，吾不忍数闻也⑦。"乃自投椆水而死⑧。

汤又让务光，曰："知者谋之，武者遂之⑨，仁者居之⑩，古之道也，吾子胡不立乎？"

务光辞曰："废上，非义也；杀民，非仁也；人犯其难，我享其利，非廉也。吾闻之曰：'非其义者，不受其禄；无道之世，不践其土。'况尊我乎！吾不忍久见也。"乃负石自沈于庐水。

[注释]

①卞随：怀道之人。 ②务光：怀道之人。 ③伊尹：商汤的辅臣。 ④强力：顽强。忍垢：忍辱。 ⑤剋：通克，战胜。 ⑥贼：残忍。 ⑦数：屡次。 ⑧椆（zhōu）水：水名。 ⑨遂：完成，成功。 ⑩居之：指居天子位。

[译文]

汤准备伐桀，找卞随谋划，卞随说："这不是我的事。"

汤说："谁可以？"

卞随说："我不知道"。

汤又找务光谋划，务光说："这不是我的事。"

汤说："谁可以？"

务光说："我不知道。"

汤说："伊尹怎么样？"

务光说："顽强而能忍辱，别的我不知道。"

汤于是与伊尹谋划伐桀，推翻了夏朝，要让位给卞随。卞随说："君伐桀时找我谋划，一定以为我残忍；战胜桀后而让位于我，一定以为我贪权。我生在乱世，而无道的人又用耻辱的行为再来玷污我，我忍受不了屡屡闻见这些事。"于是自投椆水而死。

汤又让位于务光，说："有智慧的人出谋划策，勇武的人打天下，仁义之人居天子位，这是自古以来的道理。你为什么不即位？"

务光推辞说："废除君上，不义；杀戮人民，不仁；别人赴汤蹈火，我坐享其利，这是不廉。我听说：'不合于义的，不受其禄；在无道的社会，不驻足在他的领土上。'何况要尊我为天子！我忍受不了长期看着这样的社会。"于是背负石头自沉于庐水。

昔周之兴，有士二人处于孤竹①，曰伯夷、叔齐。二人相谓曰："吾闻西方有人似有道者，试往观焉"至于岐阳②，武王闻之，使叔旦往见之③，与盟曰④："加富二等⑤，就官一列⑥。"血牲而埋之⑦。

二人相视而笑曰："嘻，异哉！此非吾所谓道也。昔者神农之有天下也⑧，时祀尽敬而不祈喜；其于人也，忠信尽治而无求焉。乐与政为政，乐与治为治，不以人之坏自成也⑨，不以人之卑自高也，不以遭时自利也⑩。今周见殷之乱而遽为政⑪，上谋而下行货⑫，阻兵而保威⑬，割牲而盟以为信，扬行以说众⑭，杀伐以要利，是推乱以易暴也⑮。吾闻古之士，遭治世不避其任，遇乱世不为苟存。今天下闇⑯，殷德衰，其并乎周以涂吾身也不如避之以絜吾行⑰。"二子北至于首阳之山，遂饿而死焉。

若伯夷、叔齐者，其于富贵也，苟可得已，则必不赖⑱。高节戾行⑲，独乐其志，不事于世，此二士之节也。

[注释]

①孤竹：商代国名，在今辽宁、河北相邻一带境内。②岐阳：岐山之阳。③叔旦：周武王之弟周公旦。④盟：盟誓。⑤富：禄。⑥就官：任官。⑦血牲而埋之：古代举行盟誓仪式，杀牲取血涂于盟书上，然后埋入地下。⑧喜：福。⑨不以人之坏自成：不以别人的失败作为自己成功的条件。⑩遭时：遇到好时机。⑪遽（jù）：急。⑫行货：用利禄收买人。⑬阻：恃，依仗。⑭扬行：宣扬自己的行为。说：通悦。⑮推乱：行乱，制造祸乱。⑯闇：通暗。⑰絜：通洁。⑱赖：取。⑲戾行：与众不同的行为。

[译文]

从前周朝兴起的时候，有两位贤士住在孤竹国，名叫伯夷、叔齐。二人商量说："听说西方有个人，好像是有道者，我们去看看。"到了岐阳，周武听说了，就派周公去见他们，立下盟约说："加禄二级，授官一等。"然后将盟书涂上牲血埋入地下。

伯夷和叔齐相视而笑说："噫，真奇怪！这不是我们所说的道。过去神农氏拥有天下，按时祭祀竭尽虔诚而不求福；对于人民，忠信尽力而无所求。人乐于政就为政，人乐于治就为治，不以别人的失败作为自己成功的条件，不以别人的卑微而显示自己的高贵，不因遇到机会就自谋私利。现在周人看到殷朝混乱便急忙取而代之，崇尚谋略而收买人心，依仗武力而保持威势，杀牲盟誓作为信用，宣扬自己的行为以取悦于众，通过杀伐以谋取利益，这是制造祸乱以代替暴虐。我听说古时候的贤士，逢治世不逃避责任，遇乱世不苟且偷生，现在天下黑暗，殷德衰败，与其同周人合作来玷污我们，不如避开以保持我们行为的高洁。"二人向北逃到首阳之山，终于饿死在那里。

像伯夷、叔齐这样的人，对于富贵，即使唾手可得，却也不获取。节操高尚，行为与众不同。独乐其志，不迎合世俗，这就是两位贤士的气节。

盗　跖

孔子与柳下季为友①，柳下季之弟名曰盗跖②。盗跖从卒九千人，横行天下，侵暴诸侯，穴室枢户③，驱人牛马，取人妇女，贪得忘亲，不顾父母兄弟，不祭先祖。所过之邑，大国守城，小国入保④，万民苦之。

孔子谓柳下季曰："夫为人父者，必能诏其子⑤；为人兄者，必能教其弟。若父不能诏其子，兄不能教其弟，则无贵父子兄弟之亲矣。今先生，世之才士也，弟为盗跖，为天下害，而弗能教也，丘窃为先生羞之。丘请为先生往说之。"

柳下季曰："先生言为人父者必能诏其子，为人兄者必能教其弟，若子不听父之诏，弟不受兄之教，虽今先生之辩，将奈之何哉！且跖之为人也，心如涌泉，意如飘风，强足以距敌，辩足以饰非，顺其心则喜，逆其心则怒，易辱人以言。先生必无往。"

孔子不听，颜回为驭，子贡为右，往见盗跖。盗跖乃方休卒徒于大山之阳⑥，脍人肝而餔之⑦。孔子下车而前，见谒者曰⑧："鲁人孔丘，闻将军高义，敬再拜谒者。"

谒者入通⑨，盗跖闻之大怒，目如明星，发上指冠，曰："此夫鲁国之巧伪人孔丘非邪？为我告之：'尔作言造语，妄称文武，冠枝木之冠⑩，带死牛之胁⑪，多辞缪说，不耕而食，不织而衣，摇唇鼓舌，擅生是非，以迷天下之主，使天下学士不反其本⑫，妄作孝弟而侥幸于封侯富贵者也。子之罪大极重，疾走归！不然，我将以子肝益尽餔之膳！'"

孔子复通曰："丘得幸于季，愿望履幕下⑬。"

谒者复通，盗跖曰："使来前！"

孔子趋而进，避席反走⑭，再拜盗跖。盗跖大怒，两展其足⑮，案剑瞋目，声如乳虎，曰："丘来前！若所言，顺吾意则生，逆吾心则死！”

孔子曰：“丘闻之，凡天下有三德：生而长大，美好无双，少长贵贱见而皆说之⑯，此上德也；知维天地⑰，能辩诸物，此中德也；勇悍果敢，聚众率兵，此下德也。凡人有此一德者，足以南面称孤矣⑱。今将军兼此三者，身长八尺二寸，面目有光，唇如激丹⑲，齿如齐贝，音中黄钟，而名曰盗跖，丘窃为将军耻不取焉。将军有意听臣，臣请南使吴越，北使齐鲁，东使宋卫，西使晋楚，使为将军造大城数百里，立数十万户之邑，尊将军为诸侯，与天下更始⑳，罢兵休卒，收养昆弟，共祭先祖。此圣人才士之行，而天下之愿也。”

盗跖大怒曰：“丘来前！夫可规以利而可谏以言者，皆愚陋恒民之谓耳㉑。今长大美好，人见而悦之者，此吾父母之遗德也。丘虽不吾誉，吾独不自知邪？

“且吾闻之，好面誉人者，亦好背而毁之。今丘告我以大城众民，是欲规我以利而恒民畜我也㉒，安可久长也！城之大者，莫大乎天下矣。尧、舜有天下，子孙无置锥之地；汤、武立为天下，而后世绝灭。非以其利大故邪？

“且吾闻之，古者禽兽多而人少，于是民皆巢居以避之，昼拾橡栗，暮栖木上，故命之曰有巢氏之民。古者民不知衣服，夏多积薪，冬则炀之㉓，故命之曰知生之民。神农之世，卧则居居㉔，起则于于㉕，民知其母，不知其父，与麋鹿共处，耕而食，织而衣，无有相害之心，此至德之隆也。然而黄帝不能致德，与蚩尤战于涿鹿之野㉖，流血百里。尧、舜作，立群臣，汤放其主，武王杀纣。自是之后，以强陵弱，以众暴寡。汤、武以来，皆乱人之徒也。

"今子修文武之道，掌天下之辩，以教后世，缝衣浅带㉗，矫言伪行，以迷惑天下之主，而欲求富贵焉，盗莫大于子。天下何故不谓子为盗丘，而乃谓我为盗跖？子以甘辞说子路而使从之㉘，使子路去其危冠㉙，解其长剑，而受教于子，天下皆曰孔丘能止暴禁非。其卒之也㉚，子路欲杀卫君而事不成，身菹于卫东门之上㉛，是子教之不至也㉜。子自谓才士圣人邪？则再逐于鲁，削迹于卫，穷于齐，围于陈蔡，不容身于天下。子教子路菹此患，上无以为身，下无以为人，子之道岂足贵邪？

"世之所高㉝，莫若黄帝。黄帝尚不能全德，而战涿鹿之野，流血百里。尧不慈，舜不孝，禹偏枯㉞，汤放其主，武王伐纣，文王拘羑里㉟。此六子者，世之所高也，孰论之㊱，皆以利惑其真而强反其情性，其行乃甚可羞也。

"世之所谓贤士，伯夷、叔齐。伯夷、叔齐辞孤竹之君，而饿死于首阳之山，骨肉不葬。鲍焦饰行非世㊲，抱木而死。申徒狄谏而不听，负石自投于河，为鱼鳖所食。介子推至忠也㊳，自割其股以食文公，文公后背之，子推怒而去，抱木而焚死。尾生与女子期于梁下㊴，女子不来，水至不去，抱梁柱而死。此六子者，无异于磔犬流豕，操瓢而乞者㊵，皆离名轻死㊶，不念本养寿命者也㊷。

"世之所谓忠臣者，莫若王子比干、伍子胥。子胥沉江，比干剖心。此二子者，世谓忠臣也，然卒为天下笑。自上观之，至于子胥、比干，皆不足贵也。

"丘之所以说我者，若告我以鬼事，则我不能知也；若告我以人事者，不过此矣，皆吾所闻知也。

"今吾告子以人之情：目欲视色，耳欲听声，口欲察味，志气欲盈。人上寿百岁，中寿八十，下寿六十，除病瘦死丧忧患，其中开口而笑者，一月之中不过四五日而已矣。天与地无穷，人死者有时，操有时之具㊸，而托于无穷之间，忽然无异骐骥之驰过隙也。不能说其志意，养其寿命者，皆非通道者也。

"丘之所言，皆吾之所弃也，亟去走归㊹，无复言之！子之道，狂狂汲汲㊺，诈巧虚伪事也，非可以全真也，奚足论哉！"

孔子再拜趋走，出门上车，执辔三失㊻，目芒然无见，色若死灰，据轼低头㊼，不能出气。归到鲁东门外，适遇柳下季。柳下季曰："今者阙然数日不见，车马有行色，得微往见跖邪⁴⁸?"

孔子仰天而叹曰："然。"

柳下季曰："跖得无逆汝意若前乎⁴⁹?"

孔子曰："然。丘所谓无病而自灸也，疾走料虎头⁵⁰，编虎须，几不免虎口哉!"

[注释]

①柳下季：鲁国大夫，姓展名获，字禽，食邑柳下，又称柳下惠。　②盗跖（zhí）：东周时代的大盗。　③枢：应作"抠"，探取。　④保：通堡。　⑤诏：教导。　⑥大（tài）山：即泰山。　⑦脍（kuài）：细切。餔（bǔ）：食。　⑧谒（yè）者：负责接待和传达的人。　⑨入通：进去通报。　⑩枝木之冠：装饰华丽的帽子。　⑪死牛之胁：指牛皮带。　⑫反：通返。本：本性。　⑬望履幕下：意即望见足下。　⑭反走：退步而趋，表示恭谦。　⑮两展其足：两腿叉伸。　⑯说：通悦。　⑰维：包罗。　⑱南面称孤：当国君。　⑲激丹：鲜红的朱砂。　⑳更始：重新开始。　㉑恒民：常人。　㉒畜：待。　㉓炀（yáng）：烧火取暖。　㉔居居：安稳的样子。　㉕于于：自得的样子。　㉖蚩（chī）尤：传说时代的部族首领。　㉗缝衣：宽大的衣服。浅带：博带。　㉘甘辞：甜言蜜语。　㉙危冠：高冠。　㉚卒：结果。　㉛菹（zū）：剁成肉酱。　㉜至：成功。　㉝高：推崇。　㉞偏枯：半身不遂。　㉟羑（yǒu）里：殷代监狱名。　㊱孰论：认真说来。　㊲鲍焦：周代隐者。　㊳介子推：晋文公的忠臣。　㊴尾生：人名。期：约会。梁：桥。　㊵磔（zhé）犬：被肢解抛弃的死狗。流豕：被抛在河里淹死的猪。　㊶离名：追求名声。　㊷不念本：不重视本性。　㊸有时之具：有限的生命。　㊹亟（jí）：急，快。　㊺狂狂汲汲：投机钻营。　㊻执箸

(pèi）三失：三次拿马缰绳都拿不稳。　⑰据轼：扶靠着车前横木。　⑱得微：莫非。　⑲若前：如我前面所说的那样。⑳料：通撩，挑弄。

[译文]

孔子和柳下季是朋友，柳下季的弟弟名叫盗跖。盗跖的兵卒有9000人，横行天下，侵犯诸侯，穿室探户，夺人牛马，掠人妇女，贪利忘亲，不顾父母兄弟，不祭祀祖宗。所过之处，大国守城，小国避入堡中，万民为其所苦。

孔子对柳下季说："做父亲的，必定能管教他的儿子；当兄长的，必定能教导他的弟弟。如果父亲不能管教儿子，兄长不能教导弟弟，那就没有父子兄弟的亲情可言了。现在先生是当世的才士，弟弟为盗跖，为害于天下，却不能教导他，我暗中为先生感到羞耻。我愿意替先生去说服他。"

柳下季说："先生说做父亲的必定能管教儿子，当兄长的必定能教导弟弟，如果儿子不听父亲的管教，弟弟不受兄长的教导，即使是先生这样善辩，又能把他怎么样！况且跖的为人，心如涌泉，意如飘风，强悍足以拒敌，辩才足以掩饰过错，依顺他的心意就高兴，违逆他的心意就愤怒，轻易地用语言侮辱人。先生千万不要去。"

孔子不听劝阻，让颜回驾车，子贡护卫，去见盗跖。盗跖正和部卒在泰山之南休息，烹炒人肝而食。孔子下车走上前去，拜见传达说："鲁人孔丘，闻知将军高义，专程前来拜见。"

传达进去通报，盗跖闻之大怒，目如明星，怒发冲冠，说："是鲁国那个狡猾虚伪的孔丘吗？替我告诉他：'你花言巧语，妄称文、武，头戴华丽的帽子，腰束死牛之皮，胡言乱语，不耕而食，不织而衣，摇唇鼓舌，拨弄是非，以迷惑天下的君主，使天下学士忘掉本性，妄作孝悌，以侥幸求得封侯富贵。你罪大恶极，赶快回去！不然我就要取你的心肝当午餐！'"

孔子再次请求说："我有幸和柳下季为友，希望能拜见足下。"

传达又去通报，盗跖说："让他进来！"

孔子快步走进去，避席退步，再拜盗跖。盗跖大怒，叉伸两腿，按剑瞪眼，声如乳虎，说："孔丘过来！你所说的话，顺我的心就留你活命，逆我的心就死！"

孔子说："我听说，天下的人有三种美德：生得高大，英俊无双，老少贵贱见了他都喜欢，这是上德，知识广博，善于分析各种事物，这是中德；勇敢果断，聚众率兵，这是下德。凡是具有其中一种美德的人，就足以面南称王。现在将军兼备三种美德，身高8尺2寸，面目有光，唇如鲜丹，齿如齐贝，声合音律，却名叫盗跖，我暗中为将军感到羞耻不取。将军若有意听我的，我请求南使吴越，北使齐鲁，东使宋卫，西使晋楚，让他们为将军建造数百里之大城，立数10万户之都邑，尊将国为诸侯，一切重新开始，罢兵休卒，收养昆弟，供祭祖宗。这是圣人才士的作为，也是天下人的愿望。"

盗跖大怒说："孔丘过来！能够用利禄和言语引诱劝谏的，都属于愚陋的常人。我现在高大英俊，人见人爱，这是我父母的遗传。你即使不赞美我，我难道自己不知道吗？

"而且我听说，喜欢当面称赞人的，也喜欢背后诋毁人。现在你告诉我有大城众民，是想用利禄引诱我而把我当成常人看待，怎么可以长久！城池再大，也没有大过天下的。尧、舜拥有天下，他们的子孙却没有置锥之地；汤、武立为天子，他们的后代却已灭绝。这难道不是因为他们利禄太多的缘故吗？

"而且我听说，古时候禽兽多而人少，于是人都筑巢而居以躲避禽兽，白天拾橡栗，晚上睡在树上，所以称之为有巢氏之民。古时候人不知道穿衣，夏天多存柴草，冬天用来烤火取暖，所以称之为知生之民。神农的时代，睡觉时安安稳稳，起来后舒适自得，民知其母，不知其父，与麋鹿共处，耕田而食，纺织而衣，没有相害之心，这是道德最高尚的时代。然而黄帝不能做到至德，和蚩尤大战于涿鹿之野，血流百里。尧、舜兴起，设立群臣，汤流放其君主，武王杀纣。从此以后，以强凌弱，以众侵少。汤、武以来，都是祸害人民之徒。

"现在你修习文、武之道，掌握天下的舆论，来教化后世，宽衣博带，巧言伪行，以迷惑天下的君主，而企图谋求富贵，你是最大的盗贼。天下为什么不称你为盗丘，而称我为盗跖呢？你用甜言蜜语说服子路跟从你，让子路脱去高冠，解除长剑，而受教于你，天下都说孔丘能够止暴禁非。其结果是，子路想杀卫君而没有成功，在卫国东门之上被剁成肉酱，这是你教导的不成功。你不是自称为才士圣人吗？然而却两次被鲁国驱逐，被卫国禁止居留，受困于齐，被围于陈蔡，无法容身于天下。你使子路遭此祸患，上不能保身，下不能为人，你的说教还值得推崇吗？

"世上所推崇的，莫过于黄帝。黄帝尚不能德行完备，而战于涿鹿之野，血流百里。尧不仁慈，舜不孝顺，禹半身不遂，汤流放其君主，武王伐纣，文王被拘禁在羑里。这六个人，是世上所推崇的，认真说来，他们都是被利禄迷惑了本性而强力违背了情性，他们的行为是非常可耻的。

"世上所谓的贤士，莫过于伯夷和叔齐。伯夷和叔齐辞让孤竹国的君位，饿死在首阳山上，尸体不得安葬。鲍焦行为清高，不满现实社会，抱着树木枯死。申徒狄诤谏不被君主采纳，负石自投于河，为鱼鳖所食。介子推忠心耿耿，自己割下腿上的肉给晋文公吃，文公后来行赏时忘记了他，子推愤而离去，抱着树木而被烧死。尾生与一女子相约在桥下相会，女子没来，洪水冲来他也不肯离去，抱着桥柱被淹死。这六个人，无异于被屠宰抛弃的猪狗和持瓢的乞丐，都是重名而轻死，不珍惜自己的生命。

"世上所谓的忠臣，莫过于王子比干和伍子胥。子胥沉尸于江，比干剖腹挖心。这两个被世人称为忠臣的人，终为天下所讥笑。从上述人物来看，直到子胥、比干，都不足贵。

"你所劝说我的，如果告诉我是有关鬼的事，那我就无法知晓；如果告诉有关人的事，不过如此而已，都是我所知道的。

"现在我告诉你人的性情：眼睛想看颜色，耳朵想听声音，口舌想尝滋味，心理追求满足。人的上寿 100 岁，中寿为 80 岁，下寿为 60 岁，除了疾病死丧忧患外，开口笑的一月之中不过四五天而已。天地是无穷的，人的生命是有限的，将有限的生命寄托在无穷的天地之间，其疾速消逝无异于骏马奔驰一闪而过。不能欢畅其意志、保养其寿命的，都不是通达于道的人。

"你所说的，都是我所抛弃的，赶快回去，不要再说了！你的这套话教，投机钻营，诈巧虚伪，不能保全真性，有什么好说的！"

孔子拜了又拜快步急走，出门上车，三次拿马缰绳都拿不稳，眼睛茫茫然而无所见，面如死灰，扶靠着车轼垂头丧气，紧张得连气都喘不过来。回到鲁国东门外，正巧遇到柳下季。柳下季问："近来数日不见，车马风尘仆仆，莫非是去见了跖？"

孔子仰天而叹说："是的。"

柳下季问："跖是不是像我前面所说的那样伤害了你呢？"

孔子说："是的。我是所谓没有病而自己用艾烧灼，急急忙忙地跑去摸虎头，捋虎须，差一点落入虎口啊！"

子张问于满苟得曰①："盍不为行②？无行则不信，不信则不任，不任则不利。故观之名，计之利，而义真是也。若弃名利，反之于心③，则夫士之为行，不可一日不为乎！"

满苟得曰："无耻者富，多信者显④。夫名利之大者，几在无耻而信⑤。故观之名，计之利，而信真是也。若弃名利，反之于心，则夫士之为行，抱其天乎⑥！"

子张曰："昔者桀、纣贵为天子，富有天下，今谓臧聚曰⑦，汝行如桀、纣，则有怍色，有不服之心者，小人所贱也。仲尼、墨翟，穷为匹夫，今谓宰相曰，子行如仲尼、墨翟，则变容易色⑧，称不足者，士诚贵也。故势为天子，未必贵也；穷为匹夫，未必贱也；贵贱之分，在行之美恶。"

满苟得曰："小盗者拘，大盗者为诸侯，诸侯之门，义士存焉。昔者桓公小白杀兄入嫂⑨，而管仲为臣；田成子常杀君窃国，而孔子受币。论则贱之，行则下之⑩，则是言行之情悖战于胸中也⑪，不亦拂乎⑫！故《书》曰：'孰恶孰美？成者为首，不成者为尾。'"

子张曰："子不为行，即将疏戚无伦⑬，贵贱无义，长幼无序。五纪六位^⑭，将何以为别乎？"

满苟得曰："尧杀长子，舜流母弟^⑮，疏戚有伦乎？汤放桀，武王杀纣，贵贱有义乎？王季为适^⑯，周公杀兄^⑰，长幼有序乎？儒者伪辞，墨者兼爱，五纪六位将有别乎？且子正为名，我正为利。名利之实，不顺于理，不监于道^⑱。吾日与子讼于无约曰^⑲：'小人殉财，君子殉名，其所以变其情，易其性，则异矣；乃至于弃其所为而殉其所不为，则一也。'故曰，无为小人，反殉而天^⑳；无为君子，从天之理。若枉若直^㉑，相而天极^㉒；面观四方，与时消息^㉓。若是若非，执而圆机^㉔；独成而意，与道徘徊。无转而行^㉕，无成而义，将失而所为。无赴而富^㉖，无殉而成，将弃而天。比干剖心，子胥抉眼^㉗，忠之祸也；直躬证父^㉘，尾生溺死，信之患也；鲍子立干^㉙，申子不自理^㉚，廉之害也；孔子不见母^㉛，匡子不见父^㉜，义之失也。此上世之所传，下世之所语，以为士者正其言，必其行，故服其殃^㉝，离其患也^㉞。"

[注释]

①子张：孔子弟子。满苟得：虚拟的人物。　②为行：修善德行。　③反之于心：扪心自问。　④多信：善于夸耀。⑤几：几乎，大概。　⑥天：天性，自然的本性。　⑦臧聚：仆隶贱役。　⑧变客易色：满脸喜色。　⑨入嫂：娶嫂为妻。　⑩下之：顺从。　⑪悖战：交战。　⑫拂：紊乱，矛盾。

⑬疏戚：亲戚。　⑭五纪：即五伦，指父子、君臣、夫妇、长幼、朋友的关系。六位：即六纪，谓诸父、兄弟、族人、诸舅、师长、朋友。　⑮舜流母弟：指舜以分封为名变相流放同母兄弟象。　⑯适：通嫡。周太王违反嫡长子继承君位的传统，将君位传给小儿子王季。　⑰周公杀兄：指西周初年周公平定"三监"之乱，杀管叔、蔡叔之事。　⑱监：通鉴，明。

⑲无约：虚拟的人名。　⑳而：尔，你。　㉑枉：曲。㉒天极：自然的准则。　㉓消：消亡。息：生息。　㉔圆机：循环变化的枢纽。　㉕转：通专，固执。　㉖赴：趋赴，追求。　㉗抉（jué）：挖。　㉘直躬：人名。证父：证实父亲偷了别人的羊。　㉙鲍子：即鲍焦。　㉚申子：即申徒狄，一说申子指晋献公之子太子申生。　㉛孔子不见母：指孔子周游列国而长期在外，其母临终时未能相见。　㉜匡子不见父：匡子姓匡名章，齐国人，因劝谏父亲而被赶出家门，终身不见其父。　㉝服：受。　㉞离：通罹，遭。

[译文]

子张问满苟得说："为什么不修养德行？没有德行就不能取信，不能取信就不被任用，不被任用就不能得利。所以从名利的角度来看，义才是品行修养的根本。即使不要名利，扪心自问，对于士人的品行修养来说，也不可一日不修仁义呀！"

满苟得说："无耻贪婪的人富有，善于夸耀的人显赫。大的名利，几乎都是由无耻夸耀而来。所以从名利的角度来看，夸耀才是最重要的。如果抛弃名利，扪心自问，对于士人的品行修养来说，也只有持守自然的本性了。"

子张说："从前桀、纣贵为天子，富有天下，如果现在对仆隶说，你的行为像桀、纣，那他就会面带怒容，心理很不高兴，可见这种行为是连小人都鄙视的。现在如果对宰相说，你的行为像孔子、墨子，那他就会满脸喜色，说自己难以和他们相比，可见这种行为是士大夫所推崇的。所以虽权势如天子，却未必可贵；虽穷困如匹夫，却未必低贱；贵贱的区分，在于行为的善恶。"

满苟得说："小盗被拘捕，大盗当诸侯，诸侯的门下，就是仁义之所在。从前齐桓公杀兄娶嫂，而管仲却做他的辅臣；田成子杀君窃国，而孔子却接受他的礼品。口头上表示鄙视，实际上却顺从他们，言论和行动互相打仗，岂不是很矛盾吗！所以《书》说：'谁坏谁好？成功的就是好，失败的就是坏。'"

子张说："你不修养德行，就会亲疏无伦，贵贱无义，长幼无序；五伦六纪，怎么区别呢？"

满苟得说："尧杀长子，舜流放母弟，亲疏有伦吗？汤放桀，武王杀纣，贵贱有义吗？王季僭越嫡位，周公杀兄，长幼有序吗？儒者虚言伪辞，墨者提倡兼爱，五伦六纪有区别吗？而且你正在求名，我正在求利。名和利的实质，既不顺于理，也不明于道。我从前和你在无约面前争论说：'小人追求财，君子追求名，他们变易性情，原因各不相同；但在舍弃修身养性而追求名利方面，则是一样的。'所以说，不要做小人所做的事，要反求你的天性；不要做君子所做的事，要顺从自然之理。曲也罢直也罢，按照你自然的准则行事就是了；面观四方，随着时间的推移而变化。是也罢非也罢，掌握你循环变化的枢纽；形成你独立的见解，随着周旋。不要固执你的行为，不要推行你的仁义，否则就会丧失你的自然之道。不要追逐富贵，不要急于求成，否则就会舍弃你的天性。比干被剖心，子胥被挖眼，这是忠的祸害；直躬证实父亲偷羊，尾生淹死，这是信的祸患；鲍子抱木枯死，申子自沉于河，这是廉的危害；孔子不见母，匡子不见父，这是义的丧失。这些都是前代相传，后世的议论，认为士人要语言正直，行为高尚，所以才受其祸殃，遭其祸患。"

无足问于知和曰①："人卒未有不兴名就利者②。彼富则人归之，归则下之，下则贵之③。夫见下贵者④，所以长生安体乐意之道也。今子独无意焉，知不足邪？意知而力不能行邪？故推正不忘邪⑤？"

知和曰："今夫此人以为与己同时而生⑥，同乡而居者，以为夫绝俗过世之士焉⑦，是专无主正⑧，所以览古今之时，是非之分也，与俗化。世去至重⑨，弃至尊⑩，以为其所为也，此其所以论长生安体乐意之道，不亦远乎！惨怛之疾⑪，恬愉之安，不监于体⑫；怵惕之恐，欣欢之喜，不监于心。知为为而不知所以为，是以贵为天子，富有天下，而不免于患也。"

无足曰："夫富之于人，无所不利。穷美究势⑬，至人之所不得逮⑭，贤人之所不能及。侠人之勇力而不为威强⑮，秉人之知谋以为明察，因人之德以为贤良，非享国而严若君父。且夫声色滋味权势之于人，心不待学而乐之，体不待象而安之⑯。夫欲恶避就⑰，固不待师，此人之性也。天下虽非我，孰能辞之！"

知和曰："知者之为，故动以百姓⑱，不违其度，是以足而不争，无以为故不求。不足故求之，争四处而不自以为贪；有余故辞之，弃天下而不自以为廉。廉贪之实，非以迫外也，反监之度⑲。势为天子而不以贵骄人，富有天下而不以财戏人。计其患，虑其反，以为害于性，故辞而不受也，非以要名誉也。尧、舜为帝而雍㉑，非仁天下也，不以美害生也；善卷、许由得帝而不受，非虚辞让也，不以事害己。此皆就其利，辞其害，而天下称贤焉，则可以有之，彼非以兴名誉也。"

无足曰："必持其名，苦体绝甘，约养以持生㉑，则亦久病长厄而不死者也。"

知和曰："平为福，有余为害者，物莫不然，而财其甚者也。今富人，耳营钟鼓管籥之声㉒，口嗛于当豢醪醴之味㉓，以感其意，遗忘其业，可谓乱矣；侅溺于冯气㉔，若负重行而上阪㉕，可谓苦矣；贪财而取慰㉖，贪权而取竭，静居则溺，体泽则冯㉗，可谓疾矣；为欲富就利，故满若堵耳而不知避㉘，且冯而不舍，可谓辱矣；财积而无用，服膺而不舍，㉙满心戚醮㉚，求益而不止，可谓忧矣；内则疑劫请之贼㉛，外则畏寇盗之害，内周楼疏㉜，外不敢独行，可谓畏矣。此六者，天下之至害也，皆遗忘而不知察，及其患至，求尽性竭财，单以反一日之无故而不可得也。故观之名则不见，求之利则不得，缭意绝体而争此㉝，不亦惑乎！"

[注释]

①无足、知和：都是虚拟的人名。　②人卒：人众、人

们。　③贵：尊崇。　④见下贵：被人尊崇。　⑤推正：推求正理。　⑥此人：指兴名就利者。　⑦绝俗过世：出类拔萃。　⑧专无主正：内心没有主见。　⑨至重：指生命。　⑩至尊：指道。　⑪惨怛（dá）：痛苦的样子。　⑫监：显现。⑬穷美究势：享尽天下的善美和人间的威势。　⑭逮：达到。⑮侠：通挟，挟持，利用。　⑯象：效法。　⑰就：追逐。⑱以：随。　⑲反监之度：反省的标准。　⑳雍：祥和。㉑约养：节俭。　㉒营：谋，求。　㉓醪醴（láo lǐ）：美酒。㉔侅（gāi）溺：沉溺，深陷。　㉕阪：山坡。　㉖取：带来，导致。慰：病。　㉗泽：肥。　㉘堵：墙。　㉙服膺（yīng）：时常挂在心上。　㉚戚醮（jiào）：烦恼。　㉛劫请：强求，劫取。　㉜楼疏：防御盗贼的设施。　㉝缭意：心慌意乱。绝体：竭尽全力。

[译文]

无足问知和说："人们没有不喜名求利的。他富有人就归附他，归附就服从他，服从就尊崇他。受人尊崇，这是长寿安乐和心情愉快之道。你现在竟然对此不感兴趣，是才智不足呢？还是心有余而力不足？还是遵循你固有的行为准则而不愿如此？"

知和说："现在这种人认为与自己同时而生的，同乡而居的，就是出类拔萃之士，他们内心没有主见，在看待古今之时和是非的标准上，人云亦云。世俗之人舍弃生命，背弃大道，以追求名利，根据这些来谈论长寿安乐之道，岂不是离题太远了吗！痛苦的疾病，愉快的安乐，不表现在身体上；惊慌的恐惧，欢欣的喜悦，不显现在心灵中。只知道做而不知道为什么要这样做，即使贵为天子，富有天下，仍不免于祸患。"

无足说："财富对于人，无所不利。享尽天下的善美和人间的威势，这是至人所不能得到、贤人所不能企及的。挟持别的勇力作为自己的威势，掌握别人的智谋以为明察，凭借别人的德行以为贤良，虽然不曾掌握国政而威严如君主。而且人们对于声色、滋味、权势，不用学心里就喜好，不用模仿身体就安适。欲求、憎恶、回避、追逐，这些本来就不需要教导，是人的天性。天下人虽然非议我，可谁又能拒绝享乐和权势呢！"

知和说："智者的所做所为，以百姓的意志为转移，不违反法度，所以够用了就不去争，不需要的就不去求。由于不够用而去求，四处争夺而自己不认为是贪；有剩余所以才辞让，舍弃天下而自己不认为是廉。廉和贪的实质，并不是决定于外界条件，而是取决于内在的主观标准。势为天子而不以尊贵骄人，富有天下而不以财富欺人。权衡祸患，反复思虑，认为有害于自己的本性，所以推辞而不接受，这并不是邀取名誉。尧、舜做帝王而祥和，这并不是有意对天下仁爱，而是为了不因华美而危害性命；善卷、许由得到帝位而不接受，这并不是虚情假意的推辞，而是为了不让政事损害自己。他们都是有利于本性的就接受，有害于本性的就拒绝，而天下称赞他们贤达，他们有避害之心，而不是为了沽名钓誉。"

无足说："如果一定要固守名声，身受劳苦，弃绝甘美，节约奉养以维持性命，那就如同长久病困而又死不了的人一样。"

知和说："均平是福，多余是害，万物都是这样，而财物更甚。现在的富人，耳朵要听钟鼓管笛之声，口中要尝佳肴美酒，以满足享乐的情趣，而遗忘了自己的正业，可以说是迷乱；沉溺于盛气，就像负重爬上山坡，可以说是劳苦；贪财而致病，贪权而使精神疲竭，安静闲居则沉溺不振，身体强壮则盛气横生，可以说是疾病；为了富贵求利，积财如高墙而不知足，仍贪求不舍，可以说是耻辱；聚财而无所用，时常挂在心上而恋恋不舍，满心烦恼，贪求不止，可以说是忧愁；居家担心窍贼劫舍，外出畏惧寇盗伤害，里面构筑防御设施，外面不敢单独行动，可以说是畏惧。以上六种情况，是天下最大的祸害，人们对此都忘乎所以而不加留意，等到祸患来临，就是想竭尽财富以求换取过一天的太平日子也办不到了。所以，名和利都是身外的虚空之物，劳心伤体地去争这些东西，岂不是糊涂吗！"

说　剑

昔赵文王喜剑①，剑士夹门而客三千余人②，日夜相击于前，死伤者岁百余人，好之不厌。如是三年，国衰，诸侯谋之③。

太子悝患之④，募左右曰："孰能说王之意止剑士者，赐之千金。"左右曰："庄子当能。"

太子乃使人以千金奉庄子。庄子弗受，与使者俱往见太子，曰："太子何以教周，赐周千金？"

太子曰："闻夫子明圣，谨奉千金以币从者⑤。夫子弗受，悝尚何敢言！"

庄子曰："闻太子所欲用周者，欲绝王之喜好也。使臣上说大王而逆王意，下不当太子⑥，则身刑而死，周尚安所事金乎⑦？使臣上说大王，下当太子，赵国何求而不得也！"

太子曰："然。吾王所见，唯剑士也。"

　　庄子曰："诺。周善为剑。"

　　太子曰："然吾王所见剑士，皆蓬头突鬓垂冠[8]，曼胡之缨[9]，短后之衣，瞋目而语难[10]，王乃说之[11]。今夫子必儒服而见王，事必大逆。"

　　庄子曰："请治剑服[12]。"治剑服三日，乃见太子。太子乃与见王，王脱白刃待之。庄子入殿门不趋[13]，见王不拜。王曰："子欲何以教寡人，使太子先？"

　　曰："臣闻大王喜剑，故以剑见王。"

　　王曰："子之剑何能禁制[14]。"

　　曰：臣之剑，十步一人，千里不留行[15]。"

　　王大悦之，曰："天下无敌矣！"

　　庄子曰："夫为剑者[16]，示之以虚，开之以利[17]，后之以发，先之以至。愿得试之。"

　　王曰："夫子休，就舍待命[18]，令设戏请夫子[19]。"

　　王乃校剑士七日[20]，死伤者六十余人，得五六人，使奉剑于殿下，乃召庄子。王曰："今日试使士敦剑[21]。"

　　庄子曰："望之久矣。"

　　王曰："夫子所御杖[22]，长短何如？"

　　曰："臣之所奉皆可。然臣有三剑，唯王所用，请先言而后试。"

　　王曰："愿闻三剑。"

　　曰："有天子剑，有诸侯剑，有庶人剑。"

　　王曰：天子之剑如何？"

　　曰："天子之剑，以燕谿石城为锋㉓，齐岱为锷㉔，晋卫为脊，周宋为镡㉕，韩魏为夹㉖；包以四夷，襄以四时；绕以渤海，带以常山㉗；制以五行㉘，论以刑德；开以阴阳，持以春夏，行以秋冬。此剑，直之无前，举之无上，案之无下，运之无旁，上决浮云，下绝地纪㉙。此剑一用，匡诸侯㉚，天下服矣。此天子之剑也。"

　　文王芒然自失，曰："诸侯之剑何如？"

　　曰："诸侯之剑，以知勇士为锋，以清廉士为锷，以贤良士为脊，以忠圣士为镡，以豪桀士为夹。此剑，直之亦无前，举之亦无上，案之亦无下，运之亦无旁；上法圆天以顺三光㉛，下法方地以顺四时，中和民意以安四乡㉜。此剑一用，如雷霆之震也，四封之内，无不宾服而听从君命者矣。此诸侯之剑也。"

　　王曰："庶人之剑何如？"

　　曰："庶人之剑，蓬头突鬓垂冠，曼胡之缨，短后之衣，瞋目而语难。相击于前，上斩颈领，下决肝肺。此庶人之剑，无异于斗鸡，一旦命已绝矣，无所用于国事。今大王有天子之位而好庶人之剑，臣窃为大王薄之。"

　　王乃牵而上殿。宰人上食㉝，王三环之㉞。庄子曰："大王安坐定气，剑事已毕奏矣㉟。"

于是文王不出宫三月，剑士皆服毙其处也③⑥。

[注释]

①赵文王：即赵惠文王。　②夹门：指宫门。　③谋之：图谋攻打赵国。　④悝（kuī）：太子名。　⑤币：赠。　⑥当：合，称心。　⑦事：用。　⑧突鬓：鬓毛突起。　⑨曼胡之缨：粗糙而结实的帽带。　⑩语难：说话不流利。　⑪说：通悦。　⑫治：制做。　⑬趋：快步走。　⑭禁制：制服。　⑮千里不留行：千里无阻挡。　⑯为剑：用剑。　⑰开之以利：开剑则显得锋利。　⑱就舍：住在客舍。　⑲设戏：安排击剑比赛。　⑳校：较量。　㉑敦剑：对剑。　㉒御：用。杖：剑。　㉓燕谿：燕国地名。石城：塞外山名。　㉔锷：剑刃。　㉕镡（tán）：剑环。　㉖夹：通铗，剑把。　㉗常山：恒山。　㉘五行：指金、木、水、火、土。　㉙地纪：支撑大地的地基。　㉚匡：正。　㉛三光：日、月、星辰。　㉜四乡：四方。　㉝宰人：掌管宫廷膳食的官。　㉞三环之：绕着餐桌走了三圈。　㉟毕奏：说完。　㊱服毙：自杀。

[译文]

从前赵文王喜好剑术，客居在宫门左右的剑士有3000多人，白天黑夜都在击剑比武，每年要死伤100多人，赵王对剑术的兴趣却丝毫不减。这样过了三年，国家逐渐衰落，其他诸侯国图谋攻打赵国。

太子悝对此深为忧虑，召集左右的人说："谁能够说服大王舍弃剑士，赏赐千金。"左右的人说："庄子能够做到。"

太子于是派人携带千金去奉送给庄子。庄子不接受，便同使者一同去见太子说："太子对我有何见教，赐给我千金？"

太子说："听说先生圣明，敬奉千金以赠送给先生的随从。先生不接受，我怎么敢说！"

庄子说："听说太子之所以找我，是想让我说服大王断绝对剑的喜好。假使我劝说大王而触犯了他，有负太子的重托就会受刑戮而死，我怎么能用得上千金呢？假使我说服了大王，完成了太子交给的重任，那么赵国对我的什么要求不能满足呢！"

太子说："对。大王所见的，只有剑士。"

庄子说："知道。我善于用剑。"

太子说："大王所见的剑士，都是头发蓬乱，鬓毛突起，帽子垂下，帽缨粗糙结实，衣服前长后短，怒目圆睁，口齿不清，这种样子大王才喜欢。现在先生执意要身着儒服去见大王，事情肯定会弄糟的。"

庄子说："请给我置备剑士之服。"三天备好了剑服，于是去见太子。太子就和他一同去见赵王，赵王拔出利剑来等候他。庄子走进殿门不卑不亢，见到赵王不拜，赵王说："你对我有何指教，让太子提前通报？"

庄子说："我听说大王喜欢剑，所以用剑来晋见大王。"

赵王说："你的剑怎么制服对手？"

庄子说："我的剑，十步杀一人，千里无阻拦。"

赵王说："天下无敌啊！"

庄子说："用剑之道，忘己虚心，开剑锋利，后发制人，贵在神速。希望比试比试。"

赵王说："先生暂且休息，在客舍内等候，等安排好击剑比赛就来请先生。"

赵王于是通过较量剑术选拔剑士，前后7天，死伤60多人，选出5、6人，让他们持剑在殿下等候，随后请来了庄子。赵王说："今天你们比试对剑。"

庄子说："我对此盼望已久了。"

赵王说："先生所用的剑，长短如何？"

庄子说："我的剑长短皆宜。不过我有三种剑，由大王任意选用，请让我先作介绍然后比试。"

赵王说："想听听三种剑的情况。"

庄子说："有天子剑，有诸侯剑，有庶人剑。"

赵王说："天子之剑什么样?"

庄子说："天子之剑，以燕豁石城为剑锋，泰山为剑刃，晋卫为剑脊，周宋为剑环，韩魏为剑把；包以四夷，裹以四时；绕以渤海，带以恒山；用五行制衡，用刑德论断；阴阳开合，春夏养持，秋冬运作。这种剑，直刺一往无前，高举冲破云霄，下探穿透黄泉，左右挥劈旁若无物，上断浮云，下斩地维。这种剑一用，诸侯听命，天下顺服。这就是天子之剑。"

赵王茫然失神："诸侯之剑什么样?"

庄子说："诸侯之剑，以智勇之士为剑锋，以清廉之士为剑刃，以贤良之士为剑脊，以忠圣之士为剑环，以豪杰之士为剑脊，以忠圣之士为剑环，以豪杰之士为剑把。这种剑，直刺也一往无前，高举也冲破云霄，下探也穿透黄泉，左右挥劈也旁若无物；上效法圆天以顺日月星辰，下效法方地以顺春夏秋冬，中和民意以安定四方。这种剑一用，如雷霆震动，封疆之内人人宾服而听从君命。这就是诸侯之剑。"

赵王说："庶人之剑什么样?"

庄子说："庶人之剑，蓬头突鬓垂冠，冠缨粗实，衣服后短，怒目圆睁，口齿不清。在大庭广众前互相击打，上斩脖领，下断肝肺。这就是庶人之剑，和斗鸡没有什么两样，一日丧命，对国事毫无用处。现在大王拥有天子的地位却喜好庶人之剑，我暗中替大王感到不相称。"

赵王拉着庄子的手走上殿堂。食官奉上酒菜，赵王绕着餐桌走了三圈，心神不宁。庄子说："大王坐下定定神吧，关于剑的事情我已议论完毕。"

于是赵文王三个月没有出宫，剑士全部在住所自杀了。

渔 父

　　孔子游乎缁帷之林①，休坐乎杏坛之上②。弟子读书，孔子弦歌鼓琴。奏曲未半，有渔父者下船而来，须眉交白③，被发揄袂④，行原以上⑤，距陆而止⑥，左手据膝⑦，右手持颐以听⑧，曲终而招子贡、子路，二人俱对。

　　客指孔子曰："彼何为者也？"

　　子路对曰："鲁之君子也。"

　　客问其族⑨。子路对曰："族孔氏。"

　　客曰："孔氏者何治也⑩？"

　　子路未应，子贡对曰："孔氏者，性服忠信，身行仁义，饰礼乐，选人伦⑪，上以忠于世主，下以化于齐民⑫，将以利天下。此孔氏之所治也。"

　　又问曰："有土之君与⑬？"

　　子贡曰："非也。"

　　"侯王之佐与？"

　　子贡曰："非也。"

　　客乃笑而还，行言曰："仁则仁矣，恐不免其身；苦心劳形以危其真⑭。呜呼，远哉其分于道也⑮！"

　　子贡还，报孔子。孔子推琴而起曰："其圣人与！"

乃下求之，至于泽畔，方将杖拏而引其船⑯，顾见孔子，还乡而立。孔子反走，再拜而进。

客曰："子将何求？"

孔子曰："曩者先生有绪言而去⑰，丘不肖，未知所谓，窃待于下风⑱，幸闻咳唾之音，以卒相丘也⑲。"

客曰："嘻！甚矣子之好学也！"

孔子再拜而起曰：丘少而修学，以至于今，六十九岁矣，无所得闻至教，敢不虚心！"

客曰："同类相从，同声相应，固天之理也。吾请释吾之所有而经予之所以⑳。子之所以者，人事也。天子诸侯大夫庶人，此四者自正，治之美也。四者离位而乱莫大焉。官治其职，人忧其事，乃无所陵㉑。故田荒室露，衣食不足，征赋不属㉒，妻妾不和，长少无序，庶人之忧也；能不胜任，官事不治，行不清白，群下荒怠，功美不有㉓，爵禄不持，大夫之忧也；廷无忠臣㉔，国家昏乱，工技不巧，贡职不美，春秋后伦㉕，不顺天子，诸侯之忧也；阴阳不和，寒暑不时，以伤庶物㉖，诸侯暴乱，擅相攘伐，以残民人，礼乐不节，财用穷匮，人伦不饬㉗，百姓淫乱，天子有司之忧也㉘。今子既上无君侯有司之势，而下无大臣职事之官，而擅饰礼乐，选人伦，以化齐民，不泰多事乎㉙？

"且人有八疵，事有四患，不可不察也。非其事而

事之，谓之摠㉚；莫之顾而进之，谓之佞；希意道
言㉛，谓之谄；不择是非而言，谓之谀；好言人之恶，
谓之谗；析交离亲，谓之贼；称誉诈伪以败恶人，谓
之慝；不择善否，两容颊适㉜，偷拔其所欲㉝，谓之
险。此八疵者，外以乱人，内以伤身，君子不友，明
君不臣。所谓四患者：好经大事㉞，变更易常，以挂
功名㉟，谓之叨㊱；专知擅事，侵人自用㊲，谓之贪；
见过不更㊳，闻谏愈甚，谓之很㊴；人同于己则可，不
同于己虽善不善，谓之矜。此四患也。能去八疵，无
行四患，而始可教已。"

孔子愀然而叹，再拜而起曰："丘再逐于鲁，削迹
于卫，伐树于宋，围于陈蔡。丘不知所失，而离此四
谤者何也㊵？"

客凄然变容曰："甚矣子之难悟也！人有畏影恶迹
而去之走者㊶，举足愈数而迹愈多㊷，走愈疾而影不离
身，自以为尚迟，疾走不休，绝力而死。不知处阴以
休影，处静以息迹，愚亦甚矣！子审仁义之间，察同
异之际，观动静之变，适受与之度㊸，理好恶之情，
和喜怒之节，而几于不免矣。谨修而身㊹，慎守其身，
还以物与人㊺，则无所累矣。今不修之身而求之人，
不亦外乎！"

孔子愀然曰："请问何谓真？"

客曰："真者，精诚之至也。不精不诚，不能动

人。故强哭者虽悲不哀，强怒者虽严不威，强亲者虽笑不和。真悲无声而哀，真怒未发而威，真亲未笑而和。真在内者，神动于外，是所以贵真也。其于人理也⑯，事亲则慈孝，事君则忠贞，饮酒则欢乐，处丧则悲哀。忠贞以功为主，饮酒以乐为主，处丧以哀为主，事亲以适为主⑰，功成之美，无一其迹矣⑱。事亲以适，不论所以矣；饮酒以乐，不选其具矣；处丧以哀，无问其礼矣。礼者，世俗之所为也；真者，所以受于天也，自然不可易也。故圣人法天贵真⑲，不拘于俗。愚者反此。不能法天而恤于人，不知贵真，禄禄而受变于俗，故不足。惜哉，子之蚤湛于人伪而晚闻大道也！"

孔子又再拜而起曰："今者丘得遇也，若天幸然。先生不羞而比之服役，而身教之。敢问舍所在，请因受业而卒学大道。"

客曰："吾闻之，可与往者与之，至于妙道；不可与往者，不知其道，慎勿与之，身乃无咎。子勉之，吾去子矣，吾去子矣！"乃刺船而去，延缘苇间。

颜渊还车，子路授绥，孔子不顾，待水波定，不闻拏音而后敢乘。

子路旁车而问曰：由得为役久矣，未尝见夫子遇人如此其威也。万乘之主，千乘之君，见夫子未尝不分庭抗礼，夫子犹有倨敖之容。今渔父杖拏逆立，而夫子曲要磬折⑩，言拜而应，得无太甚乎？门人皆怪夫子矣，渔人何以得此乎？"

孔子伏轼而叹曰："甚矣由之难化也！湛于礼义有间矣，而朴鄙之心至今未去。进，吾语汝！夫遇长不敬，失礼也；见贤不尊，不仁也。彼非至人，不能下人；下人不精，不得其真，故长伤身。惜哉！不仁之于人也，祸莫大焉，而由独擅之。且道者，万物之所出也，庶物失之者死，得之者生，为事逆之则败，顺之则成。故道之所在，圣人尊之。今渔父之于道，可谓有矣，吾敢不敬乎！"

[注释]

①缁（zī）帷之林：幽暗茂密如黑色帷幕的树林。　②杏坛：坛名，在鲁国都城东门外。　③交：皆。　④揄袂（yú mèi）：挥袖。　⑤原：广平之地。　⑥距：至。　⑦据：按。　⑧持：托。　⑨族：姓氏。　⑩治：为，所作所为。　⑪选：制定。　⑫齐民：平民。　⑬有土之君：指国君。　⑭真：天性。　⑮分：离。　⑯挐（yú）：船桨。引：开。　⑰曩（nǎng）：从前，刚才。　⑱下风：下方。　⑲卒：终。相：助。　⑳经：分析。　㉑陵：乱。　㉒不属：不按时完成。　㉓功美：功绩显赫。　㉔廷：朝廷。　㉕春秋后伦：朝见失序。　㉖庶物：众物。　㉗饬（chì）：整顿。　㉘有司：掌管各种具体事务的职官。　㉙泰：太。　㉚揔（zǒng）：滥。　㉛希意道言：迎合别人的心意说恭维的话。　㉜两容颊适：投人所好，两面讨好。　㉝拔：助长。　㉞经：理。　㉟挂功名：沽名钓誉。　㊱叨（tāo）：贪功。　㊲侵人自用：仗势欺人。　㊳更：改　㊴很：执拗。　㊵离：通罹，遭。　㊶畏

影：害怕自己的影子。　㊷数：快。　㊸适：调节，均衡。
㊹而：你。　㊺还以物与人：将东西归还给别人，意即与人无
争。　㊻理：伦理。　㊼适：和顺。　㊽无一其迹：不拘于一
种途径。　㊾法天：效法自然。贵真：珍重本真。　㊿磬折：
鞠躬时腰弯曲得像磬一样，形容非常恭敬。

[译文]

孔子在缁帷之林中游历，坐在杏坛上休息。弟子们读书，
孔子弹琴唱歌。乐曲还未弹到一半，有一个渔父下船走了过
来，他的胡须眉毛全白了，披发挥袖，走过平地，在高处坐
下，左手按着膝盖，右手托腮，听孔子弹琴。乐曲一停，他便
招呼子贡和子路二人过来问话。

渔父指着孔子问："他是干什么的？"

子路回答说："是鲁国的君子。"

渔父问孔子的姓氏。子路回答说："姓孔氏。"

渔父问："孔氏有何作为？"

子路没有吭声，子贡回答说："孔氏性守忠信，身行仁义，
修饰礼乐，制定人伦，对上忠于君主，对下教化平民，以利于
天下。这就是孔氏的所作所为。"

渔父问："他是国君吗？"

子贡说："不是。"

渔父又问："是侯王的辅臣吗？"

子贡说："也不是。"

渔父于是笑着往回走，边走边说："仁义倒是仁义，只恐
怕难免身心受累，苦心劳身以危害天性。唉，离道太远了！"

子贡回来，告诉了孔子。孔子推开琴起身说："他是圣人
啊！"于是就去追他，赶到河边，渔父正要摇桨开船，回头看
见孔子，就转过身来站起。孔子后退几步，行了礼走上前去。

渔父问："你有什么要求？"

　　孔子说："刚才先生只说了个开头就走了，我愚陋不才，未解其意，恳望先生赐教，即使有幸听到先生的咳嗽声，对我也会有很大的教益。"

　　渔父说："唉！你太好学了。"

　　孔子再行拜礼，起来说："我从小修学，到现在已经69岁了，还没有听到过最好的教导，岂敢不虚心！"

　　渔父说："同类相从，同声相应，这是固有的自然之理。我想就我所知道的分析你的所为。你的所为，都是人事。天子、诸侯、大夫、庶人，这四种人各安其位，天下就会大治，他们离弃本位就会大乱。官吏尽其职守，百姓操心其事，就不会发生混乱。所以，田荒屋坏，衣食不足，拖欠赋税，妻妾不和，长幼无序，这是庶人所忧虑的；能力不能胜任，公务处理不善，行为不清不白，部下不尽其职，功绩不够显赫，爵禄不能保持，这是大夫所忧虑的；朝廷没有忠臣，国家混乱不堪，工技不够精巧，贡品不够完美，春秋朝见失序，不顺天子之意，这是诸侯所忧虑的；阴阳不和，寒暑失时，伤害众物，诸侯暴乱，擅自互相攻伐，残害人民，礼乐不合制度，财用匮乏，人伦失序，百姓淫乱，这是天子所忧虑的。现在你既然上无君侯有司的权势，下无大臣职事的官位，却擅自修饰礼乐，制定人伦、教化平民，岂不是太多事了吗？

　　"而且，人有八种毛病，事有四种祸患，不可不明察，不属于自己所管的事却要去管，叫做'摠'；别人不理睬却屡屡进言，叫做'佞'；迎合别人的心意说恭话的话，叫做'谄'；不辨别是非而进言，叫做'谀'；喜欢议论别人的短处，叫做'谗'；挑拨离间别人的亲情关系，叫做'贼'；称誉奸诈虚伪的人，败坏自己所憎恶的人的名声，叫做'慝'；不分善恶，两面讨好，以达到自己不可告人的目的，叫做'贼'。这八种毛病，在外扰乱他人，在内伤害自身，君子不与他交友，明君不用他为臣。所谓四种祸患是：喜欢办理大事，标新立异，以沽名钓誉，叫做'叨'；独断专行，恃势陵人，刚愎自用，叫做'贪'；见错不改，听人劝谏后反而变本加厉，叫做'很'；和自己意见相同的就称赞，与自己意见不同的即使好也不说好，叫做'矜'。这就是四种祸患。能够去掉八种毛病，不做四种祸患之事，才可以接受教导。"

孔子悲伤叹气，再行拜礼说："我两次被鲁国驱逐，卫国不让居留，在宋国受伐树之辱，被围困于陈蔡之间。我不知道有什么过失，而受到这四次侮辱？"

渔父凄然变色说："你真是执迷不悟啊！有个人害怕自己的影子，厌恶自己的足迹，为了摆脱自己的影子和足迹而跑，抬脚越快足迹越多，跑得越快影子却不离身，他还自以为太慢，于是快跑不停，终于精疲力尽而死。他不知道走到阴暗的地方使影子消失，静止不动使足迹不再出现，太愚蠢了！你倾心于仁义之间，分辨同异的界限，观察动静的变化，调节取舍的尺度，疏导好恶的情感，调和喜怒的分寸，却几乎不免于祸患。你要谨慎地修身，持守本真，与人无争，这样就没有拖累了。现在你不修身却求之于人，岂不是本末倒置了吗！"

孔子悲伤地说："请问什么是真？"

渔父说："真就是精诚之至。不精不诚，就不能感动人。所以，强装哭泣的人虽然悲戚却不哀伤，强装发怒的人虽然严厉却无威势，强装亲善的人虽然笑却不和悦。真正的悲痛没有声而哀伤，真正的愤怒没有发作而威严，真正的亲善没有笑容而和悦。真情存在于内心的，神色表现于外表，这就是贵真。将它用在人的伦理上，事亲则慈孝，事君则忠贞，饮酒则欢乐，处丧则悲哀。忠贞以功名为主，饮酒以欢乐为主，处丧以悲哀为主，事亲以和顺为主，功绩的完美，不局限于一种途径。事亲以和顺，不论为什么；饮酒以欢乐，不挑选酒具；处丧以悲哀，不拘泥于礼仪。礼仪，是世俗人为的东西；真性，是禀受于自然的，不可变易。所以圣人效法自然而珍贵本真，不受世俗的约束。愚昧的人正好与此相反。不能效法自然而体恤人，不知道珍贵本真，平平庸庸而随世俗变化，所以不足。可惜啊，你沉溺于人情世故太早而闻知大道太晚了！"

孔子又再拜而起说："今天我遇到您，真是幸运。若先生不以收我为徒感到羞耻的话，我想接受先生的亲身教导。敢问先生住在何处，请让我跟随您受业而学习大道。"

渔父说："我听说，能够体会的就传授给他，可以领悟妙道；不能体会的，就不懂道，小心不要传授给他，自身就不会有过失。你好好努力吧！我要离开你了，我要离开你了！"于是撑船而去，沿着河边的芦苇丛走远了。

颜渊掉转车子，子路递过车绳，孔子不回头，等到水波平息，听不到船桨的声音才敢上车。

子路靠近车子问："我做您的弟子已经很久了，还未曾见过先生待人如此之恭敬。即使是万乘之主，千乘之君，见了先生也要以礼平等相待，先生还有傲慢之容。现在渔父手持船桨对面站着，而先生却恭恭敬敬地弯腰鞠躬，答话前都要行礼，是不是太过分了？弟子们都在怪先生，渔夫怎么会受到您的这般尊敬？"

孔子伏在车轼上叹气说："你真是难以教化啊！你长期沉湎在礼义之中，而粗鄙的心理至今还没有除去。过来，我告诉你！遇到长者不恭敬，这是失礼；见到贤者不尊重，这是不仁。他若不是圣人，就不能使人谦下；对人谦下而不精诚，就不能得到真，所以常常伤身。可惜啊！不仁对于人来说，是最大的祸患，而你却偏偏就是这样。而且道是万物的渊源，众物失去道便死亡，获得道便生机勃勃，做事违背道则失败，顺应道则成功。所以道的所在，圣人尊敬它。现在渔父对于道，可以说是胸中怀有，我岂敢不恭敬！"

列 御 寇

　　列御寇之齐，中道而反，遇伯昏瞀人①。伯昏瞀人曰："奚方而反②？"

　　曰："吾惊焉。"

　　曰："恶乎惊？"

　　曰："吾尝食于十浆③，而五浆先馈④。"

　　伯昏瞀人曰："若是则汝何为惊已？"

　　曰："夫内诚不解⑤，形谍成光⑥，以外镇人心⑦，使人轻乎贵老⑧，而整其所患⑨。夫浆人特为食羹之货⑩，无多余之赢⑪，其为利也薄，其为权也轻，而犹若是，而况于万乘之主乎！身劳于国而知尽于事，彼将任我以事而效我以功，吾是以惊。"

　　伯昏瞀人曰；"善哉观乎！女处已⑫，人将保汝矣！"

　　无几何而往，则户外之屦满矣。伯昏瞀人北面而立，敦杖蹙之乎颐⑬，立有间，不言而出。

　　宾者以告列子⑭，列子提屦，跣而走⑮，暨乎门⑯，曰："先生既来，曾不发药乎⑰？"

　　曰："已矣！吾固告汝曰人将保汝，果保汝矣。非汝能使人保汝，而汝不能使人不保汝也，而焉用之感豫出异也^⑱！必且有感，摇而本才，又无谓也。与汝游者又莫汝告也，彼所小言，尽人毒也。莫觉莫悟，何相孰也！功者劳而知者忧，无能者无所求，饱食而敖游，汎若不系之舟，虚而敖游者也。"

[注释]

①伯昏瞀（mào）人：楚国隐士，又称伯昏无人。　②奚方：何事。　③十浆：十家卖浆的。　④馈（kuì）：赠送。　⑤解：融会贯通。　⑥谍：显露。　⑦镇：服。　⑧轻：轻视。　⑨鬈（jī）：招致。　⑩货：买卖。　⑪赢：赚。　⑫女：汝。　⑬敦：竖立。　⑭宾者：负责接待宾客的人。　⑮跣（xiǎn）：光着脚。　⑯暨：及。　⑰发药：指规劝人的金石之言。　⑱感豫：感到愉快。

[译文]

列御寇去齐国，中途返回，遇到伯昏瞀人。伯昏瞀人说："你为什么返回？"

列御寇说："我受了惊吓。"伯昏瞀人说："受了什么惊吓？"

列御寇说："我经过十家卖浆的饮食店，其中有五家把浆送给我。"

伯昏瞀人说："你为什么对此感到害怕？"

列御寇说："内心对道还未融会贯通，外表便显露出光辉，用外貌镇服人心，使人对我的崇敬超过了对老者的尊重，这会招致祸患的。卖浆者做的是小买卖，本钱不大，赢利微薄，也没有什么权势，他们尚且这样待我，何况是万乘之君呢！身体为国家操劳而智能耗尽于政事，他将委任我国事而要我去效力，所以我害怕。"

伯昏瞀人说："你真善于观察啊！你安居吧，人们会归附你的！"

　　过了不久伯昏瞀人去看列子，见门外摆满了鞋子。伯昏瞀人面向北站着，头紧靠在竖着的拐杖上，站了一会儿，没有说话就出来了。

　　负责接待宾客的人告诉了列子，列子提着鞋，光着脚跑出来，追到门口，说："先生既然来了，还不开导我吗？"

　　伯昏瞀人说："算了吧！我说过人们要归附你，果然归附你了。不是你能使人归附你，而是你不能使人不归附你，你何必因此感到高兴而显得与众不同呢！必定还会有感动人的事，使你的本性动摇，但这又是无谓的事情。和你在一起的人又不会给你忠告，他们那琐碎的言语，都是害人的。不觉不语，怎么能够互相明察呢！智巧的人忧劳，无能的人无所求，饱食而遨游，飘浮不定就像一叶失控的小舟，空虚心志而遨游。"

　　郑人缓也①，呻吟裘氏之地②。祇三年而缓为儒③，润河九里④，泽及三族⑤，使其弟墨⑥。儒墨相与辩，其父助翟⑦。十年而缓自杀。其父梦之曰⑧："使而子为墨者，予也，阖胡尝视其良⑨？既为秋柏之实矣。"

　　夫造物者之报人也⑩，不报其人而报其人之天。彼故使彼⑪。夫人以己为有以异于人以贱其亲⑫，齐人之井饮者相捽也⑬。故曰今之世皆缓也。自是，有德者以不知也，而况有道者乎！古者谓之遁天之刑⑭。

　　圣人安其所安⑮，不安其所不安⑯；众人安其所不安，不安其所安。

庄子曰："知道易，勿言难。知而不言，所以之天也；知而言之，所以之人也。古之人，天而不人。"

[注释]

①缓：人名。　②呻吟：诵读。裘氏：地名。　③祇：经过。　④河润：浸润，施惠。　⑤泽：恩泽。　⑥墨：成为墨者。　⑦翟：缓弟之名。　⑧其父梦之：托梦于其父。⑨良：坟墓。　⑩报：赋予。　⑪彼故使彼：他的本性就是那样，因此就使他变成那样。　⑫夫人：此人　⑬相捽（zuó）：互相斗殴。　⑭遁：违背。　⑮所安：自然。　⑯所不安：人为。

[译文]

郑国有个名叫缓的人，在裘氏之地诵读。经过三年成为儒者，施惠四方，恩泽及于三族，使他的弟弟成为墨者。儒墨互相辩论，他父亲站在其弟一边。十年后缓自杀了。他托梦于父亲说："使您的儿子成为墨者的是我，为什么不去我的坟墓上探视？上面的柏树已经长出果实了。"

造物者赋予人的，不赋予人为而赋于天性。他的本性就是那样，因此就使他变成那样。缓自以为与众不同而责怪他的父亲，就像齐人掘井饮水互相斗殴一样。他们不明白井水是出于天然，而不是各人挖井的功劳。所以说，现在的人大都像缓一样贪天之功。自以为是，有德的人视其为不明智，何况是有道的人呢！古时候称之为违背天理的刑罚。

圣人安于自然，不安于人为；众人安于人为，不安于自然。

庄子说："知道容易，不说出来困难。知道而不说，可以达到自然的境界；知道而说出来，这是人为的举动。古时候的人，奉行自然而抛弃人为。"

朱泙漫学屠龙于支离益①，单千金之家②，三年技成而无所用其巧。

圣人以必不必③，故无兵；众人以不必必之，故多兵；顺于兵，故行有求④。兵，恃之则亡。

小夫之知⑤，不离苞苴竿牍⑥，敝精神乎蹇浅⑦，而欲兼济道物⑧，太一形虚⑨。若是者，迷惑于宇宙，形累不知太初。彼圣人者，归精神乎无始而甘冥乎无何有之乡⑩。水流乎无形，发泄乎太清⑪。悲哉乎！汝为知在毫毛，而不知大宁⑫！

[注释]

①朱泙（pèng）漫、支离益：都是虚拟的人物。　②单：通殚，尽。　③以必不必：把必然的视为不必然，即不固执。　④求：贪。　⑤小夫：匹夫。知：通智。　⑥苞苴：香草，意指馈赠。竿牍：竹简，书信，意指问候。　⑦敝：耗费。蹇浅：浅陋。　⑧道：引导。　⑨太一：达到与万物同一的境界。形虚：体内清虚。　⑩无何有之乡：虚无的境界。　⑪太清：太虚之道。　⑫大宁：非常宁静的境界。

[译文]

朱泙漫跟随支离益学屠龙，耗尽千金家产，三年学成后却没有机会运用他的技能。

圣人不斤斤计较，所以没有战争；众人过于计较，所以战争频繁；放任战争，所以有贪求的行为。依仗武力行事的，则一定灭亡。

匹夫的智慧，只知周旋于礼尚往来，把精神耗费在浅陋的小事上，却想兼济于下，引导万物，达到与万物同一的境界。这样的人，必然迷惑在广大无边的宇宙之中，直至精疲力竭也无法理解太初的妙道。像那圣人，将精神归于无始而甜睡在虚无的境界。水流没有固定的渠道，纯粹出于自然。可悲啊！你把心智耗费在毫毛小事上，而不知道极其宁静的境界。

　　宋人有曹商者^①，为宋王使秦。其往也，得车数乘；王说之，益车百乘。反于宋，见庄子曰："夫处穷闾厄巷^②，困窘织屦，槁项黄馘者^③，商之所短也；一悟万乘之主而从车百乘者，商之所长也。"

　　庄子曰："秦王有病召医，破痈溃痤者得车一乘，舐痔者得车五乘^④，所治愈下，得车愈多。子岂治其痔邪？何得车之多也？子行矣！"

[注释]

①曹商：人名。　②厄巷：狭窄的小巷。　③槁项黄馘（guó）：形容面黄肌瘦的样子。　④舐（shì）：舔。

[译文]

　　宋国有个名叫曹商的人，替宋王出使秦国。他去的时候有车数乘；秦王喜欢他，给他增加了100乘车。他返回宋国，见到庄子说："住在穷里陋巷，靠打草鞋苦苦度日，煎熬的面黄肌瘦，这是我干不了的；一下子就能说动万乘之君，获得车辆百乘，这是我所擅长的。"

　　庄子说："秦王有病召请医生，能够除疮去脓的赏车一乘，舔痔疮的赏车五乘，所医治的越是卑下，得到的赏车就越多。你大概给他舔痔疮了吧？不然怎么能得这么多的车呢？你走开吧！"

　　鲁哀公问乎颜阖曰："吾以仲尼为贞干①，国其有瘳乎②？"

　　曰："殆哉圾乎③！仲尼方且饰羽而画④，从事华辞⑤，以支为旨⑥，忍性以视民而不知不信⑦，受乎心⑧，宰乎神⑨，夫何足以上民⑩！彼宜女与？予颐与⑪？误而可矣。今使民离实学伪，非所以视民也。为后世虑，不若休之！难治也。"

　　施于人而不忘，非天布也⑫。商贾不齿⑬，虽以事齿之，神者弗齿⑭。

　　为外刑者⑮，金与木也⑯；为内刑者，动与过也⑰。宵人之离外刑者⑱，金木讯之⑲；离内刑者，阴阳食之。夫免乎外内之刑者，唯真人能之。

[注释]

　　①贞干：栋梁，国家重臣。　②瘳（chōu）：治愈。　③圾：通岌，危。　④饰羽而画：雕琢文饰。　⑤从事华辞：卖弄华丽的文辞。　⑥支：末。旨：本。　⑦忍性：矫饬性情。　⑧受乎心：受制于心。　⑨宰受神：受精神主宰。　⑩上民：统治人民。　⑪颐：养。　⑫天布：自然布施。　⑬不齿：看不起。　⑭神：精神，思想。　⑮外刑：施在体外的刑罚。　⑯金：指金属刑具。木：木制的刑具。　⑰宵：通小。　⑱讯：拷问。　⑲食：通蚀，侵蚀。

[译文]

　　鲁哀公问颜阖说："我任用仲尼为重臣，能否把国家治理好？"

　　颜阖说："危险啊！仲尼喜欢雕琢文饰，卖弄华丽的文辞，以末为本，矫饰性情以教示人民而不知自己不信，受制于心，被精神所主宰，怎么能够治理人民！他适合于你吗？让他畜养人民吗？那就要误事了。现在使人民抛弃朴实而学习虚伪，这不是教示人民的好办法。为后世考虑，不如算了。国家难治啊！"

施恩于人而念念不忘，这不是自然的布施，商贾都看不起他，虽然商贾的买卖投机行为和他的所做所为有相似之处，但在内心还是看不起他。

施在体外的刑罚，是刀斧和桎梏；施于内心的刑罚，是妄动和懊悔。小人遭受外刑，用刀斧和桎梏来治罪；遭受内刑的，通过阴阳交错来侵蚀他。能够避免外刑和内刑的，惟有真人才能做到。

孔子曰："凡人心险于山川，难于知天；天犹有春秋冬夏旦暮之期，人者厚貌深情①。故有貌愿而益②，有长若不肖③，有顺懁而达④，有坚而缦⑤，有缓而釬⑥。故其就义若渴者⑦，其去义若热⑧。故君子远使之而观其忠，近使之而观其敬，烦使之而观其能⑨，卒然问焉而观其知，急与之期而观其信⑩，委之以财而观其仁，告之以危而观其节，醉之以酒而观其则⑪，杂之以处而观其色⑫。九征至⑬，不肖人得矣。"

[注释]

①厚貌：外表不浅露。　②貌愿：表面谦虚老实。益：骄傲自满。　③长：内在的优良品德。　④懁（xuān）：固执。　⑤缦（màn）：软弱。　⑥釬（hàn）：通悍，凶悍。　⑦就

追求。　⑧去：抛弃。　⑨烦：复杂。　⑩期：相约。
⑪则：仪态。　⑫杂之：男女杂处。　⑬征：检验，考察。

[译文]

　　孔子说："人的心比山川还要险恶，比了解天还要困难；天还有春夏秋冬早晚的规律可寻，人却很难测度。所以，有表面谦虚实则骄横的，有内秀而外不肖的，有外表固执而内心通达的，有看似坚强实则软弱的，有看似和顺实则凶悍的。所以，追求义如饥似渴的，抛弃义也急如避火。所以，君子让他远行以观察他是否守信，让他管理钱财以观察是否忠诚，让他呆在身边以观察他是否恭敬，让他处理复杂的事务以观察他的才能，突然向他提出问题以观察他的智力，在紧急情况下和他相约以观察他是否廉洁，告知他危难的事情以考验他的节操，让他醉酒以观察他的仪态，让他和女人相处以观察他是否好色。经过这九项考察，就可以判断出不肖的人了。"

　　正考父一命而伛①，再命而偻，三命而俯，循墙而走，孰敢不轨！如而夫者②，一命而吕钜③，再命而于车上儛，三命而名诸父④，孰协唐许⑤！

　　贼莫大乎德有心而心有睫⑥，及其有睫也而内视，内视而败矣。凶德有五⑦，中德为首⑧。何谓中德？中德也者，有以自好也而吡其所不为者也⑨。

　　穷有八极⑩，达有三必，形有六府。美、髯、长、大、壮、丽、勇、敢，八者俱过人也，因以是穷。缘循、偃佒⑪，困畏不若人，三者俱通达。知慧外通，勇动多怨，仁义多责。达生之情者傀，达于知者肖，达大命者随，达小命者遭。

[注释]

①正考父：宋大夫。命：册命，任命，一命为士，再命为大夫，三命为卿。　②而夫：凡夫。　③吕钜：骄傲自大的样子。　④名诸父：直呼名位叔伯之名，轻视长者。　⑤唐许：指唐尧和许由。　⑥德有心：有心为德。心有睫：有心眼。⑦凶德有五：指心、耳、眼、舌、鼻，这五者是致祸的根源。⑧中德：指心。　⑨自好：自以为是。呲（bǐ），訾，诋毁。⑩穷：困，潦倒失意。　⑪侒（yǎng）：通仰。偃侒：俯仰从人，意即卑顺。

[译文]

正考父一命为士而曲背，再命为大夫而弯腰，三命为卿而身伏于地，顺着墙边走路，如此谦虚的人谁敢对他不尊敬！若是那些凡夫俗子，一命为士就骄傲自大，再命为大夫就得意忘形地在车上手舞足蹈，三命为卿就把长者不放在眼里，谁能够做到唐尧、许由那样的谦让！

最大的危害莫过于有心为德而心眼太多，心眼太多就会主观武断，主观武断则必然失败。凶德有五种，以中德为首。什么是中德？中德就是自以为是而打击异己。

穷困有八种极端，通达有三项必然，身体有六个腑脏。貌美、多髯、身长、高大、健壮、华丽、勇武、果敢，这八个方面都超过别人，就会自恃骄傲而陷入穷困。顺任自然，对人卑顺，懦弱谦下，这三者都能做到就会通达顺利。智慧外露，勇武好动则多结怨，行仁义则招致责难。通达性命之情的伟大，通于智巧的渺小，达于天命的顺任自然，通于人命的苟且而安。

人有见宋王者，锡车十乘①，以其十乘骄稚庄子②。

庄子曰："河上有家贫恃纬萧而食者③，其子没于渊④，得千金之珠。其父谓其子曰：'取石来锻之⑤！夫千金之珠，必在九重之渊而骊龙颔下⑥，子能得珠者，必遭其睡也。使骊龙而寤⑦，子尚奚微之有哉！'今宋国之深，非直九重之渊也；宋王之猛，非直骊龙也。子能得车者，必遭其睡也。使宋王而寤，子为鲞粉夫！"

[注释]

①锡：通赐。　②骄稚：炫耀。　③纬：编织。萧：芦苇。　④没：潜。　⑤锻：砸碎。　⑥骊：纯黑色。颔（hàn）：下巴。　⑦寤（wù）：睡醒。

[译文]

有个人拜见宋王，宋王赐给他10辆车，他用这10辆车向庄子炫耀。

庄子说："河边有一靠编织芦席为生的贫苦人家，儿子潜入深渊，得到一颗价值千金的宝珠。父亲对儿子说：'拿石头来砸碎它！这颗千金之珠，一定是在九重深渊骊龙颔下，你能得到这颗珠，一定是骊龙正在睡觉。若是骊龙睡醒，你就会被一点不剩地吃掉！'现在的宋国，比九重之渊还要深；宋王的凶猛，更甚于骊龙。你能够得到车子，一定是正遇到宋王睡觉。若是宋王醒来，你就要粉身碎骨了！"

或聘于庄子①，庄子应其使曰："子见夫牺牛乎②？

衣以文绣^③，食以刍叔，及其牵而入于太庙，虽欲为孤犊，其可得乎！"

[注释]

①或：有人。　②牺牛：祭祀时用作祭品的牛。　③文绣：有花纹的织绣。

[译文]

有人聘请庄子，庄子答复使者说："你见过用做祭祀的牛吗？它披着纹饰华丽的织绣，吃着精美的饲料，等到将它牵入太庙，这时它想做一头无人照料的小牛，还能办得到吗！"

庄子将死，弟子欲厚葬之。庄子曰："吾以天地为棺椁，以日月为连璧^①，星辰为珠玑^②，万物为赍送^③。吾葬具岂不备邪^④？何以加此！"

弟子曰："吾恐乌鸢之食夫子也^⑤。"

庄子曰："在上为乌鸢食，在下为蝼蚁食，夺彼与此，何其偏也！"

以不平平，其平也不平；以不征征，其征也不征。明者唯为之使，神者征之。夫明之不胜神也久矣，而愚者恃其所见入于人，其功外也，不亦悲乎！

[注释]

①连璧：贵重的玉璧。　②珠玑：玉珠。　③赍（jī）送：指送葬的物品。　④备：齐备。　⑤乌：乌鸦。鸢（yuán）：老鹰。

[译文]

庄子快要死了，弟子们准备厚葬他。庄子说："我以天地为棺椁，以日月为连璧，星辰为珠玑，以万物为送葬的物品。我的葬具还不齐备吗？还有什么比这些更好呀！"

　　弟子说："我们担心乌鸦老鹰吃了先生。"

　　庄子说："露在外面被乌鸦老鹰吃，埋入土中被蝼蚁吃，不让乌鸦老鹰吃，而让蝼蚁吃，为什么如此偏心呢！"

　　以不平等的方式去平等，这种平等其实是不平等；把未经应验的看作是应验，这种应验其实是不应验。人事只有被天道所支配，而天道才是可信的。人事服从于天道由来已久，而愚蠢的人以其偏见沉溺于人事，舍本求末，真是可悲啊！

天　下

　　天下治方术者多矣①，皆以其有为不可加矣②。古之所谓道术者，果恶乎在？曰："无乎不在。"曰："神何由降？明何由出？""圣有所生，王有所成，皆原于一。"

　　不离于宗，谓之天人。不离于精，谓之神人。不离于真，谓之至人。以天为宗，以德为本，以道为门，兆于变化③，谓之圣人。以仁为恩，以义为理，以礼为行，以乐为和，熏然慈仁④，谓之君子。以法为分⑤，以名为表⑥，以参为验⑦，以稽为决⑧，其数一二三四是也⑨，百官以此相齿⑩，以事为常，以衣食为主，蕃息畜藏⑪，老弱孤寡为意⑫，皆有以养，民之理也。

古之人其备乎！配神明[13]，醇天地[14]，育万物，和天下，泽及百姓，明于本数[15]，系于末度[16]，六通四辟[17]，小大精粗，其运无乎不在[18]。其明而在数度者[19]，旧法世传之史尚多有之。其在于《诗》《书》《礼》《乐》者，邹鲁之士搢绅先生多能明之[20]。《诗》以道志[21]，《书》以道事，《礼》以道行，《乐》以道和，《易》以道阴阳，《春秋》以道名分。其数散于天下而设于中国者，百家之学时或称而道之。

天下大乱，贤圣不明，道德不一，天下多得一察焉以自好[22]。譬如耳目鼻口，皆有所明，不能相通。犹百家众技也，皆有所长，时有所用。虽然，不该不遍[23]，一曲之士也[24]。判天地之美[25]，析万物之理[26]，察古人之全[27]，寡能备于天地之美，称神明之容[28]。是故内圣外王之道[29]，暗而不明，郁而不发[30]，天下之人各为其所欲焉以自为方。悲夫！百家往而不反，必不合矣！后世之学者，不幸不见天地之纯[31]，古人之大体[32]，道术将为天下裂。

[注释]

①方术：一方之术，指某一方面特定的学问。　②以其有：认为自己所主张的。不可加：无以复加，达到顶峰。③兆：预示。　④熏然：温和慈爱的样子。　⑤分：分寸，尺度。　⑥名：名号。表：标志。　⑦参：比较。　⑧稽：考核。　⑨数：指等级之数。　⑩齿：序列。　⑪蕃息：生产。

畜藏：储藏。　⑫意：关心。　⑬配：合。　⑭醇：借为准。
醇天地：以天地为准，效法自然。　⑮本数：根本，指天道。
⑯末度：末节，指法度。　⑰六通：上下四方六合通达。四
辟：春夏秋冬四时顺畅。　⑱运：作用。　⑲数度：即本数末
度。　⑳邹鲁之士：邹国和鲁国的士人，指儒生。搢绅先生：
指做官的。　㉑道：讲述，表达，记载。　㉒一察：一管之
见。自好：自我欣赏。　㉓该：完备。　㉔一曲：孤陋寡闻。
㉕判：割裂。　㉖析：离析，支解。　㉗察：离散。
㉘称：相称，符合。　㉙内圣：内在修养。外王：外在才能。
㉚郁：压抑。　㉛纯：纯真，指自然的本质。　㉜大体：全
貌。

[译文]

天下搞学术的人很多，都认为自己的学问达到了顶峰。古
代所谓的道术，究竟在哪里？回答说："无所不在。"问："神
由何而降？明从何而生？"回答说："神圣自有其由来，王业自
有其成因，都渊源于一。"

不离根本，称为天人。不离精纯，称为神人。不离本真，
称为至人。以天为主宰，以德为根本，以道为门径，能够预示
变化，称为圣人。以仁布施恩惠，以义作为道理，以礼规范行
为，以乐调和性情，温和慈爱，称为君子。以法律为尺度，以
名号为标志，以比较为验证，以考核来判断，等级之数像一二
三四那样明白，百官以此为序列，以职事为常务，以衣食为主
旨，生产储藏，关心老弱孤寡，使其皆有所养，这是养民的常
理。

古代的圣人是很完备的啊！合于神明，效法自然，养育万
物，泽及百姓，以天道为根本，以法度为末节，六合通达而四
时顺畅，无论小大精粗，其作用无所不在。古时候的道术和法
规制度，很多还保存在传世的史书中。保存在《诗》《书》

《礼》《乐》中的，邹鲁一带的学者和缙绅先生们大都知晓。《诗》用来表达志，《书》用来记载事情，《礼》用来规范行为。《乐》用来调和，《易》用来说明阴阳，《春秋》用来正名分。其散布于天下而设立于中国的，百家之学还常常引用它。

　　天下大乱，贤圣不显，道德分歧，天下人多各得一孔之见而自我欣赏。譬如耳目鼻口，它们各有其功能，但却不能互相通用。犹如百家众技，各有所长，时有所用。虽然如此，但不完备和全面，都是孤陋寡闻的人。割裂天地的完美，离析万物之理，把古人完美的道德弄得支离破碎，很少能具备天地的完美，相称于神明之容。所以，内圣外王之道暗而不明，抑郁而不发挥，天下的人各尽所欲而自为方术。可悲啊！百家各行其道而不回头，必定不能相合。后世的学者，不幸不能见到天地的纯真和古人的全貌，道术将被天下所割裂！

　　不侈于后世，不靡于万物①，不晖于数度②，以绳墨自矫③，而备世之急④，古之道术有在于是者。墨翟、禽滑厘闻其风而说之⑤，为之大过⑥，已之大循⑦。作为《非乐》⑧，命之曰《节用》⑨；生不歌，死无服。墨子泛爱兼利而非斗⑩，其道不怒⑪；又好学而博，不异⑫，不与先王同，毁古之礼乐。

　　黄帝有《咸池》，尧有《大章》，舜有《大韶》，禹有《大夏》，汤有《大濩》⑬，文王有《辟雍》之乐⑭，武王、周公作《武》。古之丧礼，贵贱有仪，上下有等，天子棺椁七重⑮，诸侯五重，大夫三重，士再重。

今墨子独生不歌，死不服，桐棺三寸而无椁，以为法式[16]。以此教人，恐不爱人；以此自行，固不爱己[17]。未败墨子道，虽然，歌而非歌，哭而非哭，乐而非乐，是果类乎[18]？其生也勤，其死也薄，其道大觳[19]。使人忧，使人悲，其行难为也，恐其不可以为圣人之道，反天下之心，天下不堪。墨子虽独能任[20]，奈天下何！离于天下，其去王也远矣[21]。

墨子称道曰："昔禹之湮洪水[22]，决江河而通四夷九州也，名川三百，支川三千，小者无数。禹亲自操橐耜而九杂天下之川[23]，腓无胈[24]，胫无毛[25]，沐甚雨[26]，栉疾风[27]，置万国。禹大圣也，而形劳天下也如此。"使后世之墨者，多以裘褐为衣[28]，以跂𫏋为服[29]，日夜不休，以自苦为极[30]，曰："不能如此，非禹之道也，不足谓墨。"

相里勤之弟子[31]，五侯之徒[32]，南方之墨者苦获、已齿、邓陵子之属[33]，俱诵《墨经》，而倍谲不同[34]，相谓别墨[35]。以坚白同异之辩相訾，以觭偶不仵之辞相应[36]；以巨子为圣人[37]，皆愿为之尸[38]，冀得为其后世[39]，至今不决。

墨翟、禽滑厘之意则是，其行则非也。将使后世之墨者，必自苦以腓无胈胫无毛相进而已矣[40]。乱之上也，治之下也。虽然，墨子真天下之好也，将求之不得也，虽枯槁不舍也，才士也夫！

[注释]

①靡（mí）：浪费。　②晖：炫耀。　③矫：勉励。
④备：应付。　⑤墨翟：即墨子。禽滑厘：墨子弟子。
⑥大：通太。　⑦已：止。循：顺。　⑧《非乐》：《墨子》一
书中的篇名。　⑨命：名。　⑩泛爱：博爱。兼利：使大家都
得到利益。非斗：反对战争。　⑪不怒：不互相结怨。　⑫不
异：不立异。　⑬《大濩》（hù）：乐章名。　⑭辟雍：本义是
周代为贵族子弟所设的大学，这里指乐名。　⑮重：层。
⑯法式：标准。　⑰固：实在。　⑱类：象。　⑲觳（què）：
苛刻。　⑳独能任：独自能够做到。　㉑王：王道。　㉒湮：
堵塞，治理。　㉓橐（tuó）：盛土的器具。耜（sì）：挖土的工
具。九杂：汇合。　㉔腓（féi）：腿肚子。胈（bá）：汗毛。
㉕胫（jīng）：小腿。　㉖沐：淋。甚雨：暴雨。　㉗栉（jié）：
梳发。　㉘裘：兽皮。褐：粗布。　㉙跻（juē）：草鞋。
㉚极：准则。　㉛相里勤：姓相里名勤，墨家学派南方派的首
领。　㉜五侯：人名，墨家学派的重要人物。　㉝苦获：已
齿、邓陵子：均为南方墨者的重要人物。　㉞倍谲：分歧。
㉟别墨：非正统的墨家。㊱觭（jī）：即奇。不仵（wǔ）：不
合。奇偶不仵与坚白同异均为当时辩论的命题。　㊲巨子：墨
子死后墨家学派首领的称谓，意即墨学高超的人。　㊳尸：
主，首领。　㊴冀：希望。后世：继承人。　㊵相进：互相竞
进。

[译文]

不以奢侈影响后世，不糜费万物，不炫耀礼法，用规矩自
我勉励，以应付社会的危难，这是古代道术的内涵之一。墨
翟、禽滑厘对这种道术很喜欢，但他们实行得太过分，局限性
太大。提倡非乐，主张节用，生不作乐，死不服丧。墨子倡导
博爱兼利而反对战争，主张和睦相处；又好学而渊博，不立

异，不与先王相同，毁弃古代的礼乐。

黄帝有《大韶》之乐，尧有《大章》之乐，禹有《大夏》之乐，汤有《大濩》之乐，文王有《辟雍》之乐，武王、周公作《武》乐。古代的丧礼，贵贱有仪法，上下有等级，天子的棺椁七层，诸侯五层，大夫三层，士两层。现在墨子独自主张生不歌乐，死不服丧，只用 3 寸厚的桐木棺而没有椁，作为标准。以此来教导人，恐怕不是爱人之道；自己去实行，实在是不爱惜自己。墨子的学说尽管是成立的，然而应该歌唱而不歌唱，应该哭泣而不哭泣，应该作乐而不作乐，这合乎人情常理吗？生前辛勤劳苦，死后简单薄葬，这种主张太苛刻了。使人忧劳，使人悲苦，实行起来是很困难的，恐怕不能够成为圣人之道，违反了天下人的心愿，天下人是不堪忍受的。墨子虽然独自能够做到，但对天下的人却无可奈何！背离了天下的人，也就远离了王道。

墨子称道说："从前禹治理洪水，疏异江河而沟通四夷九州，大川 300，支流 3000，小河无数。禹亲自持筐操铲劳作，汇合天下的河川，辛苦得连腿上的汗毛都磨光了，风里来雨里去，终于安定了天下。禹是大圣人，为了天下还如此劳苦。"从而使后世的墨者，多用兽皮粗布为衣，穿着木屐草鞋，白天黑夜都不休息，以自苦为准则，并说："不能这样，就不是禹之道，不足以称为墨者。"

相里勤的弟子，五侯的门徒，南方的墨者苦获、已齿、邓陵子之流，都诵读《墨经》，却各有分歧，互相指责对方不是正统的墨家。他们以坚白同异的辩论相诋毁，以奇偶不合的言辞相对答；以巨子为圣人，都愿意奉他为首领，希望能成为他的继承人，至今还纷争不决。

墨翟、禽滑厘的用意是很好的，具体做法却太过分。这将使后世的墨者，以极端劳苦的方式互相竞进。这种做法乱国有余，治国不足。尽管如此，墨子还是真心爱天下的，这样的人实在是难以求得，即使辛苦得形容枯槁也不舍弃自己的主张，真是有才之士啊！

不累于俗，不饰于物，不苟于人①，不忮于众②，愿天下之安宁以活民命，人我之养毕足而止③，以此白心④，古之道术有在于是者。宋钘、尹文闻其风而悦之⑤，作为华山之冠以自表⑥，接万物以别宥为始⑦；语心之容⑧，命之曰心之行，以聏合欢⑨，以调海内，请欲置之以为主⑩。见侮不辱，救民之斗，禁攻寝兵，救世之战。以此周行天下，上说下教，虽天下不取，强聒而不舍者也⑪，故曰上下见厌而强见也⑫。

虽然，其为人太多，其自为太少，曰："请欲固置五升之饭足矣。"先生恐不得饱，弟子虽饥，不忘天下，日夜不休，曰："我必得活哉！"图傲乎救世之士哉⑬！曰："君子不为苛察⑭，不以身假物⑮。"以为无益于天下者，明之不如已也。以禁攻寝兵为外，以情欲寡浅为内。其小大精粗，其行适至是而止。

[注释]

①苟：应为"苛"字之误。　②忮（zhì）：违逆。　③毕足：满足。　④白心：表白心愿。　⑤宋钘、尹文：齐宣王时代人，曾在齐国的稷下学宫聚徒讲学，并有著作传世，是当时著名的学者。　⑥华山之冠：形状像华山的帽子。　⑦别宥：不带偏

见。　⑧容：思维，感受。　⑨聏（ér）：柔和。　⑩主：主导思想。　⑪强聒（guō）：说个不停。　⑫见厌：被人讨厌。　⑬图傲：伟大。　⑭苛察：对人对事苛求挑剔。　⑮假：借助，利用。

[译文]

不为世俗牵累，不用外物矫饰，不苛求于人，不与众人发生矛盾，希望天下安宁使人民活命，生活上以饱暖为满足，以此来表白心愿，这是古代道术的内涵之一。宋钘、尹文对这种道术很喜欢，制作了形状像华山一样的帽子以表示上下均平主张，应接万物以不带偏见为先；谈论内心的思维，称之为心理活动，以柔和的态度投合别人的喜欢，以调和天下，希望树立上述主张作为行动的主导思想。受到欺侮不以为耻辱，调解人民的争斗，禁止攻伐平息干戈，将天下从战火中拯救出来。用这种主张周行天下，对上劝说诸侯，对下教导百姓，尽管天下的人都不接受，但他们仍然不停地劝说，所以说人们都讨厌而他们还是硬要宣扬自己的主张。

尽管如此，他们还是替别人考虑得太多，为自己打算得太少，说："我们只想要5升米的饭就够了。"不仅先生们吃不饱，弟子们也常常处在饥饿之中，但他们仍然不忘天下，日夜不休，说："我们一定能活下去！"真是伟大的救世之士啊！他们说："君子不苛刻计较，不使自身被外物所利用。"认为对天下没有益处的，与其揭示它不如禁止它。以禁攻息兵为外在活动，以清心寡欲为内在修养，无论从大的方面说还是从细微的方面说，他们的所为也就到此为止了。

公而不党，易而无私，决然无主①，趣物而不两②，不顾于虑，不谋于知，于物无择，与之俱往，

古之道术有在于是者。彭蒙、田骈、慎到闻其风而悦
之③，齐万物以为首，曰："天能覆之而不能载之，地
能载之而不能覆之，大道能包之而不能辩之。"知万物
皆有所可，有所不可，故曰："选则不遍，教则不至，
道则无遗者矣。"

　　是故慎到弃知去己而缘不得已，泠汰于物以为道
理④，曰："知不知，将薄知而后邻伤之者也⑤。"谋
髁无任⑥，而笑天下之尚贤也；纵脱无行⑦，而非天下
之大圣。椎拍辁断⑧，与物宛转，舍是与非，苟可以
免。不师知虑，不知前后，魏然而已矣⑨。推而后行，
曳而后往，若飘风之还，若羽之旋，若磨石之隧⑩，
全而无非，动静无过，未尝有罪。是何故？夫无知之
物，无建己之患⑪，无用知之累，动静不离于理，是
以终身无誉。故曰："至于若无知之物而已，无用贤
圣，夫块不失道。"豪桀相与笑之曰："慎到之道，非
生人之行而至死人之理，适得怪焉。"

　　田骈亦然，学于彭蒙，得不教焉⑫。彭蒙之师曰：
"古之道人，至于莫之是莫之非而已矣。其风窢然⑬，
恶可而言？"常反人，不见观⑭，而不免于魭断⑮。其
所谓道非道，而所言之韪不免于非⑯。彭蒙、田骈、
慎到不知道。虽然，概乎皆尝有闻者也。

　　[注释]
　　①决然无主：排除主观的先入之见。　②趣物而不两：

随物变化而不三心二意。　③彭蒙：齐国人。田骈：齐国人。慎到，赵国人。他们都曾在稷下学宫讲学，位列上大夫，均有著作传世。　④泠（líng）汰：听从放任。　⑤薄：迫。邻伤：损伤。　⑥误髁（xí ke）：随便的样子。　⑦纵脱：放纵无羁。⑧椎、锊（wān）：均为古代的刑具。　⑨魏：通巍。魏然：独立的样子。　⑩隧：转动。　⑪建己：标榜自己。　⑫不教：不言之教。　⑬窦（xū）然：迅疾的样子。　⑭不见观：不受尊敬。　⑮芄（yuán）断：没有棱角。　⑯輢（wěi）：是。

[译文]

　　公正而不阿党，平易而无偏私，排除主观的先入之见，随物变化而不三心二意，没有顾虑，不求智谋，对万物毫无选择地随顺，和它一起变化，这是古代道术的内涵之一。彭蒙、田骈、慎到对这种道术很喜欢，以齐同万物为首要，说："天能覆盖万物却不能承载，地能承载万物却不能覆盖，大道能包容万物却不能分辨。"知道万物都有所能，有所不能，所以说："选择则不普遍，教导则有所不及，大道则无所遗漏。"

　　所以慎到抛弃智慧去除己见而随任于不得已，听任于物作为道理，他说："强求知其所不知，就会为知所迫而受到损伤。"随便任用人，而讥笑天下推崇贤人；放任不羁不拘形迹，而非议天下的大圣。刑罚之轻重，随着事态的发展而相应地变化，抛弃了是非，才可以免于刑罚。不依赖智巧谋虑，不瞻前顾后，巍然独立。推动而往前走，拖拉而向后退，像飘风的往返，像羽毛的飞旋，像磨石的转动，完美而无错，动静适度而无过失，未曾有罪。这是什么原因？没有知觉的东西，就不会有标榜自己的忧患，不会有运用智谋的牵累，动静合于自然之理，所以终生不会受到毁誉。所以说："达到像没有知觉的东西就行了，不需要圣贤，土块不会失于道。"豪杰们相互嘲笑他说："慎到的道对活人没有用而只适用于死人，实在怪异。"

田骈也是这样，受学于彭蒙，得到不言之教。彭蒙的老师说："古时候得道的人，达到了无所谓是非的境界。他们的道术像风吹过一样迅速，怎么能够用语言表达出来呢？"常常违反人意，不受人们所尊敬，仍不免于随物变化。他们所说的道并不是真正的道，而所说的是不免于非。彭蒙、田骈、慎到不懂得真正的道。然而，他们都还大概地听闻过一点道。

　　以本为精①，以物为粗，以有积为不足，澹然独与神明居②，古之道术有在于是者。关尹、老聃闻其风而悦之③，建之以常无有，主之以太一，以濡弱谦下为表④，以空虚不毁万物为实。

　　关尹曰："在己无居⑤，形物自著⑥。其动若水，其静若镜，其应若响。芴乎若亡，寂乎若清。同焉者和，得焉者失。未尝失人而常随人。"

　　老聃曰："知其雄，守其雌，为天下溪；知其白，守其辱，为天下谷。"人皆取先，己独取后，曰受天下之垢；人皆取实，己独取虚，无藏也故有余，岿然而有余。其行身也，徐而不费，无为也而笑巧；人皆求福，己独曲全，曰苟免于咎。以深为根，以约为纪，曰坚则毁矣，锐则挫矣。常宽容于物，不削于人，可谓至极。

　　关尹、老聃乎！古之博大真人哉！

[注释]

　　①本：指道。　②澹（dàn）然：恬淡的样子。　③关

尹：早期道家学派的重要人物，传说他比老聃年长，周平王时曾任函谷关令。　④濡弱：柔弱。　⑤在己无居：自己不存私意。　⑥形物自著：有形之物各自彰显。

[译文]

以无形无为的道为精微，以有形有为的物为粗鄙，以积蓄为不足，恬淡地独自与神明共处，这是古代道术的内涵之一。关尹、老聃对这种道术很喜欢，主张建立在常无与常有的基础上，以太一为核心，以柔弱谦下为外表，以空虚不毁伤万物为实质。

关尹说："自己不存私意，有形之物各自彰显。动如流水，静如平镜，反应如回响。忽然如无有，寂静如清虚。相同则和谐，有得则有失。未曾争先而常常随顺别人。"

老聃说："知道雄强，持守雌柔，愿成为天下的沟壑；知道明亮，持守暗昧，愿成为天下的山谷。"人人都争先，独自甘愿居后，说承受天下的垢辱；人人都务实，独自甘愿守虚，不敛藏所以有余，多如高山堆积。他立身行事，从容不迫，无为而嘲笑机巧；人人都求福，独自甘愿委屈求全，说姑且免于受罪。以深藏为根本，以俭约为纲纪，说坚硬的易于毁坏，锐利的易于挫折。常常宽容待物，从不侵削别人，可以说达到了顶点。

关尹、老聃啊！真是古代的博大真人！

芴漠无形①，变化无常，死与生与，天地并与，神明往与！芒乎何之，忽乎何适，万物毕罗，莫足以归，古之道术有在于是者。庄周闻其风而悦之，以谬悠之说②，荒唐之言③，无端崖之辞④，时恣纵而不恍⑤，不以觭见之也。以天下为沈浊，不可与庄语，以卮言为曼衍⑥，以重言为真⑦，以寓言为广⑧。独与天地精神往来而不敖倪于万物⑨，不谴是非⑩，以与世俗处。其书虽瑰玮而连犿无伤也⑪，其辞虽参差而諔诡可观⑫。彼其充实不可以已，上与造物者游，而下与外死生无终始者为友。其于本也。弘大而辟⑬，深闳而肆⑭；其于宗也，可谓稠适而上遂矣⑮。虽然，其应于化而解于物也，其理不竭，其来不蜕，芒乎昧乎，未之尽者。

[注释]

①芴：应为"寂"字。　②谬悠：虚远而不可捉摸。③荒唐：广大不可测度。　④无端崖：不着边际。　⑤恣纵：放肆。不傥：随意无拘。　⑥卮言：无心之言。曼衍：散漫流行，不拘常规。　⑦重言：庄重的言论。　⑧寓言：寄语他人他物的言论。　⑨敖倪：傲视，轻视。　⑩不谴是非：不拘泥于是非。　⑪瑰玮：奇伟。连犿（fān）：宛转，随和。⑫諔（chú）诡：奇异。　⑬辟：通达。　⑭深闳（hóng）：深广。肆：畅达。　⑮稠适：调和。

[译文]

寂漠无形，变化无常，死死生生，与天地并存，与神明同往！茫然何往，忽然何去，包罗万物，不知归属，这是古代道术的内涵之一。庄子对这种道术很喜欢，以虚远不可捉模的理论，广大不可测度的言论，不着边际的言辞，放纵而不拘执，不持一端之见。认为天下沉浊，不能讲庄重的话，以危言肆意推衍，以重言体现真实，以寓言阐发道理。独自与天地精神往来而不傲视万物，不拘泥于是非，与世俗相处。他的书虽然奇伟却宛转随和，言辞虽然变化多端却奇异可观。他内心充实而思想奔放，上与造物者同游，下与忘却死生不分终始的人为友。他论述道的根本，博大而通达，深广而畅达；他论述道的宗旨，和谐妥贴而上达天意。然而，他对于事物变化的反应和解释，没有止境，不离于道，茫然暗昧，未能穷尽。

　　惠施多方①，其书五车，其道多舛驳②，其言也不中③。历物之意④，曰："至大无外，谓之大一；至小无内，谓之小一。无厚，不可积也，其大千里。天与地卑，山与泽平。日方中方睨⑤，物方生方死，大同而与小同异，此之谓小同异；万物毕同毕异，此之谓大同异。南方无穷而有穷⑥，今日适越而昔来⑦。连环可解也⑧。我知天下之中央，燕之北越之南是也⑨。泛爱万物，天地一体也。"

　　惠施以此为大，观于天下而晓辩者，天下之辨者相与乐之。卵有毛⑩；鸡三足⑪；郢有天下⑫；犬可以为羊⑬；马有卵⑭；丁子有尾⑮；火不热⑯；山出口⑰；轮不碾地⑱；目不见⑲；指不至，至不绝⑳；龟长于蛇㉑；矩不方，规不可以为圆㉒；凿不可以为枘㉓；飞鸟之景未尝动也㉔；镞矢之疾而有不行不止之时㉕；狗非犬㉖；黄马骊牛三㉗；白狗黑㉘；孤驹未尝有母㉙；一尺之捶，日取其半，万世不竭㉚。辩者以此与惠施相应，终身无穷。

桓团、公孙龙辩者之徒^㉛，饰人之心，易人之意，能胜人之口，不能服人之心，辩者之囿也。惠施日以其知与人之辩，特与天下之辩者为怪^㉜，此其柢也。

然惠施之口谈^㉞，自以为最贤，曰天地其壮乎！施雄而无术。南方有倚人焉曰黄缭^㉝，问天地所以不坠不陷，风雨雷霆之故。惠施不辞而应，不虑而对，遍为万物说，说而不休，多而无已，犹以为寡，益之以怪。以反人为实，而欲以胜人为名，是以与众不适也。弱于德，强于物，其涂隩矣^㊱。由天地之道观惠施之能，其犹一蚊一虻之劳者也。其于物也何庸^㊲！夫充一尚可，曰愈贵道，几矣！惠施不能以此自宁，散于万物而不厌，卒以善辩为名。惜乎！惠施之才，骀荡而不得^㊳，逐万物而不反，是穷响以声，形与影竞走也。悲夫！

[注释]

①方：术。　②舛（chuǎn）驳：杂乱无章。　③不中：不当。　④历：分析。　⑤睨（nì）：斜视。　⑥南方无穷而有穷：方向可以无限延伸。　⑦今日适越而昔来：今天我到越国去，犹如昨天他到来。今天与昨天是相对而言的。　⑧连环可解：从形状上看，连环是分不开的；但从环环相套的关系及其变动来看，连环又是可以分开的。　⑨我知天下之中央，燕之北越之南是也：天下的中央之地在当时的燕国之南越国之北，但南的方位只是相对的，无法确切定其方位。　⑩卵有毛：小鸡孵出时已有毛，可知蛋里有毛的因素。　⑪鸡三足：

鸡足的名称为一，鸡实有二足，加起来即为三。　⑫郢有天下：郢为天下不可分割的一部分，因此可以说"郢有天下"。

⑬犬可以为羊：犬与羊的名称是人叫的，如果大家都叫犬为羊，犬也就成了羊。　⑭马有卵：马虽然是胎生的，但胎之初期也如卵。　⑮丁子有尾：丁子即青蛙，青蛙的幼虫为蝌蚪，蝌蚪有尾，因而推论青蛙也有尾巴。　⑯火不热：热和冷都是相对的，对火的感觉物各不同，有感到火不热的。　⑰山出口：即山有口。在山间呼喊，山有回荡之声，能发出声即说明山有口。　⑱轮不碾地：车轮转动时，只有其中一点与地面接触，整个轮子并没有着地。　⑲目不见：眼睛看见东西是有条件的，眼睛在黑暗中就看不见东西。　⑳指不至、至不绝：指事不能达到物的实际，即使达到也不能绝对的穷尽。　㉑龟长于蛇：龟有大小，蛇有长短，大龟可以长过短小的蛇。　㉒矩不方，规不可以为圆：矩和规划出来的都不是绝对标准的方和圆。　㉓凿不可以为枘：枘（ruì），榫头。凿孔是套榫头的，凿孔与榫头间还是有空隙的，不能围得完全紧贴。　㉔飞鸟之景未尝动：飞鸟和其影子在某一时间是停留在某一点上的。

㉕镞矢：箭头。疾：快速。　㉖狗非犬：古人称大狗为犬，小狗为狗，大小不同。　㉗黄马骊牛三：黄马与骊牛合起来是一个集合的概念，分开来是两个概念，加起来是三个概念。

㉘白狗黑：白狗身上有黑，如眼珠。根据毛白可以叫白狗，根据眼黑也可以叫黑狗。　㉙孤狗未尝有母：既然称为孤，就没有母。　㉚一尺之棰，日取其半，万世不竭：棰，杖。每天取一半，最后总还留有一半，所以万世都不尽。　㉛桓团、公孙龙：都是赵国人，名家学派的代表人物。　㉜为怪：制造怪异之说。　㉝柢（dǐ）：根本。　㉞口谈：口才。　㉟倚人：怪异之人。　㊱隩（ào）：深曲处。　㊲庸：用。　㊳骀（dài）荡：放荡。